ENFRENTANDO O DRAGÃO

Obras do autor lançadas pela Galera Record:

A invasão do mundo da superfície
Batalha pelo Nether
Enfrentando o dragão

MARK CHEVERTON

ENFRENTANDO O DRAGÃO

UMA AVENTURA NÃO OFICIAL DE MINECRAFT

Tradução
Ana Carolina Mesquita e Edmo Suassuna

2ª edição

GALERA
—*junior*—
RIO DE JANEIRO
2015

CIP-BRASIL. CATALOGAÇÃO NA PUBLICAÇÃO
SINDICATO NACIONAL DOS EDITORES DE LIVROS, RJ

C452e Cheverton, Mark
2ª ed.   Enfrentando o dragão / Mark Cheverton; tradução
        Edmo Suassuna, Ana Carolina Mesquita. – 2. ed. – Rio de
        Janeiro: Galera Record, 2015.
        (Minecraft; 3)

        Tradução de: Confronting the dragon
        ISBN 978-85-01-10575-2

        1. Ficção juvenil. I. Suassuna, Edmo. II. Mesquita, Ana
        Carolina. III. Título. IV. Série.

15-27070   CDD: 028.5
                                            CDU: 087.5

Título original:
Confronting the dragon

Copyright © Gameknight Publishing, LLC., 2015

Enfrentando o dragão é uma obra original de *fan fiction* de Minecraft que
não está filiada a Minecraft ou MojangAB. É uma obra não oficial e não está
sancionada nem depende de aprovação dos criadores de Minecraft.

Enfrentando o dragão é uma obra ficcional. Nomes, personagens e eventos
são produtos da imaginação do autor ou são usados ficcionalmente. Qualquer
semelhança com eventos e pessoas vivas ou mortas é mera coincidência.

Minecraft ® é marca registrada de MojangAB

Minecraft ®/TM & © 2009-2013 Mojang / Notch

Todas as características de Gameknight999 na história são completamente
fictícias, e não representam o Gameknight999 real, que é o oposto
deste personagem no livro, e é uma pessoa fantástica e gentil.

Consultor técnico: Gameknight999
Composição de miolo: Abreu's System
Adaptação de layout de capa: Renata Vidal

Texto revisado segundo o novo Acordo Ortográfico da Língua Portuguesa.

Todos os direitos reservados. Proibida a reprodução, no todo ou em parte, através de
quaisquer meios. Os direitos morais do autor foram assegurados.

Direitos exclusivos de publicação em língua portuguesa
somente para o Brasil adquiridos pela
EDITORA RECORD LTDA.
Rua Argentina, 171 – Rio de Janeiro, RJ – 20921-380 – Tel.: 2585-2000,
que se reserva a propriedade literária desta tradução.

Impresso no Brasil

ISBN 978-85-01-10575-2

Seja um leitor preferencial Record.
Cadastre-se e receba informações sobre nossos
lançamentos e nossas promoções.

Atendimento e venda direta ao leitor:
mdireto@record.com.br ou (21) 2585-2002.

Para aqueles que sofrem em silêncio

O QUE É MINECRAFT?

Minecraft é um jogo incrivelmente criativo, que pode ser jogado on-line com pessoas do mundo inteiro, jogado só com amigos, ou jogado sozinho. É um jogo do tipo "sandbox", que dá ao usuário a habilidade de construir estruturas incríveis, usando cubos texturizados com vários materiais à sua escolha: pedra, terra, areia, arenito... As leis normais da física não são aplicáveis porque é possível construir estruturas que desafiem a gravidade ou dispensem meios de suporte visíveis.

As oportunidades criativas que esse programa oferece aos usuários são incríveis, com gente construindo cidades inteiras, civilizações aninhadas em penhascos e, até mesmo, cidades nas nuvens. O jogo de verdade, porém, acontece no modo Sobrevivência. Nesse modo, os jogadores são lançados num mundo de blocos, levando nada além das roupas do corpo. Sabendo que a noite se aproxima rapidamente, os usuários precisam coletar matérias-primas: lenha, pedra, ferro etc., a fim de produzir ferramentas e armas usadas para se proteger quando os monstros aparecem. A noite é a hora dos monstros.

Para encontrar matérias-primas, o jogador precisa criar minas, escavando as profundezas de Minecraft na esperança de encontrar carvão e ferro, ambos necessários para se criarem as armas e armaduras de metal essenciais à sobrevivência. Ao escavar, os usuários encontrarão cavernas, câmaras cheias de lava e, possivelmente, uma rara mina ou masmorra abandonadas, onde tesouros aguardam para ser descobertos; mas cujos corredores e salões são patrulhados por monstros (zumbis, esqueletos e aranhas) à espreita para atacar os despreparados.

Mesmo que o mundo esteja cheio de monstros, o usuário não está sozinho. Existem vastos servidores onde centenas de usuários jogam, todos compartilhando espaço e recursos com outras criaturas em Minecraft. Há aldeias espalhadas pela superfície do mundo, habitadas por NPCs (Non-Player Characters ou personagens não jogadores). Os aldeões perambulam de um lado ao outro, fazendo seja lá o que for que os aldeões fazem, com baús de tesouro, às vezes fantásticos, às vezes insignificantes, escondidos em suas casas. Ao falar com esses NPCs, é possível negociar itens a fim de receber gemas raras ou matérias-primas para poções, assim como obter um arco ou espada ocasionais.

Esse jogo é uma plataforma incrível para indivíduos criativos que amam construir e criar, mas eles não estão só limitados a prédios e estruturas. Usando uma substância chamada redstone, os usuários podem criar circuitos elétricos para controlar e energizar pistões e outros dispositivos, para que máquinas complexas possam ser desenvolvidas. No passado, as pessoas já criaram tocadores de música, computadores de 8 bits completamente operacionais e minigames sofisticados dentro de Minecraft, todos energizados por redstone. Com a introdução de blocos de comando na versão 1.4.2, scripts de comando agora podem ser usados para controlar mecânicas do jogo. Essa novidade abriu novas trilhas de criatividade a programas de Minecraft no mundo inteiro, permitindo que eles criassem mecanismos ainda mais sofisticados no jogo. A beleza e genialidade disso é que não se trata mais de um simples jogo, mas de um sistema operacional que permite que os usuários criem seus próprios jogos e se expressem de formas não existentes pré-Minecraft. Deu a crianças de todas as idades e gêneros a oportunidade de criar jogos originais, mapas personalizados e arenas de PvP (Player versus Player ou jogador contra jogador). Minecraft é um jogo cheio de criatividade empolgante, batalhas de arrepiar e criaturas aterrorizantes. É uma tela em branco cheia de possibilidades ilimitadas.

O que você pode criar?

SOBRE O AUTOR

Muitos de vocês conhecem a história de como acabei escrevendo estes livros. Caso contrário, leia o começo de *Invasão do Mundo da Superfície* ou *Batalha pelo Nether*. Fiquei tocado por todos os e-mails atenciosos que recebi por meio do meu site, www.markcheverton.com. Obrigado a todos os meus leitores pelo encorajamento. Entendi por suas mensagens que trollagem e cyber-bullying são coisas que vocês sofreram, e isso me deixa triste. Espero que meus livros ajudem um pouco a lidar com o bullying e o medo e ansiedade que o acompanham.

Enfrentei meus próprios desafios com bullying em minha vida e falarei disso no fim do livro. Espero que *Enfrentando o Dragão* e meus próprios erros possam ajudar aqueles de vocês aí fora que estão passando pela mesma coisa que passei quando era criança. Sejam fortes e falem com alguém.

Agradeço a todas as pessoas que me mandaram e-mails. Aprecio todos os comentários gentis, tanto de crianças quanto dos pais. Tento responder a cada e-mail que recebo, mas peço desculpas se esqueci alguém; venho recebendo muitos. Vou adicionar mais coisas ao meu site para deixar os fãs da série Gameknight999 se expressarem, compartilharem seus pensamentos e imagens de Minecraft. Encorajo todos vocês a construírem uma das cenas do livro e mandarem para o site. Postarei as imagens para que todos vejam.

Procurem por nós, *Gameknight999* e *Monkeypants271*, por aí, pelos servidores. Continuem lendo, sejam legais e cuidado com os creepers.

Mark Cheverton

CAPÍTULO I
A ÚLTIMA BATALHA

Gameknight999 flutuava por uma névoa prateada, com uma sensação de terror pulsando em cada nervo. Alguma coisa estava prestes a acontecer... alguma coisa ruim, e, de alguma forma, ele sabia que não poderia evitar as consequências mortais do que estava para ocorrer. Gradualmente, a nuvem começou a se dissipar, e ele se descobriu num enorme platô, no alto de uma imensa montanha de rocha matriz. Conforme o nevoeiro prateado se assentou no solo, vultos começaram a surgir por trás do véu de brumas... NPCs, todos eles blindados e armados; os defensores sobreviventes de Minecraft.

Sentindo uma presença ao seu lado, Gameknight se virou deu de cara com Artífice e Pedreiro. Eles conversavam em voz baixa entre si, os rostos severos e determinados. Fitavam além do platô a vasta planície no sopé da montanha. Alguma coisa parecia se mover pelo nevoeiro brilhante que obscurecia o solo... coisas raivosas... coisas que feriam.

Será que a névoa indicava que era um sonho? *Pensou ele.* Aquela névoa brilhante parecia estar em todos os sonhos estranhos que andava tendo.

Ele não conseguia explicar como, mas alguma coisa dentro de si disse a Gameknight que ele contemplava o futuro... que ele via o próprio futuro. E, de alguma forma, uma sensação interna o fez tremer de medo ao perceber a verdade sobre o que aconteceria. Ele estava prestes a testemunhar a própria morte e o fim de Minecraft.

Estremecendo, ele se virou para olhar os amigos. Ao lado de Pedreiro, encontrou Caçadora ali parada, rígida e forte, o arco encantado na mão, e *então teve a certeza de que se tratava de um sonho. Ela parecia desgastada e exausta, quase translúcida, mas mantinha um olhar de raiva mortal.*

Como isso poderia ser o futuro quando Caçadora já tinha sido capturada por Malacoda e Érebo no último servidor?, *pensou Gameknight.* Como isso era possível?

Gameknight observou o platô em volta e descobriu que estava coberto do que parecia ser sinalizadores, cubos de vidro transparentes, com blocos emissores de luz presos em seu interior. Dava para ver um campo inteiro deles, centenas, talvez milhares. Mas o curioso era que estavam todos apagados, exceto por dois. Um deles brilhava forte, lançando um facho refulgente de luz branca direto para o céu. Era maior que os outros, na verdade era imenso, mais alto que qualquer um dos NPCs, sua base era cercada de blocos de diamante que também erguiam hastes de luz azul-gelo ao céu. Era tão brilhante que a luz parecia ser ardente, como se qualquer um que tocasse o feixe incandescente seria vaporizado instantaneamente. Todos os outros sinalizadores eram de tamanho normal, mesmo que parecessem minúsculos em comparação. Apenas um desses sinalizadores menores brilhava com luz, o raio luminoso parecendo tão quente e mortal quanto seu companheiro maior.

O que está acontecendo aqui?, pensou Gameknight. O que estou fazendo aqui? Para que serve aquele sinalizador? Seria essa a Batalha Final por Minecraft?

Gameknight percebeu que todo mundo no topo da montanha exibia expressões de medo e incerteza no rosto. Diante deles havia uma escadaria íngreme que levava das planícies abaixo até o topo plano de montanha onde eles se encontravam. Era o único jeito de alcançar o platô de sinalizadores; as encostas do platô eram retas e impossíveis de se escalar.

Gameknight observou enquanto Pedreiro espiava o sopé da colina e esquadrinhava a paisagem. Depois o NPC se virou e mirou seus olhos verdes no jogador.

— Eles estão vindo — afirmou, com voz séria. — Deve haver quinhentos monstros, talvez mil, logo atrás de Érebo. — Ergueu a mão quadrada e cofiou a barba bem aparada, os olhos avaliando os rostos dos guerreiros. — Temo que não haja maneira para determos essa horda. Minecraft está perdido.

Perdido?!, pensou Gameknight. Se este é o futuro, então isso quer dizer que vamos perder a batalha por Minecraft?

Ele queria gritar, dizer a eles que não desistissem, mas a voz não reagia. Sentia-se preso dentro do próprio corpo, incapaz de fazer qualquer coisa além de ser um espectador detrás daqueles olhos impotentes.

— Não se desespere, Usuário-que-não-é-um-usuário — disse Artífice, a voz sábia reverberando pelo alto da montanha. — Você fez tudo que poderia ser feito. Não há vergonha em fracassar depois de dar seu melhor.

— Do que você está falando? — retrucou Caçadora, a voz soando onírica e surreal para Gameknight. Ela possuía uma aparência transparente, como se não estivesse completamente ali, seu destino ainda incerto. — Se nós perdermos, então perdemos. Não há nada do que se orgulhar.

Gameknight se virou e olhou Artífice. O jovem menino com olhos envelhecidos o encarou, com tristeza no rosto.

— Lamento que não pudemos fazer mais — continuou Artífice em voz baixa, as palavras apenas para Gameknight. — Você viu a horda abaixo. Sabe que não podemos derrotar Érebo e os monstros da noite desta vez. Mal temos cem soldados restantes. Eles não conseguirão deter a maré de destruição que se aproxima.

Artífice virou-se para encarar o imenso sinalizador, a Fonte, e suspirou.

— Acho que não nos resta nada a fazer além de lutar e morrer — decidiu Artífice, sacando a própria espada.

Gameknight contemplou a cena com tristeza devastadora. Se este é o futuro, então isto significa que eu liderei todos até este ponto, até o fracasso? Será que realmente não há nada mais que eu possa fazer? Por que meu corpo, meu ser inteiro se sente tão... tão... derrotado? *Ele não poderia testemunhar a destruição dos seus amigos... de Minecraft. Ele queria dar as costas à cena, mas não conseguia; não tinha controle sobre o próprio corpo.*

Eu tenho que fazer alguma coisa... Eu tenho que tentar ajudá-los!, *pensou ele.*

Gameknight *agora escutava os gemidos dos monstros quando estes alcançaram o pé da escadaria que levava ao topo da montanha. Os cliques das aranhas, arfar dos blazes e uivos lamentosos dos ghasts ecoavam pela terra, fazendo todos os defensores no platô estremecerem.*

— Há algo que eu preciso fazer — *anunciou Gameknight a todos os NPCs.*

NÃO! Esse não sou eu falando!, *gritou ele de dentro da própria mente, mas seu corpo não respondeu.*

Movendo-se por conta própria, seu corpo guardou a espada e depois parou ao lado do sinalizador, a coluna de luz fulgurante a meros centímetros do rosto. Era possível sentir o calor inacreditável do facho, como se todo calor no Nether estivesse comprimido naquele raio brilhante.

— Gameknight, o que você está fazendo? — *gritou Artífice.*

O que eu estou fazendo?!, *pensou Gameknight, em pânico.* Será que vou pular naquele raio? Por que não estou tentando salvar todo mundo?

— *Esse é o caminho dos covardes* — *gritou Caçadora.* — *Não desista, lute conosco... comigo.* — *Havia* agora uma tristeza peculiar em sua voz, os olhos implorando que ele abandonasse aquela trilha.

— Não, isto é algo que preciso fazer — afirmou o corpo de Gameknight em voz alta.

Olhando para os amigos, Gameknight viu descrença em seus rostos enquanto observavam sua aproximação da coluna brilhante de morte ardente. Então, Pedreiro se afastou dos outros NPCs e parou ao lado de Gameknight, com um curioso sorriso de sabedoria no rosto.

— Não, não você também! — gritou Caçadora, com descrença na voz.

— Você compreenderá com o tempo — respondeu Pedreiro.

Então, indo até o lado oposto do sinalizador, Pedreiro ergueu a espada bem alto, segurando o cabo com ambas as mãos. Com toda a sua força, golpeou direto para baixo, cravando-a no chão. Soou como um estalo de trovão quando ele perfurou a rocha-matriz, fazendo a região inteira tremer. Segurando com firmeza o cabo com uma das mãos, estendeu a outra, quadrada, ao Usuário-que-não-é-um-usuário, com os olhos verdes travados nos de Gameknight.

— Por Minecraft — disse o grande NPC, numa voz surpreendentemente suave e reconfortante.

— Por Minecraft. — Ele ouviu seu corpo repetir, em seguida entrando na haste de luz incandescente.

Seria isso o fim?!, pensou Gameknight. *Não pode ser assim que tudo acaba. Se este é o futuro, então será que há alguma esperança... Pode o futuro ser mudado? E quanto...*

E, subitamente, tudo ficou incrivelmente brilhante conforme a dor irrompeu por todo o seu corpo, e depois tudo começou a desaparecer. Porém, logo antes que o mundo se apagasse completamente, ele pensou que conseguia ouvir algo... vozes... centenas delas, e uma em particular que ele não tinha ouvido pelo que parecia uma eternidade. Era uma voz familiar de um amigo de quem ele sentia muita saudade, e, conforme as vozes começaram a preencher sua mente, Gameknight999 quase começou a sorrir. Então as trevas o engoliram.

CAPÍTULO 2
SEGUINDO A TRILHA

Gameknight acordou de repente, a cabeça tonta de confusão e o cérebro tentando compreender o que tinha visto.

Aquilo foi apenas um sonho?, pensou ele, *ou foi alguma outra coisa? Parecia real, mas diferente... como se de alguma forma ele estivesse vendo o futuro.*

Ele ainda podia se lembrar da expressão de aceitação resignada nos rostos de todos os NPCs enquanto eles contemplavam a imensa horda de monstros que se aproximava. Era impossível que aquele pequeno grupo de defensores pudesse proteger a Fonte daquele exército invasor. Eles certamente iriam perder, e não havia nada que Gameknight999, o Usuário-que-não-é-um-usuário, fosse capaz de fazer quanto a isso.

Balançando a cabeça, ele tentou afastar as imagens da mente. Mas elas simplesmente chacoalhavam dentro dela como martelinhos, cada um desbastando sua coragem. O menino suspirou, sentou-se e olhou em volta pelo acampamento, em busca de qualquer evidência daquela horda de monstros ali. Felizmente, só encontrou NPCs; padeiros, carpinteiros, alfaiates, escavadores, construtores... cada faceta da sociedade de Minecraft agora recrutada e vestindo armadura, com armas por perto. Estavam todos ali por ele, que usara o sentimento de culpa para convencê-los a vir à Fonte. Eles tinham fracassado em deter Érebo e Malacoda no último servidor além de seguir a imensa horda de monstros até aquele servidor, até a Fonte. Só que eles estavam em enorme desvantagem numérica e não sabiam aonde ir ou o que fazer. Portanto, em vez de criar um plano e fazer alguma coisa útil, eles simplesmente seguiam a trilha enegrecida e calcinada deixada pela horda de monstros, na esperança de descobrir o que as terríveis criaturas planejavam.

Gameknight se levantou e se espreguiçou, levantando bem os braços para o céu e depois arqueando as costas, com os nós e cãibras se desfazendo lentamente após a noite de sono no chão repleto de calombos. Fitando o céu escuro, viu a face quadrada da lua começando a mergulhar em direção às árvores; a aurora despontava. Um leve tom avermelhado brilhava no corpo lunar, algo que todos eles tinham percebido assim que pisaram naquela terra ameaçada, algo relacionado a todos os monstros que a tinham invadido, manchando a própria substância de Minecraft com sua presença violentamente odiosa.

Eu me pergunto se o sol e a lua vão algum dia voltar às suas cores originais, pensou Gameknight.

Esquadrinhando o acampamento, Gameknight viu soldados estendidos em todo lugar que fosse plano, o exército acampado em um vale suave, à beira de uma floresta de pinheiros. Pequenas pilhas de corpos cobertos de armaduras ali, NPCs protegidos por cobertores acolá; estavam espalhados por toda bacia. Era possível ver as tochas plantadas ao redor do acampamento, parcialmente a fim de evitar que monstros fossem gerados nas proximidades, mas também para tranquilizar os NPCs. A escuridão parecia deixar aqueles da Superfície nervosos, pois todos tinham aprendido havia muito tempo, quando eram apenas crianças inocentes, que a noite era a hora dos monstros.

Contornando cuidadosamente os corpos adormecidos, Gameknight alcançou o limite do campo e encontrou Pedreiro, o verdadeiro líder do exército, caminhando pelo perímetro.

— Usuário-que-não-é-um-usuário — disse o grande NPC, enquanto parava e levava o punho ao peito em saudação. — Você deveria estar descansando.

— Não consigo dormir — respondeu ele. — Então achei que poderia conferir o perímetro.

— Você é um líder sábio — afirmou Pedreiro. — Sempre cuidadoso.

Líder... certo, que piada, pensou Gameknight consigo mesmo.

O exército se inspirava em Gameknight999, o Usuário-que-não-é-um-usuário, mas ele não era o general deles. O cargo era de Pedreiro. Ele tinha uma aura de comando que fazia todo mundo que o escutasse *querer* obedecer. A preocupação dele com o bem-estar dos soldados só se comparava com a preocupação que tinha com o bem-estar de Minecraft.

Pedreiro era o real comandante daquele exército de NPCs, e Gameknight sabia disso. Quer gostasse ou não, o Usuário-que-não-é-um-usuário se sentia como um mero símbolo, um estandarte que de alguma forma teria que salvar o mundo e fazer tudo ficar bem de novo. O problema era que... ele não sabia o que fazer ou o que dizer.

— Não houve nenhuma atividade — relatou Pedreiro, enquanto se virava e olhava em volta. — Nenhum monstro avistado em lugar nenhum.

— Isso não é meio estranho? — indagou Gameknight.

— Talvez Malacoda e Érebo estejam reunindo todos aqueles que encontram, levando-os junto, deixando o exército ainda maior.

Gameknight grunhiu e assentiu.

— Isso faz sentido — respondeu o jogador.

É claro que faz sentido, pensou ele amargamente. *Tudo que Pedreiro diz faz sentido!*

— O que você está fazendo acordado a uma hora dessas, Pedreiro?

— Um bom líder fica ao lado de seus homens e o que ele pede que os homens façam, ele também faz — explicou o NPC grandalhão, com olhos verdes faiscando ao luar. — Se eu me dedicasse menos, então seria apenas um general mimado e arrogante por quem os soldados não lutariam. Eles precisam saber que eu farei qualquer coisa que eu lhes pedir para fazer.

— Mas o que você está vigiando? — indagou Gameknight, enquanto se juntava ao NPC grandalhão.

— Malacoda e seus monstros estão longe daqui. Não vão nos atacar.

— Ataque seu inimigo quando ele não estiver preparado, e apareça onde você não é esperado — respondeu Pedreiro, como se estivesse recitando de memória.

Aquilo soou familiar a Gameknight por algum motivo... curioso.

— É isso que eu faria — afirmou o NPC. — Então é para isso que eu me preparo. — Fez uma pausa para esquadrinhar as árvores, depois continuou. — Venha, vamos caminhar juntos.

Gameknight andou ao lado do companheiro, tentando se endireitar para parecer tão imponente quanto o NPC grandalhão, uma tarefa difícil até mesmo quando se tinha a mesma altura que ele. Não importa o quão alto fosse, Gameknight sempre se sentia pequeno ao lado de Pedreiro.

Enquanto caminhavam, a pálida lua carmesim mergulhava lentamente atrás da linha das árvores e o horizonte oriental começava a se tingir de um vermelho profundo; logo seria alvorada. O acampamento começava a acordar. Vultos cansados se erguiam à luz frágil da aurora, vestindo suas armaduras de novo e pegando as armas. Quando viram Gameknight, os soldados instantaneamente o aclamaram e ficaram em posição de sentido, punho no peito.

— Usuário-que-não-é-um-usuário vai derrotar os monstros! — gritou alguém.

— Gameknight999, o guerreiro mais corajoso em todo Minecraft — afirmou outro.

Mais declarações elogiosas vieram dos soldados conforme os dois caminhavam pelo acampamento. Isso vinha acontecendo desde que haviam chegado naquele servidor... na Fonte. Por algum motivo, os guerreiros no exército tinham concluído que Gameknight999 era algum tipo de grande herói, corajoso e ousado, desprovido de medo. Todos pensavam que ele poderia salvá-los, derrotar os monstros de Minecraft e deixar tudo melhor.

Mas que piada, pensou ele. *Eles não percebem que eu sairia correndo agora mesmo se tivesse para onde correr.*

Gameknight sabia que não era tão corajoso quanto todos pensavam. Odiava ficar com medo, mas Minecraft tinha desgastado lentamente sua coragem e erodido sua determinação. Ele se encolhia toda vez que o grupo encontrava um monstro solitário ou talvez um esquadrão de reconhecimento, e a ideia de combater as criaturas gelava seu sangue. Tinha aprendido muito sobre encarar os próprios medos no último servidor, só que ainda era difícil, ainda era algo com que ele lutava.

Pedreiro era completamente diferente. Ele *era* o primeiro a se juntar à batalha. Se alguém gritasse por socorro, Pedreiro seria o primeiro a chegar. Se monstros fossem avistados, então ele seria o primeiro a se posicionar diante deles. Em todos os casos, Pedreiro não se esquivava do confronto. Na verdade, ele investia contra quaisquer ameaças para proteger os guerreiros no exército, como se fossem seus próprios filhos... curioso.

Subitamente, soou um alarme. Alguém batia num peitoral de ferro com o lado chato da espada, gritando alto:

— Jóquei de aranha... Jóquei de aranha! — dizia a voz.

Pedreiro disparou na direção da voz, com Gameknight hesitante no seu rastro, quatro passos atrás. Correram até uma sentinela na beira do acampamento, segurando um peitoral que ainda retinia com os golpes.

— O que foi? — indagou Pedreiro.

— Vi um jóquei de aranha por ali — explicou a sentinela, apontando as colinas relvadas.

Jóqueis de aranha eram esqueletos montados em aranhas gigantes. Eram rápidos, conseguiam cobrir um vasto terreno em um dia se o esqueleto vestisse um capacete, e conseguiam subir paredes; eram oponentes temíveis. Malacoda provavelmente tinha mandado esses monstros para encontrar os NPCs e relatar sua posição. Gameknight sabia que não poderia deixar que esse jóquei de aranha voltasse aos seus mestres... isso seria um desastre. Só que a incerteza lhe roía a autoconfiança.

O que eu deveria fazer?, perguntou-se Gameknight. *Será que eu deveria sair a cavalo para enfrentar o monstro... já lutei com um deles na época em que Minecraft era só um jogo. Só que, agora... ainda não sei o que vai acontecer se eu morrer. Não há mais servidores para onde eu possa subir; este é o topo da pirâmide de planos de servidores... a Fonte. Será que eu vou reaparecer, ou morrer de verdade desta vez?*

Incerteza e medo lhe inundaram a mente, afogando sua capacidade de pensar. Ele olhou para o chão... com medo.

Não quero lutar com um jóquei de aranha... não agora. O que eu faço... o que eu faço?

Pedreiro se virou e encarou Gameknight, esperando algum comando ou senso de liderança, mas tinha aprendido a não esperar por muito tempo. Erguendo o olhar do chão, Gameknight fitou os olhos verdes brilhantes de Pedreiro, o próprio olhar cheio de incerteza e medo. Só que, antes que Gameknight pudesse falar, felizmente, Pedreiro deu as ordens.

— Vocês quatro, montem em seus cavalos e peguem aquele jóquei de aranha — comandou Pedreiro a um grupo de guerreiros, sua voz cheia de confiança. — Assegurem-se de que ele não relate nossa posição.

— Sim, senhor — retrucaram os NPCs.

— Arqueiros — resmungou Gameknight.

— O quê? — indagou Pedreiro.

— Arqueiros... vocês vão precisar de arqueiros para não serem forçados a chegar perto — explicou o Usuário-que-não-é-um-usuário, com voz incerta.

A maioria dos esqueletos levava arco e flecha.

— Sim, é claro — retumbou Pedreiro. — Levem alguns arqueiros com vocês também. Cerquem-no com os arqueiros e só ataquem a cavalo se não conseguirem acertar o bicho com flechas. Não faz sentido correrem riscos desnecessários. Agora vão!

Os soldados correram pelo acampamento, reunindo armas e armaduras. Em segundos, um esquadrão de soldados, alguns homens, algumas mulheres, estavam galopando na direção do monstro avistado.

— Eles vão pegar o bicho — afirmou Pedreiro, confiante.

O general se virou, colocou o braço nos ombros de outro soldado e sussurrou alguma coisa no ouvido quadrado. O soldado saiu correndo, apressado, reunindo mais vinte outros guerreiros, alguns deles guardando as espadas e pegando pás nos inventários. Gameknight observou o grupo sair correndo do acampamento até uma alta colina próxima. No topo do morro, eles começaram a empilhar blocos de terra, um em cima do outro, esculpindo formas que lembravam pessoas e cavalos. Um deles posicionou um bloco de rocha-do-nether que tinha sido trazido do Nether após a batalha contra Malacoda no último servidor. Tocou-o com aço e pederneira, e o bloco se incendiou imediatamente, deixando os vultos artificiais no alto da colina mais fáceis de notar, especialmente à noite.

— O que eles estão fazendo lá em cima? — indagou Gameknight.

— Preparando uma pequena distração — respondeu Pedreiro.

O general parou ao lado de Gameknight para admirar o trabalho dos soldados. Era possível ver silhuetas ao redor de uma fogueira, formas de cavalos paradas próximas às árvores, vultos de soldados em meio à mata, formas deitadas no chão.

— Qualquer operação militar tem na dissimulação sua qualidade básica — declarou Pedreiro, como se recitasse alguma lição de memória.

Gameknight estava prestes a dizer alguma coisa quando subitamente percebeu que a declaração lhe soava familiar... muito familiar, de alguma forma.

Já ouvi isso antes, pensou Gameknight. *Eu sei que já! Mas como poderia ser? Estamos em Minecraft, não no mundo físico.*

Gameknight vasculhou a memória, tentando identificar onde tinha escutado aquela afirmação, mas não conseguiu lembrar, pois as peças do quebra-cabeça davam cambalhotas em sua mente, indefinidas e ocultadas por confusão.

— Temos que aparentar estar onde não estamos a fim de confundir o inimigo — acrescentou Pedreiro.

— É uma ótima ideia — comentou uma voz jovem logo ao lado de Gameknight.

Virando-se, o jogador se deparou com Artífice, com um sorriso iluminando o rosto de criança com esperança. Gameknight tinha conhecido Artífice no primeiro servidor, quando fora sugado para Minecraft pela invenção do pai, o digitalizador. Naquele servidor, Artífice tinha sido um homem velho, de cabelos grisalhos, recurvado pela idade avançada. Depois de salvar aquele servidor de Érebo, o rei dos endermen, e seu exército de monstros, Artífice tinha reaparecido no servidor seguinte como um garotinho. Era sempre chocante, e um pouco desconcertante, ver aqueles velhos olhos sábios no rosto jovem, os anos de experiência brilhando forte por trás daquele azul majestoso. Porém, depois das batalhas no último servidor, as batalhas no Nether, Gameknight tinha finalmente aceitado que agora aquela era a forma do amigo; um sábio e velho artífice encapsulado no corpo desse garotinho. Era provavelmente o melhor amigo que ele tinha na vida... Bem, talvez exceto pelo seu amigo no mundo real, Shawny.

Queria que Shawny estivesse aqui para nos ajudar agora.

— Socorro! — gritou alguém.

Sem pensar, Pedreiro saiu correndo, espada na mão, preparado. Gameknight sacou a própria arma também e seguiu o NPC grandalhão, com Artífice ao seu lado e um grupo de guerreiros na cola. Gameknight ouvia o retinir de espadas sendo desembainhadas assim que os guerreiros atrás dele se preparavam para a batalha. Medo e incerteza começaram a envolver a coragem de Gameknight como uma poderosa serpente, com um corpo escamoso preenchido com cada *"e se..."* possível que ele conseguia conjurar. Enquanto seguia Pedreiro cheio de hesitação, o jogador sentia a grande serpente de medo esmagando lentamente sua coragem, espremendo-a até a última gota. Porém, como ele sabia que não tinha escolha, segurou a espada de diamante com força e correu em direção ao novo perigo.

CAPÍTULO 3
BULLIES

— Socorro — gritou a voz de novo. Eles estavam chegando perto.

Gameknight percebeu que a voz vinha de logo depois da próxima subida. Ele disparou adiante, tomando cuidado de não ultrapassar Pedreiro, mas ainda correndo rápido o bastante para não parecer assustado demais. Quando alcançaram o topo da colina, depararam-se com Costureira, parada no alto, com arco na mão e flecha preparada. A brisa que soprava no cume brincava com o cabelo ruivo brilhante da jovem menina, criando arcos escarlate que circundavam seu rosto e pescoço. Ela virou a cabeça e sorriu para Gameknight enquanto apontava para a linha de árvores, baixando o arco lentamente.

— Perto das árvores — disse a jovem menina, enquanto relaxava e guardava a arma.

No sopé da colina eles viram um NPC jovem e magricela parado ao pé de um alto eucalipto. A casca branca da árvore refletia um escarlate suave conforme a calorosa luz vermelha da alvorada banhava a paisagem. Esquadrinhando a área, Gameknight procurava quaisquer monstros que pudessem estar atacando, mas só viu um lobo solitário sentado por perto, com uma coleira vermelha no pescoço; ele tinha sido domesticado. Pedreiro, também notando que não havia ameaças, disparou colina abaixo até o rapaz magriço enquanto embainhava a espada.

— O que está acontecendo aqui? — inquiriu Pedreiro, a voz retumbante reverberando pela floresta de eucaliptos.

— Bem... ahhh... eles disseram que era uma... uma brincadeira — gaguejou o garoto.

— Qual é seu nome, filho? — perguntou Artífice, agora parado ao lado de Gameknight.

— Meu nome é Pastor... é Pastor — respondeu o menino, que então notou Gameknight999. — Usuário-que-não-é-um-usuário, você é meu herói... herói. Mal posso esperar para ver... ver você destruir os monstros e salvar... salvar Minecraft. Quero ser que nem... que nem você.

O menino deu um passo à frente e pousou levemente a mão no braço de Gameknight, o rosto tomado por um olhar de devoção. Envergonhado, o Usuário-que-não-é-um-usuário deu um passo atrás e fitou o chão.

Que piada... sou só um menino assustado, pensou ele consigo mesmo. *Não sou herói.*

— Pastor cuida dos animais — acrescentou Costureira, enquanto guardava o arco e parava ao lado de Artífice. — Ele os vigia à noite e mantém todos juntos. Alguns dos guerreiros costumam atormentá-lo porque ele é menor, mais jovem e... diferente.

— Minhas ferramentas — disse Pastor, soando envergonhado... não, humilhado. — Elas estão... na árvore.

Todos olharam para o alto. Viram um grupo de ferramentas flutuando sobre a copa da árvore, movendo-se para cima e para baixo como se boiassem em ondas invisíveis. Na base da árvore, Gameknight notou um quadrado de grama morta. Claramente os bullies tinham construído uma coluna de terra para ter acesso ao topo da árvore, em seguida depositaram as ferramentas e depois desceram, removendo a maior parte das provas da peça que pregaram.

Usando alguns blocos marrons malhados de rocha-do-nether, Gameknight construiu uma escadaria que levava ao alto da árvore. Vinha carregando esses blocos desde a última batalha no Nether. Imagens daquele conflito terrível irromperam em sua mente enquanto ele colocava a rocha-do-nether no chão. O exército de NPCs tinha entrado no Nether para resgatar Artífice dos tentáculos de Malacoda, o rei do Nether, e tinha esperanças de deter sua horda de monstros. Tinham fracassado. Salvar Artífice, coisa que eles tinham conseguido, era motivo para celebração, só que Caçadora, amiga de Gameknight e irmã de Costureira, tinha sido capturada. O jogador ainda se lembrava da expressão no rosto dela enquanto a NPC afundava lentamente no portal que trazia para aquele servidor, o corpo esguio envolvido pelos longos e serpenteantes tentáculos de Malacoda. A tristeza terrível nos olhos dela tinha lhe dito que disparasse seu arco e a matasse; a morte teria sido preferível à captura. Só que Gameknight não teve coragem de disparar...

então ele deixou a amiga ser levada pelo monstruoso rei do Nether, e aquele ato covarde assombrava cada minuto que passava acordado.

Mesmo que os NPCs tivessem vencido a batalha, os monstros tinham conseguido escapar pelo portal que Malacoda construíra. Gameknight e Costureira tinham seguido a horda, pois não desistiriam de salvar Caçadora. Felizmente, o exército de NPCs tinha concordado em segui-los também. E, agora, estavam naquela terra estranha, procurando Malacoda e Érebo, os dois reis, na esperança de impedir o ataque deles à Fonte.

Gameknight contemplou o bloco de rocha-do-nether em suas mãos e recordou todos os gritos na última batalha... toda dor... todo terror. Famílias foram destroçadas e vidas foram perdidas... e... Caçadora... as memórias fizeram Gameknight estremecer. Afastando sua atenção da terrível memória, colocou o último bloco, completando assim a escadaria. Por fim, fez um gesto para que Pastor recolhesse suas posses.

O jovem NPC correu escada acima até o topo da árvore, pegou suas coisas e depois desceu correndo, com um imenso sorrido para Gameknight999.

— Obrigado... obrigado, Usuário-que-não-é-um-usuário — disse Pastor, sorrindo.

Gameknight grunhiu, puxou a picareta e começou a escavar os blocos que tinha acabado de colocar.

— O que foi que aconteceu aqui, Pastor? — perguntou Artífice.

— Bem, os outros... outros disseram que queriam fazer uma... uma brincadeira comigo — explicou Pastor. — Eles disseram que isso faria... faria de mim um deles... deles. Eu seria como... como eles, um guerreiro. — O garoto magricela se virou para encarar Gameknight. — Eu posso enfrentar os monstros. Eu posso usar... posso usar minha...

— Filho, você é jovem demais para lutar — ralhou Pedreiro. — De qualquer maneira, seu trabalho é pastorear os rebanhos. É isso que você precisa fazer. Não vai lutar, é pequeno demais.

— Mas...

— Sem discussão! — comandou Pedreiro.

Artífice pousou uma mão tranquilizadora no ombro de Pedreiro, depois se virou novamente para Pastor.

— Pastor, continue sua história.

— Bem... os guerreiros me mandaram largar todo o meu... todo o meu inventário. O teste tinha que ser feito sem ferramentas... ferramentas. Então eu larguei... larguei tudo, fechei meus olhos... meus olhos e esperei. Estava tão empolgado em finalmente ser aceito... ser aceito por eles. Achei que finalmente... finalmente teria amigos e seria um... deles. Mas logo... eu ouvi risadas. — A voz de Pastor ficou mais baixa, como se revivesse a humilhação. — Quando abri meus... meus olhos, os soldados tinham ido embora. Todas as minhas... todas as minhas ferramentas estavam na árvore. Eu vi os guerreiros parados... parados no topo daquela colina rindo... rindo de mim.

Pastor se virou e encarou Gameknight. Pela primeira vez, o jogador notou os olhos do menino; um era verde-pálido, o outro, um frio azul de aço. Eles se destacavam contra a maçaroca emaranhada de cabelos negros e pareciam se cravar na alma de Gameknight. Era como se Pastor pudesse, de alguma forma, enxergar dentro de Gameknight e entender que o Usuário-que-não-é-um-usuário tinha vivenciado a mesma coisa muitas vezes também: ele teve seus livros colocados no aro de basquete, o lance em cima dos armários, os sapatos no alto da porta... Gameknight tinha experimentado aquela mesma coisa tantas vezes com os bullies na escola, e agora estava acontecendo aqui, em Minecraft.

Isso deixava Gameknight999 bravo... e triste.

Por que os bullies não me deixam em paz... não deixam a gente em paz? Que tipo de pessoa doente se diverte com o sofrimento dos outros?

E então Gameknight entendeu a resposta a essa pergunta aqui em Minecraft. Érebo, ele se divertiu com o sofrimento de Gameknight e, provavelmente, estava se divertindo com o sofrimento de Caçadora... Isso se ela estivesse viva. Érebo era o bully de Gameknight ali, assim como os guerreiros eram os bullies de Pastor.

Àquela altura, um grupo de soltados já tinha se reunido no alto da colina, muitos deles rindo e apontando Pastor. Gameknight podia ouvir seus comentários, pois suas palavras reverberavam no ar frio da manhã.

— Por que ele fala daquele jeito — sussurrou um dos soldados, em voz não muito baixa.

— Acho que ele é meio tocado da cabeça — respondeu outro. — Você sabe...

— Aquele é o porcolino — afirmou outro, apontando Pastor com a espada. — Ele cuida dos animais e dorme com eles. As pessoas dizem que ele é maluco... ou burro... ou os dois.

— EI! — gritou Costureira cuja raiva começava a transbordar. — O nome dele é Pastor, e ele não é burro. Só é diferente de vocês, e nada mais.

Os soldados riram.

Costureira foi até Gameknight e lhe deu um empurrãozinho suave para a frente, como se esperasse que ele dissesse alguma coisa aos soldados.

— Que foi? — indagou ele.

— Você não vai dizer nada? — rosnou a garota.

Gameknight contemplou os guerreiros na colina, rindo zombeteiramente do menino magricela. A cena trazia à tona tantas memórias de quando ele mesmo sofreu bullying: as aglomerações de garotos, os empurrões inocentes, os pisões casuais no pé dele... Pensar em todo bullying que sofrera na escola trouxe de volta todas as dúvidas e inseguranças de Gameknight. Fez o jogador querer simplesmente desaparecer. De repente, um cotovelo anguloso o cutucou nas costelas, tirando-o de seu devaneio.

— Então? — sussurrou Costureira.

— Ah... sim — gaguejou Gameknight. — Ahh... Vão patrulhar o perímetro em busca de monstros.

Os soldados riram de novo, jogaram mais alguns insultos contra o menino e foram embora, obedecendo às ordens do Usuário-que-não-é-um-usuário.

Pastor baixou os olhos enquanto Pedreiro o encarava irritado. Uma vaca próxima ergueu a cabeça e mugiu, chamando a atenção de Pastor. O menino deu as costas ao NPC grandalhão e foi lentamente até a vaca, pousou a mão na grande cabeça quadrada e lhe acariciou o focinho, acalmando-a. Em seguida partiu para a escuridão, sendo seguido obedientemente pela vaca.

— Eu tenho que reunir... os animais — murmurou Pastor consigo mesmo, enquanto se afastava, parecendo estar recuperado do incidente num instante.

A coisa toda trouxe de volta memórias terríveis para Gameknight999. As incontáveis vezes em que ele fora empurrado para dentro de um armário, ou erguido e atirado numa lixeira, ou jogado no banheiro das meninas... os muitos incidentes quicavam na cabeça do jogador como pesadelos repetidos. Ele odiava os bullies na escola. Só porque Gameknight era menor que os outros meninos, talvez um pouco diferente, parecia que não era errado que aqueles garotos o atormentassem. Ele os odiava.

Por que eu não fiz aqueles soldados pararem de zombar de Pastor?, pensou Gameknight.

O jogador olhou para Artífice, depois para costureira, evitando seus olhos e expressões de julgamento. Suspirou enquanto fitou o chão, envergonhado. A voz de Pastor soava do outro lado do acampamento enquanto ele falava com os animais que pastoreava, conduzindo-os em direção ao centro do campo.

— Vamos lá — disse Artífice. — Vamos colocar este exército em movimento. Eles precisam ver o Usuário-que-não-é-um-usuário à frente da marcha, sendo a ponta da lança.

Ponta da lança... hah, que piada, pensou ele, mas sabia o papel que precisava desempenhar. Suspirando, ele correu até o centro do acampamento, com Costureira três passos à frente. Seus cabelos ruivos selvagens esvoaçavam no seu rastro, como chamas líquidas, enquanto ela corria, lembrando Gameknight de sua irmã mais velha, Caçadora.

Espero que você ainda esteja viva, Caçadora, pensou ele consigo mesmo, depois tremendo quando a culpa por não ter disparado a flecha que poderia ter salvo a amiga, por não tê-la salvado quando teve a chance, desabou sobre ele... de novo.

CAPÍTULO 4
MALACODA

Érebo olhou em volta a bela paisagem, altas árvores verdes, vastos prados de grama verdejante e as majestosas montanhas distantes... a cena o enojava. O subterrâneo era um lugar adequado para se viver, nas sombras e nos ocos de cavernas e túneis, não naquele panorama pateticamente colorido. A vista revirava seu estômago.

Afastando o olhar da paisagem, o rei dos endermen espiou o vasto exército de monstros. Eles marchavam através do servidor, buscando aliados que os ajudassem em sua missão de destruir a Fonte. Érebo sorriu ao contemplar o vasto número de criaturas que o seguiam. Logo, todos seriam comandados por ele... mas não agora. Ao lado dele flutuava o imenso ghast, Malacoda, o rei do Nether e comandante daquele exército... temporariamente. Sua carne pálida, branca como osso, tinha quase um brilho rosado à luz do alvorecer. Naquela iluminação, Érebo via claramente as cicatrizes malhadas que salpicavam a pele do monstro, mas as cicatrizes que pareciam lágrimas sob aqueles olhos vermelhos raivosos eram as mais vívidas.

— O que você está olhando? — retumbou Malacoda, a voz alta e bombástica misturada a sons agudos e felinos.

— Nada — respondeu Érebo, despejando cada gota de falsa sinceridade que conseguiu juntar. — Apenas admirando sua magnificência... milorde.

O rei do Nether grunhiu e afastou o olhar do enderman vermelho-escuro.

Ao lado de Malacoda estava seu general, um dos esqueletos wither. A criatura ossuda e sombria cavalgava uma aranha gigante; um jóquei de aranha, como eles eram conhecidos em Minecraft. Ele era semelhante aos primos da Superfície, uma criatura feita apenas de ossos, só que os esqueletos wither eram escurecidos, como se tivessem sido tirados das cinzas de uma fogueira há muito apagada, versus o branco pálido dos esqueletos da Superfície. A maioria dos wither levava uma espada como sua arma de escolha, mas aquele portava um arco encantado, espólios tomados da prisioneira. O monstro virou o corpo para olhar para trás, fazendo cara feia para a NPC aprisionada.

— Mais uma vez, obrigado, aldeã, por um arco tão incrível — disse o wither, com uma voz estalante que soava como uma coleção de ossos sendo raspados uns contra os outros, de alguma forma produzindo sons que formavam palavras. — Aprecio que você tenha me dado permissão para usá-lo. Não acho que já tenha matado um NPC com uma arma de tamanha qualidade. Estou ansioso para cravar uma flecha no seu sagrado Usuário-que-não-é-um-usuário. Ele é insignificante. O ideal é que seja morto por uma arma criada e aperfeiçoada pelo próprio amigo; será maravilhosamente irônico.

— Basta dessa tagarelice! — ralhou Érebo. — Estou farto de ouvir o matraquear estúpido que sai dessa boca ossuda.

Érebo desapareceu de repente e ressurgiu bem ao lado do general wither, e a aranha que este cavalgava subitamente deu um tranco para o lado, pois levou um susto com a aparição. O movimento abrupto quase fez o esqueleto wither cair de sua montaria peluda.

— Olhe para ela — comandou Érebo ao esqueleto.

Ele então estendeu os braços finos, e o vermelho profundo de sua pele se destacou contra os ossos escuros. Agarrou a cabeça do general e a girou para que ele encarasse diretamente a prisioneira, Caçadora. Ela era contida por um dos ghasts de Malacoda, os nove tentáculos serpentinos envolvendo firmemente seu corpo. O monstro pálido e cúbico flutuava acima do solo, e seu rosto de bebê fitava diretamente adiante. Como todos os ghasts, seu corpo era malhado com cicatrizes cinzentas marcadas bem fundo na pele, sendo as mais proeminentes aquelas sob os olhos. As cicatrizes lacrimais se destacavam no rosto jovem e terrível; marcas permanentes de tristeza e vergonha de muito tempo atrás. As cicatrizes de lágrimas fizeram Érebo rir, atraindo um olhar de Malacoda, o rei do Nether. A atenção de Malacoda fez todos os monstros próximos se endireitarem, com rostos severos de determinação. Aquele era o exército de Malacoda, e aqueles eram seus guerreiros... por enquanto.

Apertando a cabeça do esqueleto só um pouco, Érebo continuou.

— Olhe nos olhos daquela NPC. Você não a está assustando ou matando seu espírito ou enfraquecendo sua vontade de viver. Tudo que suas provocações inúteis fazem é enchê-la de mais ódio.

Érebo soltou a cabeça do esqueleto e depois se teleportou para perto de Caçadora, envolto numa névoa de partículas roxas. Estendeu a mão e acariciou os longos cabelos ruivos e encaracolados, a mão negra e úmida lhe tocando a face. Caçadora tentou se afastar, enojada com o toque, uma expressão de repugnância no rosto.

Érebo riu, sua característica risadinha de enderman preencheu o ar, o que fez Caçadora se encolher.

— Veja bem, ameaças não incomodam esta NPC nem a possibilidade de dor ou morte. — Érebo se virou para encarar o general esqueleto e continuou. — Conheço esta criatura e sei o que ela teme. Não é dor nem agonia, nem ameaças.

— Você não sabe de nada, enderman — retrucou Caçadora, explodindo de raiva.

— Sei tudo que há para se saber sobre você — insistiu Érebo. — Pelo menos as partes importantes. E, em particular, sei o que você realmente teme.

— É mesmo, e o que seria isso, enderman? — inquiriu Caçadora.

— Uma jaula.

Caçadora ficou boquiaberta de choque, e uma única lágrima escorreu de um dos olhos.

Rindo de novo, Érebo lhe deu as costas e encarou o esqueleto wither.

— Veja bem, esqueleto, se você quiser destruir o espírito de alguém, precisa saber o que realmente lhes causa medo. Esta NPC aqui teme uma existência inútil e uma morte sem sentido. Ela tem medo que a vida continue depois que ela morra, e que ela mesma não tenha deixado uma marca em Minecraft. Nós destruímos sua aldeia, sua família, todos que a conheciam, e agora ela vai morrer na nossa companhia sem ter jamais causado algum impacto em ninguém ou coisa alguma. — Ele gargalhou de novo e lançou um sorriso dentuço fantasmagórico para Caçadora. — Esta NPC teme o esquecimento.

Caçadora estremeceu enquanto outra lágrima cúbica traçava lentamente uma trilha no rosto sujo, então afastou o olhar do monstro sombrio.

— Agora pare de tagarelar e vá verificar os batedores no nosso perímetro — ordenou Érebo.

— Ainda não — trovejou a voz de Malacoda da testa da coluna. — Estou no comando aqui e eu direi ao meu general o que fazer.

Você está no comando... por enquanto, pensou Érebo.

— É claro, Vossa Majestade — respondeu Érebo.

O rei do Nether olhou feio para o enderman, com tentáculos agitados, e depois continuou.

— General, vá verificar o perímetro e assegure-se de que está tudo seguro, e pare de fazer provocações inúteis para a prisioneira.

— Sim, milorde — respondeu o general, enquanto girava e guiava a aranha para fora da formação, em direção ao perímetro.

Érebo sorriu novamente para Caçadora, em seguida se teleportou à testa da coluna, aparecendo instantaneamente ao lado de Malacoda, assustando o rei do Nether por um mero momento.

— Não se teleporte para o meu lado — ralhou Malacoda, soando irritado. — Odeio quando faz isso.

— Lamento, Vossa Mui Excelência, não tinha percebido — respondeu Érebo, com um sorriso zombeteiro no rosto sombrio. Removeu o sorriso e se virou para encarar o ghast. — Você consegue senti-lo?

Malacoda fechou os olhos vermelho-sangue por um momento e depois os reabriu.

— Não, não sinto nada. E você?

— Sim, ainda consigo sentir o Usuário-que-não-é-um-usuário, mas muito fracamente — afirmou Érebo, a voz aguda bem baixa, as palavras apenas para os ouvidos de Malacoda. — Este novo servidor é estranho. Há coisas acontecendo aqui que não esperávamos, começando por aquilo — Érebo apontou o pálido sol vermelho que tinha se erguido sobre o horizonte. — Eu o vi mudar do amarelo normal para o vermelho pálido assim que passamos pelo portal do Nether. Alguns dos meus zumbis e esqueletos começaram a queimar por causa da exposição à luz do sol, mas então as chamas se apagaram conforme o sol ficou vermelho. O que você acha que provocou aquilo?

— Nós — declarou Malacoda numa voz orgulhosa, como se entendesse alguma coisa do que estava acontecendo. — Nossa presença fez com que este servidor mudasse, e manchou o sol de seu amarelo brilhante para o atual vermelho pálido. E, em breve, quando encontrarmos a Fonte, vamos destruí-la e fazer todos os planos de servidores mudar.

— Você quer dizer fazer todos os planos de servidores morrer.

— É claro — concordou Malacoda. — O que poderia ser mais perfeito? Então tomaremos o Portal de Luz até o mundo físico e mostraremos àqueles usuários patéticos qual é a verdadeira sensação do medo quando destruirmos seu mundo e o tomarmos para nós mesmos. Um mundo físico governado pelos monstros de Minecraft... é quase poético.

Será mais poético ainda quando eu destruir você e tomar o controle desta ralé, pensou Érebo consigo mesmo, o sorriso zombeteiro voltando ao rosto.

— Por que você está sorrindo? — inquiriu Malacoda.

— Ah, que nada, só estou imaginando o que você descreveu — mentiu Érebo.

Pausando por um momento, Érebo contemplou o terreno adiante deles. O bioma de taiga se espalhava à frente, com altos pinheiros cobrindo a paisagem e se estendendo para o céu. Relva luxuriante preenchia os espaços entre as coníferas, as colinas suaves pontilhadas com o colorido das flores vermelhas e amarelas. O lobo branco fofinho ocasional espiava detrás das árvores e arbustos, preenchendo o ar com seus latidos e uivos brincalhões; era uma cena terrível de se contemplar.

Como podem esses NPCs aguentar olhar esse lugar horrível e, ainda por cima, viver nele?, pensou Érebo. *Me dê uma boa caverna, escura e úmida, com talvez uma cachoeira de lava ou duas; isso sim seria belo.*

Virando-se para olhar para trás, Érebo pôde ver um exército seguindo os dois governantes, uma terrível coleção de monstros da Superfície e do Nether, todos concentrados em uma coisa — destruir Minecraft. Uma trilha negra e doentia se estendia ao longe, marcando o caminho seguido pela horda furiosa, cujo desgosto vil por todas as coisas vivas chegava a ferir a terra. Érebo podia ver que a trilha negra continuava até onde a vista alcançava, mas diminuía lentamente conforme a terra se ajustava de forma gradual ao ódio desdenhoso que emanava dos monstros. A trilha ferida se dissolvia devagar num cinzento morto conforme eles marchavam por Minecraft e sua presença se tornava cada vez mais difícil de rastrear.

Ótimo, pensou Érebo.

Ele não queria dar ao Usuário-que-não-é-um-usuário nenhuma forma de rastrear seu exército. Virando-se para olhar para a frente, Érebo esquadrinhou a linha das árvores, depois da qual se erguia um bioma montanhoso.

— Então você sabe onde eles estão? — indagou Érebo a Malacoda, ainda mantendo a voz baixa.

O rei do Nether lançou um olhar furioso para Érebo, os tentáculos agitados, esperando alguma coisa.

— Ah, sim... *Milorde*, você sabe onde encontrar essas criaturas que chamam a si mesmos artífices de sombras?

— Quando chegarmos perto, reconhecerei o local com tanta certeza quanto conheço a mim mesmo — respondeu Malacoda, com um tom forçado de confiança na voz.

— Então, em outras palavras, não, você não sabe aonde vamos.

Um irritado som felino veio do ghast quando seus olhos chamejaram em vermelho e as cicatrizes em forma de lágrima sob os olhos quase brilhavam conforme sua raiva brotava.

— Os artífices de sombras vieram a mim enquanto eu estava na Terra dos Sonhos — explicou Malacoda. — Disseram que vão nos ajudar com a destruição de Minecraft, e eu acredito neles. Vou encontrar nossos novos aliados quando estiver pronto para encontrá-los.

— Posso achar esses artífices de sombras com meus endermen mais rápido que simplesmente vaguear por aí — gabou-se Érebo. — Vai ser um plano de verdade, com esperança de dar algum resultado, ao contrário desse caminhar aleatório em que estamos. Vai encurtar nossa jornada e nos levar ao mundo físico mais rápido.

Uma bola de fogo começou a crescer dentre os tentáculos de Malacoda, cujos olhos agora pareciam dois lasers de rubi. Érebo sabia que tinha provocado aquele ghast ridículo um pouco além da conta dessa vez.

— Milorde — acrescentou Érebo rapidamente, na esperança de conter a maré de fúria. — Seria nosso privilégio servir ao grande rei do Nether nesta empreitada, pois trata-se de uma ideia incrível formulada pelo grande Malacoda. Podemos encontrar os artífices de sombras e retornar para relatar ao senhor se for sua vontade. Os artífices de sombras saberão onde encontrar a Fonte, e será uma honra localizá-los para o senhor.

Fitando o chão com humildade, Érebo notou que a bola de fogo dentro da massa de tentáculos diminuía, e o brilho laranja da esfera flamejante enfraqueceu até sumir.

Malacoda parou e subiu no ar, fora de alcance. Depois se virou para olhar furioso para o enderman. Seus olhos brilhavam vermelhos, queimando de raiva.

— Enderman, você se arrisca demais — trovejou Malacoda, ecoando pela paisagem. Virou-se e contemplou a imensa coluna de monstros e, em seguida, olhou de volta para Érebo.

— Eu decidi que os endermen vão encontrar os artífices de sombras — ribombou Malacoda, reverberando pela paisagem. — Endermen... meus endermen. — Ele olhou para baixo, para Érebo, e sorriu. — Partam e encontrem os artífices de sombras, depois voltem para relatar a MIM. — Ele enfatizou a parte final com um som de gato uivando. — Não retornem até que eles sejam encontrados... Agora VÃO!

Érebo fitou o exército, todos os altos endermen que se destacavam dos demais da horda de monstros, e deu aos *seus* endermen um aceno com a cabeça. E, num instante, as criaturas sombrias desapareceram, deixando para trás nuvens de névoa roxa, que sumiu rapidamente.

— Poderia eu sugerir — disse Érebo com a humildade necessária na voz. — Que o senhor mande uma surpresinha para o Usuário-que-não-é-um-usuário. Deixe que ele saiba que não governa aqui.

Malacoda grunhiu e lançou um olhar para o general wither. O rei do Nether acenou com a cabeça para o general, depois deu as costas se virando para as montanhas distantes novamente. O general foi até um grupo de jóqueis de aranhas e falou numa voz baixa e seca com os monstros. As imensas aranhas peludas então se separaram da coluna e rumaram para a retaguarda, os pálidos esqueletos quicando em suas costas, de arcos em mãos e flechas preparadas. O esqueleto wither observou seus primos da Superfície rumando em direção à presa, depois voltou para o lado de Malacoda.

— Eles não voltarão a não ser que tenham capturado ou destruído o Usuário-que-não-é-um-usuário — relatou o general wither.

O rei do Nether grunhiu enquanto observou os guerreiros descartáveis desaparecendo sobre uma colina, depois se virou para encarar Érebo. O grande ghast lhe deu um sorriso dentuço, como se tivesse sido ele a inventar o plano.

Por quanto tempo terei que aturar este idiota, pensou Érebo, enquanto fitava Malacoda. Ele estava prestes a se teleportar para procurar os ridículos artífices de sombras, o que quer que eles fossem, quando um de seus endermen retornou, materializando-se bem ao lado dele.

— Por que você voltou? — urrou Malacoda. — Vocês receberam ordens de buscar nossos aliados e não voltar até que tivessem sucesso. Por que você está aqui?

Uma bola de fogo começou a brilhar no emaranhado de tentáculos que pendiam sob o rei do Nether.

— Milorde, eles foram encontrados — relatou o enderman numa voz esganiçada.

Érebo riu, atraindo um olhar furioso de Malacoda enquanto este apagava a bola de fogo.

— Onde estão eles? — ribombou o ghast.

— Adiante — respondeu o monstro sombrio. — No sopé daquele pico rochoso à frente.

O enderman apontou com um de seus longos braços negros a montanha que se erguia adiante, o alto e pontiagudo pico muito mais alto que as árvores que brotavam na sua base. A montanha tinha um visual peculiar e doentio; nada vivo decorava sua superfície. Não havia grama, flores... nada. A única coisa que se destacava eram as formas desfolhadas de árvores que pareciam decrépitas e mortas, com galhos lisos que se estendiam no ar em ângulos estranhos.

— Aquela montanha? — indagou Malacoda.

O enderman concordou balançando a cabeça.

— O estranho artífice de sombras disse para o senhor ir até a montanha e entrar no grande túnel aberto na base.

— Bem como eu pensei — acrescentou o rei do Nether.

Idiota, pensou Érebo enquanto ria consigo mesmo.

— Onde está o restante do seu povo? — perguntou Malacoda ao enderman.

— Eles se teleportaram à frente para verificar se a área é segura.

—Excelente — respondeu Malacoda. — Pelo menos há um enderman aqui com cérebro.

Érebo só fez sorrir.

Malacoda se virou e flutuou bem alto no ar, de frente para o exército.

— Adiante está nosso destino — ribombou, a voz se espalhando pela paisagem como trovão. — Logo nossos aliados secretos vão se somar aos nossos números até que este exército seja a maior força já vista em Minecraft. — Os monstros deram vivas enquanto marchavam, muitos deles erguendo as armas no ar. — E, quando estivermos prontos, vamos atacar os habitantes deste servidor e destruí-los, deixando a Fonte desprotegida. Logo, irmãos e irmãs, os monstros de Minecraft destruirão a Fonte e então tomarão o mundo físico. A era dos monstros está prestes a começar, e pobre daqueles que resistirem à nossa investida.

Mais vivas.

Aproximando-se do chão, o rei do Nether flutuou perto de Érebo.

— Enderman, depois que recebermos um relatório dos jóqueis de aranha, quero que você mande alguns dos seus monstros da Superfície para encontrar e perturbar o Usuário-que-não-é-um-usuário. Mande alguns dos meus homens-porcos zumbis também; vamos precisar de guerreiros de verdade lá. Quero que ele lembre que ainda estamos aqui... entendido?

Érebo assentiu com a cabeça.

— Onde está meu general homem-porco zumbi? — urrou Malacoda.

Um homem-porco zumbi, trajando armadura dourada, se aproximou com uma espada afiadíssima na mão estendida. Tanto a arma quanto a armadura tremeluziam com poder mágico, lançando um brilho azul iridescente ao seu redor. Érebo notou que esse monstro era maior e mais alto que o resto das criaturas do Nether. Movia-se com uma graça fluida inesperada para um zumbi, com movimentos semelhantes àqueles de um felino predador; cautelosos, medidos, perigosos.

Preciso ficar de olho nessa criatura, pensou Érebo. *Pode ser uma ameaça.*

— General — começou Malacoda. — Encontre meu inimigo e lhe dê uma mensagem com essa sua espada dourada que ele lembrará para sempre.

O zumbi deu ao comandante um sorriso fantasmagórico e cheio de dentes, depois voltou às próprias tropas.

Érebo então se teleportou aos seus próprios comandantes wither. Rapidamente, explicou o que Malacoda queria, depois voltou para perto do rei do Nether.

— Meus guerreiros farão como o senhor pediu — disse Érebo, enquanto observava os monstros da Superfície lentamente se separarem do restante do exército.

— Excelente — disse ele baixinho, depois erguendo a voz para seu volume bombástico de sempre. — Agora, meus amigos, adiante, marcha acelerada, ao nosso destino.

O exército disparou à frente, ao pico rochoso, enquanto os sons felinos dos gritos de alegria maldosa de Malacoda ecoavam.

CAPÍTULO 5
PASTOR

O exército avançou lentamente pelas colinas relvadas, como um poderoso leviatã, a velocidade dos NPCs limitada pelos mais fracos e mais velhos. A frustração crescia dentro de Gameknight, que ansiava por se mover mais rápido, pois, em combate, a velocidade significava vida, só que o jogador sabia que não havia escolha. Recentemente, quando enfrentaram Malacoda em seu reino ardente, batalhando pelo próprio Nether, ser velozes e furtivos lhes permitiu vencer a batalha. Agora, com essa lenta coleção de guerreiros e civis, eles não eram nem rápidos nem inconspícuos. A única coisa que mantinha a frustração dele sob controle era o que tinha aprendido desde que fora sugado para Minecraft: nunca deixe ninguém para trás. Era por isso que eles estavam ali, não só para deter os monstros da Superfície e do Nether, mas também para salvar a amiga que fora capturada pelos vilões, Malacoda e Érebo. Ele só tinha esperança de que Caçadora ainda estivesse viva.

Gameknight olhou para baixo e viu Costureira, a irmã de Caçadora, caminhando por perto. Ela conversava com uma mulher mais velha, cujos cabelos grisalhos se destacavam contra os cachos ruivos reluzentes de Costureira. Pela aparência das roupas dela, a mulher idosa deve ter sido tecelã na vida passada; a bata azul-clara, com a listra verde-acinzentada, marcava sua ocupação anterior. Agora, provavelmente servia de cozinheira e costureira ao exército, todos faziam sua parte para salvar Minecraft.

Enquanto observava o par, Gameknight trocar olhares com Costureira. Esta lhe deu um sorriso caloroso e andou em sua direção. Olhando do alto da montaria, ele se sentiu mal em cavalgar sozinho quando todos os outros cavaleiros tinham um segundo ou até mesmo um terceiro passageiro no próprio cavalo. Só que Pedreiro e Artífice tinham insistido que o Usuário-que-não-é-um-usuário montasse sozinho.

— Seria inapropriado para alguém tão importante quanto Gameknight999 dar uma carona a alguém — argumentara Artífice. — Você precisa ser visto por todo mundo como o líder deles, cavalgando confiante em direção ao inimigo. Isso dará coragem aos outros... e esperança.

Gameknight tentou levantar objeções, mas Artífice era tão teimoso quanto sábio.

— Você parece perdido em seus pensamentos — comentou Costureira ao se aproximar.

Isso trouxe Gameknight de volta ao presente.

— Estava só pensando — respondeu ele.

A menina sorriu, e o brilho caloroso em seu rosto o lembrou a própria irmã. O jogador sentia saudades dela. Olhando em volta, Gameknight se deliciou com a paisagem exuberante. Colinas verdes se destacavam contra o céu azul. Flores coloridas pontilhavam as colinas verdes, como granulado em bolas de sorvete esmeraldino. Enormes nuvens cúbicas flutuavam acima, sempre de leste para oeste; era assim que Gameknight determinava com facilidade para qual direção eles rumavam. Mesmo com o pálido sol vermelho acrescentando um matiz rosado a todas as coisas, ainda era belo. As nuvens brancas e céu azul profundo eram como a cobertura naquele bolo de cores, todos os tons e matizes se somando num banquete de nuances que até mesmo a pessoa mais séria apreciaria. A irmãzinha dele teria amado aquela vista. Com seu amor por arte, cor e criatividade, ela estaria em casa ali... e provavelmente seria superamiga de Costureira.

Se bem que estou feliz que você não esteja aqui, irmãzinha, pensou ele com seus botões.

Ele não gostaria que ela tivesse que pegar numa espada e enfrentar monstros para salvar a própria vida. Gameknight não permitiria que isso acontecesse... nunca.

Virando-se para olhar para trás, para o próprio exército, ele notou Pastor. O estranho menino parecia atrair continuamente provocações e abuso de alguns dos guerreiros. Naquele momento, o jovem magricelo ajudava um idoso com um fardo de madeira, erguendo a pilha de blocos que tinha sido largada e a colocando no próprio inventário para reduzir o peso que o homem idoso teria que carregar. Gameknight viu Pastor sorrir enquanto o homem agradecido deu um abraço no rapaz pela sua ajuda. O menino foi até outro NPC, dessa vez um guerreiro atrapalhado com um excesso de blocos de lã. Sem pensar em si mesmo, Pastor se ofereceu para ajudar, recebendo muitas pilhas de lã em seu inventário para facilitar as coisas para o guerreiro.

Costureira ergueu o olhar para Gameknight999 e notou para onde ele olhava e sorriu, em seguida olhando de volta para o menino. Depois de receber agradecimentos novamente, Pastor se virou para outra pessoa precisando de ajuda. Enquanto oferecia assistência a mais um estranho, sua voz penetrante soava acima do som de tantos pés.

— Gameknight vai nos... vai nos salvar — dizia ele.

Rapidamente, Gameknight se virou para outro lado quando ouviu o menino se aproximar.

— Pastor, por aqui — gritou costureira.

— Shhh... o que você está fazendo? — indagou Gameknight em voz baixa, para que apenas a garotinha ouvisse. — Ele vai escutar você e virá até aqui.

— Costureira... Costureira — respondeu o menino, empolgado.

Gameknight suspirou.

— Usuário-que-não-é-um-usuário — exclamou Pastor. — Eu encontrei... encontrei você.

— É... ahhh... aqui estou eu.

— Eu estava... estava procurando você — contou o menino, empolgado.

— Viva — respondeu Gameknight com sarcasmo.

Costureira lhe deu um soco na perna e franziu o cenho.

É, igualzinha à minha irmãzinha.

— Seja legal — ralhou ela em voz baixa.

Mesmo que Gameknight quisesse que o menino parasse de segui-lo, Pastor era uma figura interessante. Com um dom para domar animais, Pastor era naturalmente talentoso no seu trabalho, e o nome refletia seu propósito em Minecraft. Parecia ser capaz de domesticar qualquer criatura que encontrasse, e depois fazer com que ela obedecesse suas ordens, mas a tarefa de pastorear todo o gado do exército era uma missão gigantesca. Era demais para um só menino; portanto Pastor procurou e encontrou ajuda. Sempre que tinha uma chance, ele vasculhava o campo e fazia amizade com alcateias de lobos, domando-os com ossos de esqueletos. A alcateia o ajudava a controlar os outros animais e protegê-los à noite; todos os lobos eram completamente devotados ao menino. Agora, ele tinha 12 na alcateia, que crescia a cada dia.

À noite, Pastor dormia com os animais; parecia acalmá-los e evitar que se espalhassem. Os guerreiros tinham começado a chamá-lo de Porcolino por conta disso. Alguns o chamavam de Pulguento por causa da alcateia que parecia quase sempre estar por perto, enquanto outros simplesmente o chamavam de Animal. Pastor tentava ignorá-los, mas, quanto mais os guerreiros o provocavam, mas ele parecia resmungar e gaguejar.

— Como vai o rebanho? — perguntou Costureira.

— O rebanho vai bem... vai bem... — respondeu ele.

Olhou para Gameknight e sorriu, abrindo um sorrisão cheio de dentes para o Usuário-que-não-é-
-um-usuário. Alguns dos soldados próximos viram o sorriso lançado para Gameknight e começaram a rir,

alguns comentários sarcásticos. Com a expressão séria Costureira se virou para os NPCs, mas eles continuaram com as risadinhas; Gameknight não disse nada. Virando a cabeça com rispidez, ela olhou de volta para o garotinho.

— Pastor — disse ela baixinho para que os outros não escutassem. — O que aconteceu noite passada com aqueles soldados ao pegarem suas coisas e colocando-as no alto da árvore? Alguma coisa desse tipo já tinha acontecido antes?

Pastor deu uma olhadela no grupo de soldados próximos. Um deles acenou e lançou um sorrido maldoso e ameaçadoramente dentuço para Pastor. Claramente, eles se conheciam.

— Você o conhece? — perguntou Gameknight.

— Lenhador era da minha... minha aldeia — respondeu o menino, dando as costas ao bully e olhando de volta para Costureira.

Ele suspirou no que as memórias dolorosas repassaram em sua mente.

— Sim — respondeu Pastor em voz baixa. — Esses tipos... tipos de coisas já aconteceram... já aconteceram antes.

— Pode nos falar sobre isso? — perguntou ela.

— Bem... ahhh... alguns dos meninos na nossa aldeia iam jogar... jogar uma partida de spleef; sabe, derrubar blocos de neve debaixo de outra pessoa... pessoa. Se você conseguir tirar os blocos de neve debaixo dos outros jogadores e ser a última pessoa... última pessoa de pé... você é o vencedor. Bem... ahhh... pela primeira vez, fui chamado para jogar. — A voz do menino soava empolgada, como se ele revivesse a memória.

— Eu estava tão animado... animado por ser incluído. Os outros meninos nunca... nunca me chamavam para... para jogar, e finalmente aconteceu. Eu mal podia esperar para participar... participar e finalmente ter alguns... alguns amigos. Então começamos... começamos o jogo, e eu logo derrubei outro menino.

Ele se virou e ergueu o olhar para Gameknight, uma expressão de orgulho no rosto.

— Eu o fiz cair pela... pela neve até o... até o chão, que ficava três blocos abaixo, mas então os outros... outros meninos começaram a se unir contra mim.... contra mim.

Pastor fez uma pausa para olhar novamente a coleção de soldados, espiando rapidamente Lenhador, depois encarou Gameknight e Costureira. Sua voz assumiu uma qualidade distante e dolorosa, como se de alguma forma a memória o magoasse de novo.

— Eles me perseguiram... me perseguiram até um canto da arena de spleef que tinham construído, então eles... eles se aproximaram. Derrubei mais dois antes que... que me derrubassem, mas, quando eles destruíram o bloco de neve debaixo de mim, eu caí... eu caí num buraco de dois blocos de profundidade forrado com... ahhh... pedregulhos. Fiquei preso... preso, e a pá de madeira que eu trazia comigo não poderia me cavar uma saída. Eu fiquei aprisionado... aprisionado ali. Esses meninos, esses bullies, todos riram... riram e me xingaram.

A monocelha de Pastor ficou franzida de raiva conforme a voz se tornava mais furiosa.

— Eles me chamaram de Porcolino pela primeira vez, e então um monte de outros... outros nomes, então simplesmente me deixaram lá a noite... a noite toda. Empilharam blocos de neve em volta de minha cabeça para que ninguém me visse. Fiquei ali parado a noite toda, ouvindo os monstros... os monstros que rondavam pelas trevas. Eu podia ouvir aranhas e zumbis andando por perto... perto, mas eles não conseguiam me ver. Eu estava tão... tão assustado. Pela manhã, meu pai veio me... me buscar; um deles deve ter... deve ter contado a ele onde eu estava. A expressão de desapontamento... desapontamento no rosto dele foi pior... pior que ficar preso ali a noite toda.

A voz soava quase ferida. Pastor fez uma pausa para choramingar e enxugar uma lágrima do olho, depois continuou, a voz ficando mais raivosa.

— "Eu já falei, Pastor, para você não brincar com as outras crianças", disse ele, enquanto me puxava... me puxava do buraco. "Porque você é diferente, eles vão fazer coisas assim com você. É melhor se limitar aos animais... neles você pode confiar. Fique longe dos outros meninos."

— Fiquei com tanta raiva... raiva dele, não porque ele tivesse ficado tão decepcionado comigo... comigo, eu sempre parecia decepcioná-lo. Não, fiquei com raiva... raiva porque eu sabia... sabia que ele tinha razão. Só que não era justo... não era justo, eu deveria poder ter amigos, porém, em vez disso... em vez disso, tudo que eu tinha eram meus... meus animais, meus porcos e vacas. Então castiguei meu pai... meu pai, parei de falar com ele e fiquei de mal com ele. Fiquei sem falar com ele... com ele pelos próximos dois dias, mas tentei ser o mais barulhento... barulhento que pude em casa, derrubando coisas e batendo portas.

Descontei minha raiva... minha raiva nele quando estava furioso... furioso comigo mesmo por tentar me enturmar... enturmar com os outros meninos ao invés de apenas ficar sozinho. Ele sempre me disse... me disse que eu era diferente dos... dos outros meninos e que... que eu não deveria tentar me enturmar, mas eu queria tanto ter alguns amigos... alguns amigos e queria ser um menino... um menino normal. Então castiguei meu pai ignorando-o. Mas nunca tive a chance de... a chance de pedir desculpas por ter ficado tão bravo com ele. Os monstros vieram... monstros vieram à nossa aldeia no terceiro dia. Ele foi morto... foi morto por um... um blaze, e eu... eu fui levado à fortaleza do Nether para trabalhar.

Pastor fungou conforme mais lágrimas começaram a molhar as bochechas quadradas. Virou o rosto para que seu ídolo, o Usuário-que-não-é-um-usuário, não pudesse ver. Gameknight também olhou para outro lado, dando ao garoto um pouco de privacidade.

— Qual é seu problema, Porcolino, entrou um cisco no seu olho? — gritou um dos guerreiros ali perto.

Isso atraiu olhares curiosos de vários NPCs guerreiros. Gameknight ouviu as risadas e sussurros zombeteiros enquanto as cabeças cúbicas se viravam para o menino.

Um rosnado gutural escapou de Gameknight, como tivesse vida própria. O jogador se lembrava de quando esse tipo de coisa acontecia com ele, as gozações, os comentários embaraçosos dos bullies no playground, os empurrões e tropeções acidentais nos corredores entre as carteiras. Ele sentia raiva, mas também sentia a mesma vontade de se esconder e desaparecer que sempre sentira quando essas coisas aconteciam com ele.

Bullies, por que eles não pensam em como suas ações magoam os outros?, pensou Gameknight, e depois recordou como tratava os outros usuários em Minecraft, na época em que tinha sido um troll. Não tinha sido melhor que esses bullies, só mais um valentão tentando se sentir bem às custas de outra pessoa.

Mais risadas e comentários alcançaram seus ouvidos. Claramente eram direcionados a Pastor e eram para ser escutados. Isso fez uma chama ardente de raiva brotar em Gameknight. Ele odiava tratamento injusto... odiava bullies. E então se lembrou de algo que Artífice tinha lhe dito no último servidor. *Aceitar a ideia de que o sucesso é uma possibilidade real, mesmo que seja difícil de alcançar, é o primeiro passo em direção à vitória.* Aceitar a possibilidade... aquela era a chave. Talvez ele pudesse ter sucesso em reunir a coragem para enfrentar aqueles bullies; talvez pudesse ajudar Pastor e, por sua vez, ajudar a si mesmo. Tinha apenas que aceitar que *era* possível. E, então, uma ideia surgiu de repente em sua mente.

— Pastor — disse Gameknight em voz baixa e raivosa. — Não deixe que eles vejam sua tristeza. Não lhes dê a satisfação... é isso que eles querem. — Ele pausou por um momento, depois sussurrou para o garoto magricela: — Vamos mostrar a esses bullies quão importante você realmente é.

Pastor olhou para Gameknight com uma expressão confusa no rosto. Então Gameknight falou em voz alta e cheia de autoridade.

— Pastor, venha aqui pra cima comigo.

Gameknight estendeu e abriu a mão para puxar o menino para cima do cavalo.

— O quê... o quê? — respondeu Pastor, enquanto fitava a mão aberta, os dedos quadrados e atarracados bem separados, depois olhou para Gameknight.

— Eu disse que você vai cavalgar aqui em cima comigo, agora segure minha mão.

Então Gameknight fez cara feia para o rapazote.

— O Usuário-que-não-é-um-usuário comanda!

Pastor olhou de novo para a mão estendida e depois de volta a Gameknight.

— Mas eu tenho que conferir o rebanho... eu tenho que...

— *Nós* vamos conferir o rebanho — afirmou Gameknight, com voz firme. — Então suba aqui agora mesmo.

Pastor lhe lançou um olhar apreensivo, depois sorriu e tomou a mão de Gameknight. O jogador o puxou com força, colocando-o no lombo do cavalo, logo atrás de si. Um par de longos braços magricelos então envolveram o peito de Gameknight quando Pastor se segurou, mais em busca de apoio emocional que equilíbrio. Num instante, as risadinhas e comentários pararam, pois os guerreiros ficaram chocados com o que tinha acabado de acontecer.

— O Usuário-que-não-é-um-usuário acabou de... — comentou um deles.

— O garoto... ele está cavalgando com...

— O que ele está fazendo?

Os guerreiros expressaram sua descrença perante o que tinha acabado de acontecer, e, de alguma forma,

Gameknight999 sentiu o companheiro sorrir atrás de si, o que também lhe contagiou.

Talvez fosse possível.

— O rebanho... o rebanho... tenho que dar uma olhada no rebanho — disse o menino no ouvido de Gameknight.

— Tudo bem — respondeu Gameknight, enquanto olhava para baixo, para Costureira.

Ele se deparou com um enorme sorriso espalhado por seu rosto plano, se dobrando ao redor da cabeça cúbica e iluminando suas feições. Ela estendeu a mão e lhe deu tapinhas amistosos na perna, claramente orgulhosa do Usuário-que-não-é-um-usuário.

É, bem igual *a minha irmãzinha.*

Gameknight devolveu o sorriso, depois virou a cabeça para falar com Pastor.

— Certo, vamos ao rebanho — anunciou, enquanto guiava o cavalo para fora da formação e para o centro da coluna. Enquanto se afastava, Gameknight ouviu Costureira dizer alguma coisa à mulher idosa que a tinha alcançado.

— Veja bem — disse a menina. — O Usuário-que-não-é-um-usuário pode superar qualquer coisa, até aquilo que há dentro de nós.

Virando-se para olhar para a menina, Gameknight viu que ela ainda sorria para ele, com a mão agora cerrada diante do peito em saudação.

CAPÍTULO 6
EMBOSCADA

O rebanho do exército era imenso. Havia vacas, porcos e, é claro, galinhas. Gameknight sorriu ao lembrar de algum YouTuber que sempre as chamara de galinhas-espiãs. Pastor reunira todos os animais enquanto o exército marchava por aquela terra, juntando mais e mais criaturas com seu toque calmante. Os lobos cercavam o rebanho. Cada um deles patrulhava o perímetro, mordiscando os calcanhares de qualquer animal que tentasse se afastar.

Pastor caminhava em meio aos animais, com braços bem abertos, tentando tocar cada um deles. O roçar suave de seus dedos pareciam acalmar aqueles que estavam nervosos ou assustados. Depois de andar no meio dos animais, ele foi até os lobos, fazendo um cafuné atrás das orelhas de cada um deles e lhes dando um pedaço de carne para satisfazer a fome e renovar o vínculo de amizade. Gameknight via corações vermelhos surgir acima da cabeça de cada lobo que recebia a guloseima, e o sorriso de Pastor crescendo com cada recompensa. Aquele rapazote magriço realmente nascera para a tarefa.

Assim que Pastor alimentou o último dos lobos guardiões, um alarme soou. Gameknight deu meia-volta e disparou até o cavalo, saltando para a sela num único movimento fluido. Fez o cavalo girar e encarou Pastor, que corria até ele.

— Não, fique com os animais — ordenou Gameknight.

— Mas... mas eu poderia ajudar — gaguejou Pastor.

— Preciso de você aqui, protegendo o rebanho. Isso é mais importante... agora fique aqui e faça seu trabalho.

Pastor olhou para baixo, como se tivesse feito alguma coisa errada.

— Pastor — disse Gameknight em voz alta, para que todos ouvissem. — Estou contando com você. Todos nós precisamos que *você* tome conta dos animais. Ninguém pode fazer melhor.

Pastor ergueu a cabeça e fitou Gameknight, com uma expressão de autoconfiança e orgulho no rosto.

— Cuide bem deles. Sei que você não vai nos deixar na mão.

Então o Usuário-que-não-é-um-usuário se virou e partiu na direção do alarme. Cravando os calcanhares nos flancos do cavalo, ele impeliu a montaria adiante, mas lentamente; não estava ansioso para entrar em combate tão cedo. O som vinha do flanco da formação, onde havia apenas alguns soldados por perto. A maior parte das tropas cavalgava na frente ou na retaguarda do exército, com só alguns poucos nas laterais. Seguindo em direção ao som, ele rapidamente se deparou com Costureira. Ela corria até ele, segurando o arco. Quando ele se aproximou, ela ergueu a mão livre. Gameknight segurou-lhe a mão e a puxou para a frente da sela.

— Vamos lá! — exclamou ela. — Precisamos chegar à batalha e ajudar.

— Não sei se eles precisam mesmo de nossa ajuda... ahhh... Pedreiro provavelmente está...

— Pare de choramingar — ralhou ela. — Bote este cavalo para andar, AGORA!

Gameknight se espantou com a ferocidade e esporeou o cavalo, que entrou em ação, disparando adiante.

— Você é igualzinha a sua irmã, sabia? — comentou Gameknight, sem saber direito se era um elogio.

— É só calar a boca e dirigir essa coisa — respondeu Costureira, depois se virando para ele e sorrindo.

Enquanto cavalgavam, viram guerreiros correndo em todas as direções, espada na mão, sem saber para onde ir. Parte da cavalaria também se movia, mas em todas as direções ao mesmo tempo. O alarme soou de novo, alguém batendo num peitoral com a parte chata da espada. Isso atraiu os soldados naquela direção, mas ainda pareciam desorganizados.

Foi aí que alguém gritou numa voz alta e clara.

— Lá vai o Usuário-que-não-é-um-usuário.

— Sigam Gameknight999 — gritou outro.

— Os monstros vão se arrepender quando ele os alcançar — afirmou um espadachim próximo, o punho cerrado no peito.

Os guerreiros deram vivas ao se reunir no rastro de Gameknight, a coragem elevada pela mera presença dele. Costureira virou a cabeça e sorriu para o amigo, depois se virou de volta, lançando a cabeleira num largo arco escarlate que roçou o rosto de Gameknight.

— Ei... você fez isso de propósito — reclamou ele, com um sorriso.

— Quem, eu? — respondeu ela.

Costureira se virou outra vez, a fim de lhe lançar mais um sorriso caloroso, depois girou a cabeça de volta ainda mais rápido, esparramando ainda mais cachos no rosto de Gameknight. Foi então que ele sentiu calafrios correndo pela espinha ao ouvir os sons de batalha do outro lado de uma suave subida. Uma trepidação familiar tomou conta dele quando imaginou as coisas terríveis que aconteciam com as pessoas lá fora. Que tipo de monstros enfrentariam? Seriam blazes ou aranhas ou zumbis...? A imaginação conjurava cada imagem terrível que conseguia criar, rapidamente erodindo a coragem do menino e fazendo com que ele quisesse fugir. Só que ele não poderia fugir; tinha Costureira sentada bem à frente. Ela era sua amiga, e ele não poderia decepcioná-la. Então, contrariando cada instinto de correr e fugir, ele impeliu o cavalo adiante.

Quando alcançaram a crista do morro, ele viu a batalha, e seu sangue gelou. Jóqueis de aranhas. Deveria haver pelo menos cinquenta deles. As negras aranhas peludas perambulavam de um lado ao outro, com um esqueleto branco como osso montado no lombo. Elas atacavam com malignas garras pretas curvadas, arranhando armaduras e ferindo carne. Os esqueletos a suas costas disparavam flechas e mais flechas contra o pequeno grupo de NPCs, já cercado. Gameknight viu Artífice e Pedreiro no centro do círculo, ambos disparando seus arcos contra os esquivos inimigos.

E então o arco de caçadora começou a cantar conforme Gameknight investiu na direção do combate. Sem pensar, ele sacou a encantada espada de diamante e impeliu seu cavalo a galope.

Velocidade... eles precisavam de velocidade. Se ele continuasse se movendo rápido bastante, talvez nenhum dos jóqueis de aranha o atacaria.

Zip... uma flecha zuniu por ele, raspando o espaço entre seu peito e Costureira.

— Costureira... à esquerda — gritou Gameknight.

Ele apontou o esqueleto que tinha disparado a flecha. Porém, sem perceber, os guerreiros que o seguiam tomaram seu gesto como um comando, e todos investiram contra o esqueleto. Derrubaram a criatura ossuda da montaria, depois caíram em cima do esqueleto e da aranha, matando os dois rapidamente.

Os NPCs então formaram uma cunha — a cavalaria nas bordas, infantaria e arqueiros no meio, conforme Pedreiro ensinara. Eles arremeteram contra os monstros ao redor. Os guerreiros montados traziam as espadas em riste e fatiaram os monstros ossudos enquanto os arqueiros disparavam contra as aranhas, derrubando as montarias que estavam sob os jóqueis. Gameknight notou uma abertura nas linhas inimigas e investiu adiante, fazendo o cavalo saltar sobre uma aranha sem cavaleiro, e Costureira cravou três flechas no abdome bulboso da criatura enquanto eles voavam pelo ar. A criatura sombria desapareceu num clarão, deixando para trás emaranhados de teia e bolas brilhantes de XP.

Guiando sua montaria adiante, ele passou pelos NPCs sobreviventes e alcançou Pedreiro e Artífice.

— Tudo bem com vocês dois? — indagou ele, a voz trêmula.

— Sim, mas precisamos... — respondeu Pedreiro, sendo interrompido quando uma flecha se esborrachou inofensiva em sua armadura.

Costureira respondeu à flecha com três tiros rápidos. Seu braço era um borrão fluído enquanto ela sacava uma flecha do inventário, encaixava no arco, depois disparava contra o alvo; ela nunca errava. Certamente era a irmã de Caçadora.

— Precisamos de cobertura — gritou Pedreiro acima do alarido da batalha. — Os esqueletos estão acabando conosco.

Clank, outra flecha ricocheteou nas costas dele.

Thrum... thrum... thrum... Costureira calou mais um atacante.

O caos da batalha deixou Gameknight aterrorizado.

O que deveríamos fazer... o que deveríamos fazer?, pensou ele. *Estou tão apavorado, queria só cavar um buraco e me esconder.*

— Gameknight, o que vamos fazer? — perguntou Artífice, quase implorando.

Quero cavar um buraco e me esconder, cavar um buraco e me esconder... é isso!

— Cavem buracos — instruiu Gameknight, imaginando algum tipo de filme da Segunda Guerra, com John Wayne e seus soldados cavando as trincheiras onde lutariam. — Cavem um buraco na altura de um bloco e lutem ali de dentro. Abaixem-se entre disparos.

Ele então girou o cavalo antes que respondessem.

— Arqueiros ao centro — gritou Gameknight. — Infantaria, cavem um fosso de um bloco de profundidade ao redor de nossa posição, depois esperem que as aranhas se aproximem e golpeiem suas patas. Cavalaria, me siga... POR MINECRAFT!

Velocidade... eles precisavam de velocidade, como lá no Nether.

Liderando a cavalaria, Gameknight abriu um rombo nas linhas inimigas, depois os levou ao redor dos jóqueis de aranha. Uma vez fora das linhas de batalha, olhou para trás. Viu seus homens cercados pelos jóqueis de aranha, com Artífice e Pedreiro no olho da tempestade, mas então viu os NPCs despencando um nível, ao começar a cavar as trincheiras. Foi aí que um rugido soou no topo da colina; mais NPCs do exército tinham chegado... a retaguarda. Agora eles estavam em superioridade numérica absoluta sobre os atacantes, mas estes não fugiram. Os esqueletos continuaram disparando suas flechas mortais enquanto as aranhas seguiam rasgando a carne já exposta.

Era caos completo... aterrorizante e real.

Clank... uma flecha ricocheteou na armadura de diamante dele, bem perto do pescoço.

Essa passou perto, pensou ele.

Thrum... thrum... thrum.

Pânico e medo começaram a tomar sua mente.

Não consigo fazer isso, não posso liderar a batalha... sou só um menino.

Outra flecha passou zunindo por sua cabeça. Lembrou-o do dia no refeitório, quando quase lhe acertaram a cabeça com uma caixinha de leite. Aquelas aranhas eram como os bullies no refeitório da escola. Estavam todas atrás dele.

Preciso sair daqui.

Gameknight escolheu uma direção aleatória e lançou o cavalo num galope; infelizmente, em seu pânico, ele não notou que se aproximava do limite dos monstros.

— Sigam o Usuário-que-não-é-um-usuário — gritou Costureira, enquanto erguia o arco bem alto.

Gameknight ignorou os vivas que irromperam atrás de si. Ele só queria fugir... escapar... esconder-se. Passou cavalgando pelo anel de aranhas e rumou para os campos abertos que se estendiam diante de si, mas Costureira agarrou uma das rédeas e a puxou, guindo o cavalo de forma que ele circundasse as aranhas.

— Cavalaria, cerque as aranhas — gritou Costureira. — Sigam o Usuário-que-não-é-um-usuário! — Ela então baixou a voz e falou com Gameknight. — Cavalgue ao redor delas num círculo... vai ficar tudo bem.

Gameknight, entorpecido de terror, seguiu as instruções. Uma tempestade de incerteza e pânico soprava em sua mente. Ele se sentia como se assistisse à batalha de dentro de um tornado; porém, tentou afastar a tempestade, contra-atacar os bullies que estavam ali, enfrentando seus amigos.

Talvez seja possível...

— Saquem suas espadas e ataquem as aranhas — gritou Gameknight por sobre o ombro, enquanto desembainhava a espada de diamante, o estômago tensionado de medo.

Estendeu o braço e golpeou as aranhas enquanto passava por elas. Nesse instante uma das imensas criaturas saltou e golpeou as negras garras curvas contra Costureira. Inclinando-se para a frente, o jogador a protegeu com o próprio corpo, sentindo as garras horríveis riscarem sua armadura.

Ninguém vai machucá-la, pensou ele.

— Não se preocupe, irmãzinha, não vou deixar que a machuquem! — exclamou Gameknight, a voz agora tomada pela raiva. *Ninguém vai machucar minha irmãzinha.*

Acelerando a montaria, ele atacou as aranhas, a mente dominada por uma fúria descontrolada. Chocando-se contra as aranhas gigantes, a espada de Gameknight era um borrão de azul iridescente conforme a lâmina encantada de diamante se tornava um redemoinho rodopiante de morte. A ferocidade de seus ataques espantou os monstros, que hesitaram por um instante.

— Olhem, eles estão com medo do Usuário-que-não-é-um-usuário — gritaram os guerreiros.

Isso deixou os NPCs ainda mais empolgados. A cavalaria investiu contra os jóqueis de aranhas, enquanto a infantaria saltava do fosso e corria direto para os monstros. Os arqueiros alvejavam os esqueletos enquanto cavalaria e infantaria atacavam as aranhas. Num instante, a maré da batalha virou. Os jóqueis de aranhas passaram de caçadores à caça. Eram atacados por todos os lados de uma vez. Os guerreiros ignoraram seus medos e arremeteram adiante, se chocando contra as imensas criaturas, recebendo força e coragem da presença do Usuário-que-

-não-é-um-usuário. E, em minutos, a batalha estava encerrada, o chão, coberto de rolos de teia e ossos dos esqueletos.

Os guerreiros comemoraram, homens e mulheres trocando tapas nas costas, mas Gameknight não via motivo para animação. Notou as pilhas de armadura e ferramentas ali e acolá, resquícios dos inventários de NPCs; posses deixadas para trás pelos mortos.

Suspirando, o Usuário-que-não-é-um-usuário cavalgou de volta até Pedreiro e Artífice. Antes que pudessem se congratular a ele ou um ao outro, Gameknight ergueu a mão bem alto no ar, dedos bem abertos. Costureira olhou para ele, depois observou todos os itens no chão. Ela também ergueu a mão bem alto, os dedinhos espalhados. Gameknight e Costureira então cerraram as mãos em punhos, apertando forte até os dedos doerem; a saudação aos mortos.

Os outros guerreiros viram isso e interromperam as comemorações. Braços começaram a brotar acima da multidão animada, encerrando o júbilo geral. Logo todos tinham mãos erguidas, dedos apontando o ar.

— Não vamos comemorar com muito entusiasmo, pois há muitos que não podem comemorar conosco — declarou Gameknight. — Em vez disso, vamos relembrar aqueles que tombaram hoje, mantendo seus amigos e vizinhos seguros... mantendo Minecraft seguro.

E então Gameknight baixou a cabeça enquanto descia o punho cerrado, exemplo seguido pelo resto do exército.

Gameknight desmontou do cavalo e foi até Pedreiro e Artífice.

— Vocês estão bem? — indagou ele.
Os dois assentiram com a cabeça.
— Vocês acham que esse era o exército de Malacoda? — perguntou Gameknight.
— Não — respondeu Pedreiro. — Ele está só nos provocando. Esses jóqueis de aranha provavelmente foram mandados para nos procurar, e receberam ordens de não voltar até que nós tivéssemos sido destruídos.
— Mas como eles poderiam fazer isso? Malacoda só mandou cinquenta deles atrás de nós, não conseguiriam destruir nosso exército — comentou Gameknight.
— É verdade, mas isso nos diz duas coisas — afirmou Pedreiro, enquanto caminhava até uma coleção de ossos de esqueleto e seda de aranhas. — Primeiro, ele não conhece nossos números, ou teria enviado mais asseclas. Provavelmente acredita que apenas o Usuário-que-não-é-um-usuário tenha atravessado o portal. Seu erro foi presumir que os NPCs não iriam contra a própria programação e o seguiriam. Ele subestimou a nós... e a você.
— E qual seria a segunda migalha de conhecimento secreto que você deduziu disto? — inquiriu Gameknight, em tom sarcástico.
— Uma coisa importante de que precisamos lembrar se quisermos ser vitoriosos — retrucou Pedreiro, soando como se declarasse algum tipo de verdade universal. Os soldados à volta deles ficaram todos em silêncio absoluto, prestando atenção no que vinha em seguida. — Estes jóqueis de aranhas não trouxeram suprimentos para que pudessem voltar ao próprio

povo. Esta foi uma viagem só de ida para eles. — Fez uma pausa para que a ficha caísse, depois continuou. — Ele ordenou que as criaturas buscassem o Usuário-que-não-é-um-usuário e continuassem a caçá-lo até que suas mortes os levassem. Ordenou que eles lutassem até não poder mais respirar. É uma informação importante.

— Por que essa informação é tão importante? — questionou Gameknight.

— Conheça seu inimigo e conheça a si mesmo, e você poderá lutar cem batalhas sem desastre — afirmou Pedreiro.

O mar de NPCs, os soldados, os pais, mães e crianças, todos concordaram balançando a cabeça enquanto ponderavam aquela afirmativa... todos menos Gameknight999.

Já ouvi isso antes!, pensou Gamenknight. *Por que ele fica repetindo coisas que eu reconheço... Alguma coisa da escola? Sim, foi o professor de história, Sr. Planck. Mas como ele poderia...?*

Foi então que um dos batedores gritou alguma coisa enquanto voltava cavalgando, o cavalo em galope veloz pelas colinas. Gameknight não conseguia ouvir direito o que ele dizia, mas a empolgação começou a se espalhar pelas tropas conforme o cavaleiro se aproximava. Reduzindo o passo a um meio galope, o batedor se aproximou, parou e desmontou. Caminhou até Gameknight e Pedreiro, e olhou os dois, sem saber com quem falar primeiro.

— Então? — ralhou Gameknight. — O que foi?

— Pare um minuto para recuperar o fôlego — disse Pedreiro. — Depois nos conte o que você viu.

O NPC se inclinou para a frente, apoiando as mãos nas coxas quadradas enquanto tentava recuperar o fôlego.

— Vi uma aldeia, para aqueles lados. — O aldeão apontou na direção em que o último jóquei de aranha tinha fugido. — Estávamos perseguindo um jóquei de aranha que tentava escapar, e finalmente o alcançamos. Telhador o acertou com um tiro do arco longo. Foi um lindo disparo, a forma como a flecha fez uma curva no ar e...

— A aldeia — interrompeu Gameknight, agitado — Conte-nos sobre a aldeia.

— Ah, sim — continuou ele. — Quando chegamos ao topo da colina onde o monstro tinha morrido, a fim de coletar seu inventário e XP, nós a vimos ao longe, à beira de um oceano... para o norte. Era o que nós estávamos procurando... uma aldeia.

— Onde está o resto de seus homens? — indagou Pedreiro. — Tudo bem com eles?

— Mandei que fossem até a aldeia para ficar de olho, sem entrar. Queria me assegurar de que não haveria monstros por perto. Eles voltarão se avistarem qualquer coisa perigosa, e matarão quaisquer monstros menores.

Pedreiro avançou um passo e deu tapinhas no ombro do soldado, os olhos verdes faiscando. O enorme sorriso característico que eles tinham aprendido a esperar estava pintado firmemente no rosto quadrado de Pedreiro.

— Você fez um ótimo trabalho, um ótimo trabalho mesmo! — exclamou Pedreiro, bem alto para que todos em volta ouvissem.

O NPC estava quase explodindo de orgulho.

— O que estamos esperando? — indagou Gameknight. — Vamos para a aldeia.

— Num minuto — disse Pedreiro a Gameknight, depois se virando para um grupo de NPCs: — Posicionem batedores à nossa volta. Quero o exército numa configuração circular, cavalaria no exterior, depois um anel de infantaria, então os arqueiros. No centro quero os idosos, as crianças e os feridos. — Esteja preparado e jamais será derrotado.

Essa é outra citação que já ouvi!, pensou Gameknight. *O que está acontecendo aqui!?*

— É uma ótima ideia — elogiou Artífice, enquanto observava as ordens de Pedreiro sendo cumpridas assim que eram dadas.

O exército começou a se deslocar, a imensa massa da cavalaria se movendo lentamente afim de que quem estivesse a pé pudesse acompanhá-la. Gameknight olhou desconfiado para as costas de Pedreiro conforme seu cavalo andava lentamente para o norte, em direção à aldeia distante.

CAPÍTULO 7
A ALDEIA

O exército se reuniu no limite da floresta de pinheiros, em um morro alto com vista para a aldeia. Esta ficava numa faixa de deserto arenoso, à beira de um rio largo. O fluxo aquoso cortava a terra seca, como se algum gigante tivesse arrastado um machado pesado pela paisagem. Na opinião de Gameknight, o rio azul parecia, do ponto de vista do morro onde estavam, desenhar aquela forma proibida em Minecraft: a curva. Tudo em Minecraft era cúbico e em ângulos retos, mas de longe e bem alto, como eles estavam agora, o rio formava belas e suaves curvas azuis, que serpenteavam pelo bioma desértico até desaparecer ao longe.

À margem do rio ficava a aldeia que tinha sido avistada pelos batedores. Era parecida com qualquer outra aldeia de Minecraft; um grupo de construções de pedra e madeira ao redor do poço, com uma alta torre de vigia, feita de pedregulhos, no centro. Só que, naquela aldeia, Gameknight notou que não havia NPC no topo da torre de pedra.

— Olhe só! — exclamou Gameknight. — Não tem um único vigia na torre.

— Estranho — comentou Artífice.

Todas as vilas em Minecraft sempre tinham um vigia em suas torres. Era sempre o aldeão com melhor visão, batizado de Vigia por sua tarefa. Vigia esquadrinharia o campo em volta da aldeia, em busca de monstros. Ao encontrá-los, soaria o alarme e avisaria aos NPCs que fugissem para suas casas, pois um aldeão flagrado do lado de fora durante um ataque de monstros não teria chance de sobreviver. Aqui, por algum motivo, não havia Vigia.

— Vamos ver o que está acontecendo lá embaixo — decidiu Gameknight, mas Pedreiro pôs a mão em seu ombro.

— Ainda não — retrucou o NPC grandalhão.

Ele se virou e ordenou a um dos generais:

— Quero esquadrões de cavalaria buscando monstros. Eles não devem entrar em combate, mas voltar e nos informar. Também quero arqueiros posicionados pela floresta. Se virem alguma coisa, devem disparar flechas bem alto no céu para que caiam ali perto da aldeia. Os inimigos não vão nos surpreender enquanto estivermos de costas para o rio. Entendido?

O guerreiro concordou balançando a cabeça e se afastou, transmitindo as ordens de Pedreiro.

— Estamos prontos agora? — insistiu Gameknight, soando um tanto agitado.

Ele se virou e viu Pedreiro e Artífice, ambos assentindo. Foi então que Costureira chegou correndo com Pastor ao lado.

— Nós vamos com você, Gameknight — afirmou Costureira.

Alguns dos guerreiros viram Pastor se aproximando, e murmuraram *Porcolino* alto o bastante para que ele ouvisse, mas suficientemente baixo para que fosse difícil identificar quem falava. Costureira girou e olhou feio para os guerreiros próximos, provocando risadinhas dos rostos voltados para baixo. Ela se virou e encarou Gameknight com rispidez. Ela queria que Gameknight defendesse Pastor e acabasse com o abuso, mas o Usuário-que-não-é-um-usuário ficou quieto, silenciosamente feliz que o abuso não fosse direcionado a ele.

Por que será que tem bullies por todas as partes? Eu os odeio.

Quando Gameknight estava prestes a dizer alguma coisa, um uivo ecoou pela floresta.

— Lobos — disse alguém, e o medo se espalhou pela floresta ocupada.

Uma alcateia de lobos geralmente deixava NPCs solitários em paz, porém, se um de seus membros fosse atacado ou atingido por acidente, então a matilha inteira cairia em cima do atacante para se defender. Um indivíduo sozinho não teria muita chance contra uma matilha feroz; por isso os aldeões os temiam e evitavam, todos exceto Pastor. Ouvindo os uivos, o jovem magricelo se virou e contemplou a floresta sombria, buscando as criaturas peludas.

— Lobos. Há lobos... lobos por perto.

— Pelo som... sim — concordou Artífice.

Pastor ficou parado um momento e esperou o uivo soar novamente. Veio da esquerda, um uivo carregado de tristeza em algum lugar nas profundezas da floresta. Pastor pegou um osso de esqueleto no inventário (ele tinha refeito seu estoque depois da última batalha) e saiu correndo floresta adentro, perseguindo o som de uivos. Isso provocou mais risadas dos guerreiros, mas Pastor os ignorou, pois tinha a mente completamente focada nos lobos. Esbarrando nos outros, ele corria em meio ao exército, a atenção concentrada apenas nos sons da floresta. Ele não escutava os comentários maldosos lançados às suas costas.

Costureira suspirou e fez mais uma careta para Gameknight, depois estendeu a mão e pulou no cavalo, sentando-se à frente dele, com arco na mão e flecha preparada.

— Certo, estou pronta agora — afirmou a menina, raivosa. — Vamos lá.

Gameknight assentiu e botou o cavalo em movimento, sendo seguido pelo resto do exército. Ele ouvia os comentários dos soldados.

— O Usuário-que-não-é-um-usuário nos lidera até a estranha aldeia...

— Ele não tem medo de uma vila no servidor da Fonte...

— Gameknight999 não tem medo...

Ele odiava essa adulação. Era como se pensassem que ele era algum tipo de herói mitológico que partia para derrotar o gigante ou matar o dragão. Ele não era herói, era só um menino... um garoto assustado que não tinha como fugir, pois Costureira estava logo ali com ele. A menina contava com ele para salvar a irmã, e Gameknight não poderia decepcioná-la. Então, algo que Artífice tinha lhe dito ecoou em sua mente. "*Feitos não fazem um herói... É como alguém supera seus medos que faz dessa pessoa um herói.*" Sabia que tinha que enfrentar o medo, mas ainda sentia dificuldade. Então ele olhou os cabelos esvoaçantes de Costureira; ela o lembrava tanto da própria irmã... sua própria irmãzinha. Ele não deixaria nada machucá--las, nenhuma das duas. E, quando Caçadora se virou e lhe lançou um sorriso confiante, ele soube que não poderia falhar, então adiante ele cavalgou.

    O exército se aproximou da aldeia com cautela. Gameknight cavalgava na frente, servindo como ponta de lança. Se alguma coisa acontecesse, se algum grupo de monstros emergisse de uma das casas, Gameknight e Caçadora seriam os primeiros a notar. Saber disso fazia o jogador tremer um pouquinho. Enquanto eles avançavam, Gameknight percebeu movimento à direita e à esquerda. Grandes grupos de soldados tinham se separado e agora se agrupavam nos flancos. Pedreiro dividira suas forças em três grupos, e juntos agora se aproximavam da aldeia por todos os lados.

    Conforme eles desciam a colina relvada, Gameknight sentia a temperatura subindo lentamente. Quando passaram do gramado verde brilhante do bioma frio da taiga à planície arenosa do bioma desértico, ele sentiu a temperatura subir bruscamente, formando pequenos cubos de suor na sua testa, que escorriam até sua bochecha.

    Perante eles, o deserto se estendia até a aldeia e continuava do outro lado do rio azul, se perdendo no horizonte. Altos pilares de cactos irrompiam da areia, os espinhos afiados parecendo reais demais *dentro* de Minecraft. Gameknight contornou cuidadosamente essas colunas espinhentas, sabendo que um mero toque traria dor e perda de HP. Ao chegar mais perto, viu aldeões perambulando, porém, em vez de trabalhar nas tarefas habituais, ele os viu ajoelhados no chão, ou parados ao lado de uma casa, ou acariciando gentilmente um cacto... comportamento estranho para aldeões.

Rumando para o aldeão mais próximo, Gameknight guiou o cavalo para um NPC parado ao lado de uma casa, o corpo virado para a parede de madeira, como se falasse com ela. Enquanto ele desmontava, Costureira saltou do cavalo e preparou uma flecha, esquadrinhando as ruas estreitas da vila em busca de ameaças. Gameknight também achava o lugar estranho e sacou a espada tremeluzente, cuja luz iridescente coloriu de roxo o aldeão e a parede de madeira que ele encarava.

Artífice e Pedreiro desmontaram e se aproximaram. Chegando perto do aldeão com muito cuidado, Pedreiro deu um puxão em sua bata. Espantado, o aldeão girou e encarou o NPC grandalhão e o garotinho, além dos quinhentos guerreiros blindados com armas cintilando ao sol, todos o encarando de volta.

— Lamento, não quis assustar você — desculpou-se Pedreiro, enquanto fitava o rosto calmo.

O NPC tinha estatura mediana, nem muito alto nem muito baixo, com pele bronzeada e cabelo claro. Gameknight teve a impressão de que esse NPC passava muito tempo ao sol, pois sua pele parecia um couro, graças à exposição aos raios que costumavam ser brilhantes. Os cabelos loiros-claros quase brilhavam ao sol, mas a característica mais marcante era sua bata; era preta com uma larga faixa cinzenta descendo pelo meio.

— Um artífice — comentou alguém.

— Todos eles são — murmurou outro.

Gameknight se virou para olhar os outros aldeões que vagueavam e notou que todos trajavam a roupagem tradicional do artífice de aldeia, bata preta com listra cinzenta. Andando para a frente para espiar rua abaixo, o jogador viu mais movimento, NPCs cuidando de seus afazeres, só que todos também vestidos como artífices. Isso era curioso.

— O que está acontecendo aqui — indagou Pedreiro, a voz confiante reverberando no ar. — Onde está o vigia da torre? Onde estão seus fazendeiros e construtores?

O NPC olhou para Pedreiro, depois contemplou os rostos dos guerreiros e, então, deu uma olhada em Artífice. Reconheceu instantaneamente sua roupa.

— Ahhh, você é um dos nossos — disse ele, empolgado. — Um novo? Qual é seu objeto?

— Não sei do que você está falando — respondeu Artífice. — Meu nome é, obviamente, Artífice. Estamos aqui para enfrentar os monstros que ameaçam Minecraft. Qual é seu nome, e o que é este lugar?

— Meu nome é Lenhabrin. Obviamente, trabalho com madeira — explicou Lenhabrin, as palavras picotadas como se fossem cuspidas por uma metralhadora, rápidas e em *staccato*. — Lá estão Cactobrin e Areiabrin. — O NPC apontou dois aldeões, ambos com cabelos claros e trajando preto. Um deles estava ajoelhado na areia, as mãos se movendo, como se estivesse criando alguma coisa; o outro estava parado diante de um alto cacto, as mãos fazendo o mesmo. — Nós trabalhamos o bioma de deserto. E, é claro, trabalhamos as aldeias também.

Artífice fitou Pedreiro, confuso. O NPC grandalhão estava prestes a falar, e, pela expressão de frustração em seu rosto, Gameknight percebeu que a pergunta não seria muito simpática. Dando um passo à frente, o jogador pousou a mão tranquilizadora no ombro de Pedreiro. Imediatamente, Lenhabrin viu as letras flutuando acima da cabeça do Usuário-que-não-é-um-usuário.

— Um usuário — gaguejou o aldeão. — Não pode haver usuários aqui... é proibido.

— Olhe o filamento de servidor dele — sugeriu Artífice.

Lenhabrin olhou para cima e procurou no céu, confuso, e então entendeu quem estava ali parado diante dele. Baixando os olhos, ele encarou Gamknight999, boquiaberto. Depois se virou para Artífice, que sorriu e assentiu com a pequena cabeça.

— É isso mesmo... a Profecia... o Usuário-que-não-é-um-usuário chegou, assim como a hora da Batalha Final — anunciou Artífice em voz reverente. — A Batalha final por Minecraft chegou, e toda existência está por um fio.

Lenhabrin contemplou o sol. A face manchada de vermelho parecia ferida enquanto subia até o ápice. Respirando fundo, voltou o olhar a Gameknight999.

— Então a guerra finalmente chegou e o fim se aproxima — declarou Lenhabrin em voz triste. — Espero que você possa ser tudo que precisamos que seja, ou tudo estará perdido.

E então foi Gameknight999 quem começou a tremer.

CAPÍTULO 8
ARTÍFICES DE LUZ

— Estamos aqui para impedir que os monstros alcancem a Fonte — explicou o Usuário-que-não-é-um-usuário, tentando fazer a voz soar confiante e forte, como Pedreiro... Não fez um bom trabalho.

— Há monstros aqui? — indagou Lenhabrin, os olhos dardejando em volta, buscando ameaças. — Monstros do mundo da Superfície?

— E do Nether — confirmou Artífice.

— Do Nether também?

Artífice fez que sim com a cabeça.

— Nós os seguimos por um portal feito de bancadas de trabalho de diamante até este servidor, e agora vamos impedir que destruam a Fonte. — Artífice fez uma pausa enquanto parava ao lado de Gameknight999. Ergueu a pequena mão e a colocou no ombro do jogador. — O Usuário-que-não-é-um-usuário vai deter a horda de monstros e salvar Minecraft.

Vivas irromperam dos guerreiros que tinham se aproximado para ouvir. Muitos gritaram o nome de Gameknight, dizendo que ele era o salvador de Minecraft... o guerreiro que não podia ser derrotado... aquele que salvaria seus lares e famílias. O jogador odiava tanta atenção e tantos elogios.

Sou só um menino... um ninguém.

Artífice ergueu as mãos para silenciar a multidão, depois continuou:

— Precisamos de ajuda para encontrar a Fonte e nos preparar para a Batalha Final — explicou Artífice a Lenhabrin. — Mas precisamos de informação e de ajuda. Não entendemos este servidor. Você pode nos explicar alguma coisa?

— Bem — começou Lenhabrin, usando frases curtas. — Este servidor é diferente. Não é como os outros planos de servidor. Aqui não há aldeões. Só artífices de código como eu.

— Artífices de código? — indagou Pedreiro, os olhos verdes focalizados diretamente nos de Lenhabrin, os flocos vermelhos naqueles olhos brilhando forte sob a pálida luz rubi do sol manchado acima.

— Sim... artífices de código. Como vocês podem ver por nossas roupas, somos todos artífices — afirmou Lenhabrin, as frases cuspidas com pressa, como se ele quisesse economizar palavras. — Só que não somos artífices como seu amigo aqui. — Gesticulou para Artífice. — Não produzimos itens. Produzimos modificações ao código que faz Minecraft funcionar. — Ele fez uma pausa para deixar a informação ser digerida por um momento, depois continuou com a apressada explicação. — Minha tarefa é trabalhar no código que controla blocos e tábuas de madeira. Trabalho para melhorar o funcionamento da madeira. A textura, aparência, sensação, tom... tudo. Assim, será mais realista para os usuários. É minha tarefa. Assim como todos os NPCs, meu nome segue minha função; Lenhabrin.

— Mas o que *brin* quer dizer? — indagou Artífice.

— *Brin* vem da língua antiquíssima de nossos ancestrais. Veio dos testemunhos originais do pré-Alpha. *Brin* significa luz. Sou um artífice de luz. Todos os meus colegas nesta aldeia são artífices de luz.

Gameknight percebeu movimento com o canto do olho e girou, espada pronta. Descobriu que Costureira já apontava seu arco naquela direção, mas o baixou quando viu que eram mais artífices de código se aproximando. Todos tinham cabelos claros e vestiam a tradicional bata preta, mas cada um parecia um pouco diferente, como acontecia com todos os aldeões de Minecraft. Os olhos de todos tinham um colorido forte: azul, verde, castanho, amêndoa... e uma expressão de otimismo refletida nos rostos bronzeados.

— Sou Areiabrin — anunciou um deles, com cabelos cor de areia.

— E eu sou Vacabrin — disse outro, com manchas negras no cabelo branco.

— E eu sou Rochabrin...

— E eu sou Aguabrin...

— E eu sou... — Os nomes fluíram numa torrente conforme os artífices se adiantavam, cada um deles batizado com o nome do bloco que desenvolvia, cada nome terminado em *brin*.

— Somos os artífices de código de Minecraft — proclamou Lenhabrin orgulhoso, com uma voz áspera e granulada. — Mas vocês precisam tomar cuidado. Temos pares sombrios que lutam para desfazer o que fazemos.

— O que você quer dizer? — indagou Pedreiro, examinando Lenhabrin com desconfiança.

— Somos os artífices de luz do bioma de deserto. Também existem os artífices de sombras — explicou Lenhabrin, baixando a voz em seguida. — Eles também são artífices de código das coisas que vivem nas sombras.

— Você quer dizer tipo... — Gameknight não queria completar a pergunta, pois já sabia a resposta.

Lenhabrin assentiu com a cabeça.

— Sim... monstros. Há artífices de código para os monstros também.

— Artífices de código para os monstros — repetiu Artífice. — Não entendo.

— Temos um Vacabrin, um Ovelhabrin e um Cavalobrin. Só que eles têm um Creeperbrine, um Zumbibrine e um Blazebrine — continuou Lenhabrin, a voz baixa e tensa. Um silêncio nervoso recaiu de forma inquietante sobre o exército conforme todos os NPCs se esforçavam para escutar o que Lenhabrin dizia, mesmo que no fundo não quisessem ouvir. — A função dos artífices de sombras é melhorar as coisas que vivem nas sombras.

— Os monstros de Minecraft — constatou Gameknight, com a voz estremecida de medo quando visões imaginárias desses artífices terríveis flutuaram por sua mente.

— Isso mesmo — confirmou Lenhabrin, enquanto fitava os olhos assustados de Gameknight. — Os artífices de sombras trabalham por Minecraft, assim como nós. Eles melhoram os monstros de Minecraft para ajudar a incrementar a experiência dos usuários.

— Mas os monstros matam — retrucou Gameknight. — Como isso pode ser bom para Minecraft?

— Se NPCs continuarem a nascer, e nenhum deles morrer, então eventualmente teremos uma superpopulação, e todos os servidores cairão — explicou Lenhabrin. — As coisas precisam permanecer equilibradas.

— Mas elas não estão equilibradas — argumentou Costureira, que em seguida apontou o sol do meio-dia. — Isso prova que não há equilíbrio. Esses artífices de sombras estão tirando as coisas do prumo ao deixar os monstros mais perigosos... mais fortes e mais raivosos. — Ela fez uma pausa enquanto enxugava uma lágrima. — Eles levaram minha... irmã!

Gameknight foi até Costureira e passou um braço em volta dos ombros estreitos.

— Não se preocupe, nós vamos resgatá-la — assegurou Gameknight numa voz tranquilizadora.

Ela se virou para fitar o rosto de Gameknight, os encaracolados cabelos ruivos descendo pelos ombros; ela era igual à irmã mais velha. Por um instante, Gameknight achou que *estava* olhando para Caçadora.

— Você promete?

— O quê? — indagou Gameknight.

— Você promete que vai salvar Caçadora? — perguntou ela, a voz agora embargada de emoção.

Gameknight embainhou a espada e abraçou a menina, apertando-a com toda força.

— Prometo não decepcionar você, irmãzinha. Vamos trazê-la de volta.

E então Caçadora chorou pela primeira vez desde que tinha chegado àquela terra. As emoções reprimidas na garotinha desde que testemunhara a abdução da irmã... tudo jorrou como uma torrente de tristeza. Gameknight a abraçava enquanto ela chorava com o corpo tremendo, mas ele não a soltou...

Finalmente, drenada de emoções, Caçadora parou de chorar e olhou para Gameknight. Os olhos agora estavam vermelhos e inchados, quase da mesma cor dos cabelos, mas havia um ar de paz dentro dela. O costumeiro olhar de raiva parecia um pouco suavizado enquanto ela enxugava as lágrimas do rosto.

— Não se preocupe — sussurrou Gameknight no ouvido dela. — Nós vamos encontrá-la.

A menina fez que sim com a cabeça e se soltou do abraço.

— Por que os artífices de sombras estão fazendo isso? — inquiriu Pedreiro.

— Nós não sabemos — respondeu Lenhabrin. — Por milhares de ciclos de CPU, os artífices de sombras e de luz mantiveram Minecraft em equilíbrio. Só que, há pouco tempo, um novo artífice de sombras chegou. Ele é forte e é mau. Esse novo artífice está incentivando todos os artífices de sombras a forçar o desequilíbrio do sistema. Não sabemos o motivo, mas podemos sentir esse ser.

— Qual é o nome dele... O que ele produz? — perguntou Artífice.

— Nós não sabemos. Mas, o que quer que faça, não é bom para Minecraft.

— Você pode nos ajudar a encontrar a Fonte? — perguntou Pedreiro, soando impaciente.

— Não podemos lhes dizer onde fica a Fonte. Mas sabemos que vão precisar das duas chaves — explicou Lenhabrin.

— As duas chaves? — repetiu Gameknight, se afastando de Caçadora para ficar ao lado de Artífice.

— Sim, há duas chaves — respondeu Lenhabrin. — Elas os levarão à Fonte. Só sabemos a localização da primeira chave, mas ela os levará à segunda. E essa os levará à Fonte. A primeira chave é a Rosa de Ferro e é bem guardada; não sabemos bem da segunda. Vocês precisam obtê-las, uma de cada vez, para poder alcançar a Fonte.

— Você pode nos dizer onde encontrar a Rosa de Ferro? — indagou Gameknight, agora soando impaciente.

— Não vou lhes *dizer*. Mas vou lhes *mostrar* — respondeu Lenhabrin. — Vocês podem precisar de alguns de nós nesta jornada. Precisamos agir rápido. Se os artífices de sombras chegarem lá antes de nós, tudo estará perdido. — Ele pausou por um momento, os olhos castanhos profundos esquadrinhando os rostos de todos que os ouviam. — Não podemos perder tempo... É hora de partir, agora.

Gameknight assentiu e então olhou para Artífice cujos brilhantes olhos azuis eram quase iguais ao azul majestoso do céu. Ele se lembrou de algo que o amigo lhe dissera no último servidor, e isso lhe trouxe uma ideia.

— Antes de sairmos, vocês podem produzir alguns itens para nós? — perguntou Gameknight.

— Só podemos produzir as coisas que podemos melhorar — explicou Lenhabrin. — Então só posso fazer madeira. Areiabrin ali só consegue criar areia, Rochabrin só consegue...

— Entendi, entendi — interrompeu-o Gameknight. — Vocês têm um Polvorabrin?

Um Artífice com cabelos claros e monocelha loira se adiantou. Sua bata estava coberta com poeira cinzenta, o que o fazia parecer ter saído de uma lixeira. Ele se chacoalhou e a poeira caiu no chão, formando pequenas pilhas cinzentas.

— Sou Polvorabrin — anunciou ele, numa voz velha e áspera.

— O que você tem em mente, Usuário-que-não-é--um-usuário? — indagou Artífice.

— Precisamos de areia e pólvora... o máximo que pudermos carregar.

— Por quê? — indagou Pedreiro.

Gameknight olhou para Artífice e sorriu.

— Foi uma coisa que seu tio-avô Tecelão disse uma vez; "Muitos problemas com monstros podem ser resolvidos com alguma criatividade e..." você sabe.

Artífice sorriu e concordou com um aceno de cabeça.

CAPÍTULO 9
CAÇADORA

A estranha névoa prateada circundava Gameknight, como as voltas de uma cobra gigante. Ele estava apenas ali parado, observando a nuvem turbulenta se aproximar cada vez mais, como se a cobra tentasse esmagá-lo. De repente, ele estava completamente imerso na nuvem, e a névoa reluzente era úmida em seu rosto, fazendo a pele formigar.

Uma floresta emergiu em meio à névoa, subia da cerração, como se estivesse crescendo em algum tipo de tempo acelerado. Altos pinheiros se erguiam agora diante dele, os galhos se estendendo do pico da árvore ao solo da floresta. Algumas das árvores, porém, pareciam despidas de todas as folhas, os galhos nus e sem vida. Gameknight contemplou as árvores nuas e se perguntou por que Minecraft geraria algo que parecia tão triste e doentio.

Enquanto ele girava, a paisagem à sua volta assumia um visual aquarelado, formas próximas se misturando numa mancha colorida com o movimento do jogador. E foi então que ele entendeu: Gameknight999 estava na Terra dos Sonhos. Lembrou-se da conversa que teve com Artífice sobre a Terra dos Sonhos; parecia ter acontecido mil anos antes. Eles tinham passado por tanta coisa desde então. Como os tinha denominado? E então o nome voltou a ele: andarilhos dos sonhos; pessoas que eram capazes de trafegar pela Terra dos Sonhos. Era isso que Gameknight era, um andarilho dos sonhos.

A última coisa de que se lembrava antes de chegar à Terra dos Sonhos era que o exército estava em movimento. Tinham deixado a aldeia e rumavam em direção à primeira chave, a Rosa de Ferro. Depois de marchar a tarde inteira, o exército tinha acampado à margem do rio, seguindo o curso de água até onde Lenhabrin tinha dito que encontrariam a Ponte para Lugar Nenhum, o que quer que isso significasse. Ele se lembrou de quando Artífice perguntou a Lenhabrin por que alguém construiria uma ponte para lugar nenhum, não fazia sentido, mas Lenhabrin respondeu que ele entenderia quando lá chegasse.

Gameknight adormecera quase num instante, depois que eles montaram acampamento, a fadiga de um dia de marcha difícil o levando a um sono intermitente.

E agora ali estava ele, na Terra dos Sonhos.

Não sabia bem o que aquilo tudo significava, mas se lembrava das outras vezes quando tinha estado com Érebo e Malacoda... e tinham sido momentos dolorosos. Escapara desses outros sonhos por causa de Artífice e Caçadora, mas Gameknight não sabia direito o que aconteceria naquele lugar, naquele servidor.

Em vez de ficar simplesmente parado, esperando que algum monstro viesse encontrá-lo para tentar matá-lo, Gameknight fez o que sabia fazer melhor: escondeu-se. Foi para trás de um grande arbusto e se agachou. Esquadrinhou a área em busca de ameaças. A névoa prateada ainda flutuava por ali e dificultava a visão, coisa que o deixava nervoso. Ele gostava de avistar um inimigo ao longe, para que assim pudesse crivá-lo com sua arma favorita, o arco. Lá no servidor de Artífice, ele teve um arco maravilhoso, com Impacto II, Força IV e Infinidade, o melhor arco que já fizera, e encantado, e fora seu favorito. Queria ter aquele arco consigo agora.

De repente, o arco se materializou em sua mão, a arma tremeluzente manchando a névoa prateada com um tom azulado. Abriu o inventário, sacou uma flecha e a encaixou no arco. Puxando a corda, mirou o lado pontudo contra um alvo imaginário. As penas no fim da flecha fizeram cócegas em sua bochecha conforme ele segurava a corda e mirava ao longo da haste letal. Gameknight ouvia o zumbido familiar que sempre parecia ressonar da arma, como se conseguisse ouvir o rumorejar do encantamento ali dentro. Aquele era definitivamente seu arco.

Gameknight sorriu. Mas como aquilo aconteceu?

Ele apenas pensou nele, e, num instante, o arco estava em sua mão quadrada. Não, ele não pensou nele simplesmente, ele o desejou com todo o seu coração, e, sendo uma arma tão familiar a ele, foi fácil conjurar sua imagem na mente.

Sentindo-se mais confiante, Gameknight se levantou e avançou de árvore em árvore, examinando *aquela floresta estranha.* Relaxou a corda da flecha e deixou o arco afrouxar. Virando-se para olhar atrás de si, ficou surpreso ao ver uma enorme montanha. Estranho que não a tivesse notado antes.

Não era uma montanha normal do tipo que ele costumava ver em Minecraft. Não, aquela coisa tinha uma aparência sinistra, com picos pontiagudos e árvores desfolhadas por todas as suas faces. A montanha parecia uma coisa que tinha sofrido um acidente terrível, distorcida e danificada pelas forças horrendas que a atingiram. A superfície da montanha estava completamente desprovida de vida, ou qualquer coisa que pudesse ser remotamente considerada bela. Tudo nela parecia morto; não havia blocos de terra relvados na sua superfície, nada de flores ou arbustos. Estava coberta apenas de pedra... pedra fria e morta.

Gameknight estremeceu. Aquela montanha o assustava até as pontas dos dedões dos pés.

Esquadrinhando a floresta, ele pensou na irmã. Ela amava jogar Minecraft, sempre querendo construir formas coloridas que expressavam sua alegria interior e seu amor pela arte. E, então, lá estava ela. O jogador via o nome dela acima da cabeça, Monet113, escolhido em homenagem ao seu pintor favorito. Ela parecia construir alguma coisa, usando blocos coloridos de lã, com uma expressão de alegria incontida no rosto. Só que alguma coisa nela não parecia real. Possuía uma aparência translúcida, argêntea, como se não estivesse presente de verdade na Terra dos Sonhos, mas apenas fizesse parte da paisagem.

Atrás dela, Gameknight viu outra forma... um usuário ou NPC, ele não conseguia distinguir. Só que essa pessoa não tinha uma expressão de alegria no rosto. Não, aquele ali parecia odioso e raivoso, como se tudo em Minecraft fosse seu inimigo. Gameknight999 queria afastar o olhar da vil criatura, mas algo em seus olhos fez com que continuasse a encará-los. Os olhos... Eles brilhavam em branco intenso, fazendo a névoa prateada ao seu redor incandescer também. Só que eles não apenas fulguravam com luz; eles ardiam com repulsa odiosa por tudo ao seu redor.

O que faria olhos brilharem daquele jeito?

E então ele se foi, desaparecendo na névoa, sendo os olhos incandescentes a última coisa a sumir. Mas, de repente, havia outra presença ao lado dele. Girando, o jogador puxou a flecha e mirou, pronto para atirar.

— Dá para você virar isso para o outro lado! — pediu uma voz familiar. — Você está sendo um idiota de novo.

Era Caçadora... ERA CAÇADORA!

— CAÇADORA! — berrou Gameknight, largando o arco e a envolvendo num abraço de quebrar ossos.

— Dá para você falar baixo? — sussurrou Caçadora, enquanto o empurrava para longe. — E pegue seu arco, seu cabeça de vento. Você não anda por aqui desarmado... Há sempre monstros na Terra dos Sonhos.

Ela sacou o próprio arco encantado e preparou uma flecha

— Mas você não precisa de um arco, você é só parte de meu sonho — argumentou Gameknight, confuso.

Uma expressão de irritação pintou o rosto dela, os olhos castanhos quase ardendo com raiva.

— Você não entende nada! — exclamou ela. — É incrível que vocês, usuários, consigam fazer alguma coisa em Minecraft.

Algo estalou na floresta, um graveto sendo pisado. Rapidamente, ela se abaixou atrás de uma árvore, com uma flecha puxada e pronta para disparar. Outro estalo de graveto... a coisa se aproximava.

— Esconda-se, seu idiota — ralhou ela, enquanto gesticulava para uma árvore próxima.

Confuso com o que estava acontecendo, Gameknight obedeceu às instruções.

Só que aquilo era só um sonho... *não é real*, pensou ele. Porém, se lembrou de quando Érebo o tinha esganado, e de quando Malacoda o socara na cabeça... Aqueles momentos pareceram reais, e, talvez, aquilo fosse real também. Agachado, ele também puxou a corda e esperou.

O som de respiração ruidosa começou a soar pela floresta, um animal pesado ofegante com pés que pisavam em galhos e folhas... estava se aproximando. Um estalo à esquerda... havia mais um, e então mais outro mais adiante. Gameknight não sabia bem onde mirar. Com rapidez, ele correu até Caçadora.

— O que são eles... zumbis? — perguntou o jogador.

— Eu não sei — sussurrou ela de volta. — Mas estamos prestes a descobrir.

Um estalo soou atrás deles, e então mais outro e mais outro. Eles estavam cercados. Ficando de costas contra as costas de Caçadora, Gameknight vigiou a retaguarda enquanto ela observava a frente.

Os sons se aproximavam. Gameknight ouvia a respiração gutural e áspera das criaturas, um som forte que o fez imaginar um zumbi de armadura... ou talvez uma aranha. Puxando a flecha na corda, fez pontaria no mais alto dos sons.

Foi então que algo começou a surgir em meio à névoa de prata. Era pequeno e amarelo... não, duas coisas, pequenas e amarelas. Pareciam flutuar acima do solo, reluzindo à luz argêntea da Terra dos Sonhos. Outro par de pontos amarelos surgiu no ar, brilhando em meio ao nevoeiro, e mais outro e mais outro. Para toda parte onde Gameknight olhasse, ele via um par dessas coisas brilhantes. Puxando a flecha, ele mirou na mais próxima e se preparou para batalha.

E aí a coisa deu um passo à frente. Uma cabeça branca fofinha emergiu da névoa, dois amarelos olhos caninos o encarando; era um lobo. Mais lobos se adiantaram, com dentes expostos, prontos para lutar, as costas arqueadas, pelo eriçado pela tensão. Gameknight sabia que lobos eram como homens-porcos zumbis; se você atacasse um, então todos revidariam. Escolhendo o maior para ser o primeiro, o jogador mirou a flecha na cabeça da criatura, mas ficou surpreso ao sentir Caçadora relaxando atrás de si.

— Baixe sua arma, Gameknight — sussurrou Caçadora ao baixar o arco e se levantar.

Assim que os lobos viram Caçadora, eles relaxaram um pouco, o pelo branco se assentando contra a silhueta musculosa. A NPC avançou com o arco baixado e estendeu a mão para o maior dos lobos, com a palma para baixo. Os dentes expostos desapareceram assim que o resto da alcateia reconheceu Caçadora e se aproximou, abanando o rabo. Os animais roçaram nele ao caminhar até Caçadora, esfregando o pelame branco contra as pernas dela, pressionando os focinhos molhados contra sua mão.

— Nos encontramos de novo, meus amigos — disse ela aos lobos, ao estender a mão e passar os dedos curtos pela pelagem densa.

— Caçadora, o que significa isto? — perguntou Gameknight, se adiantando, arco ainda em mãos e a flecha preparada.

Num instante, os lobos se viraram e rosnaram, com os amarelos olhos caninos avermelhando-se, focados na ponta afiada da flecha.

— Guarde isso — exigiu Caçadora em voz baixa, indicando o arco e a flecha.

Afrouxando a tensão da corda, Gameknight guardou a arma. Aquilo fez os animais relaxarem um pouco, e seus olhos passaram de vermelhos a cor normal, mas ainda concentrados nele. Os corpos caninos pareciam prontos a agir, pernas dobradas, costas arqueadas. Eram como molas contraídas, prontas para liberar sua energia contra ele caso errasse o menor movimento.

— Amigos lobos — disse Caçadora, ainda mantendo a voz baixa. — Este é meu amigo, Gameknight999.

Ela deu um passo adiante e pousou a mão no ombro do jogador, depois lhe pegou a mão e a segurou para os lobos farejarem. O maior dos lobos se adiantou lentamente, os olhos amarelos cravados em Gameknight, depois lhe cheirou a mão. Passado um minuto de inspeção, o lobão lambeu a mão direita do Usuário-que-não-é-um-usuário. O líder da alcateia então recuou e deixou cada um dos animais avançar com cautela para conferir o cheiro de Gameknight. Depois de cheirá-lo, cada lobo o fitava, com uma expressão de surpresa nos olhos amarelos, depois recuavam dois passos e ficavam ali parados, encarando o Usuário-que-não-é-um-usuário. Era como se eles nunca tivessem cheirado nada assim antes e não soubessem o que fazer... ou talvez soubessem.

— O que foi? — perguntou Gameknight. — Por que eles estão só parados ali?

— Parece que eles ficaram confusos — respondeu ela.

— Talvez jamais tenham cheirado um usuário antes — sugeriu Gameknight.

— Ou talvez nunca tenham cheirado um usuário que não era um usuário — respondeu Caçadora, com um sorriso.

Gameknight apenas grunhiu uma resposta enquanto mantinha a mão estendida para o resto da matilha cheirar.

— Então, me conte sobre tudo isto — pediu Gameknight, enquanto observava a Terra dos Sonhos. — Você poderia me contar o que aconteceu com *você? — E então seu rosto ficou um pouco pálido. — Você está morta?*

—Você é tão idiota — comentou Caçadora. — Esta é a Terra dos Sonhos, o lugar entre estar acordado e completamente adormecido. Você é um andarilho dos sonhos.

—Você quer dizer que não está morta e que tudo isto ainda é um sonho?

— Idiota... — grunhiu ela. — Eu sou uma andarilha dos sonhos também.

— Então você não está morta?

— Claro que não — respondeu ela. — Ainda sou prisioneira de Malacoda.

—Você não está morta? Ahhh... quero dizer... você não está morta... você não está morta! Mal posso esperar para contar para Costureira.

— Costureira, minha irmã... ela está aqui?

— Sim, ela seguiu você pelo portal, assim como o resto do exército — explicou Gameknight. — Vamos deter os monstros e salvar a Fonte... e, é claro, resgatar você também.

— Ela está bem?

— É claro que está — assegurou Gameknight. — Artífice e eu estamos tomando conta dela. Costureira está em segurança.

Gameknight pôde ver o estresse sumir do rosto de Caçadora enquanto ela processava a notícia; sua irmã estava a salvo! Caçadora suspirou e abriu um enorme sorriso de alegria que lhe iluminou o rosto enquanto uma pequena lágrima cúbica escorria.

— Conte-me o que está acontecendo com você e que lugar é este — pediu Gameknight.

— Bem, Malacoda me mantém prisioneira. Eles simplesmente pararam aqui no sopé desta montanha morta e pontiaguda. — Ela olhou para trás, para o pico serrilhado e torto que se erguia da névoa. A agulha retorcida tinha pelo menos cem blocos de altura, feita de rocha nua, cuja superfície era pontilhada com os troncos de árvores desfolhadas. — Uma vez que chegamos à montanha, eles se encontraram com um bando de NPCs vestidos como artífices. Só que havia algo de errado com esses NPCs. Eles pareciam maus, de alguma forma, maus e sombrios... eu não sei. Mais ouvi quando eles disseram que eram...

— Artífices de sombras — interrompeu-a Gameknight.

— Isso mesmo, artífices de sombras, não importa o que isso signifique.

— Você ouviu algum nome? — indagou Gameknight.

— Aquele que saiu para nos receber se chamava Ghastbrine — revelou Caçadora.

— Isso quer dizer que ele trabalha nos ghasts, deixando-os mais fortes, rápidos... melhores — explicou Gameknight. — Foi isso que os artífices de luz nos explicaram. Os artífices de sombras trabalham nas coisas que vivem nas sombras. Poderia ser rocha, lava... ou monstros.

— E esses artífices de sombras estão ajudando Malacoda e Érebo — concluiu Caçadora. — Isso não é bom.

Gameknight perambulou, perdido em pensamentos. Passando pelos lobos, ele saiu para a clareira enquanto Caçadora ficava onde estava, atrás dos arbustos e árvores.

— Gameknight... tem mais uma coisa — disse ela.

Ele parou de andar e virou-se para encará-la do outro lado da clareira.

— Eu vi o tamanho do exército de monstros... é imenso... provavelmente quinhentas criaturas, talvez mais — contou Caçadora, a voz carregada de medo. — E eles estão coletando mais monstros a cada dia. As criaturas desta terra estão afluindo a Malacoda e Érebo, fazendo suas fileiras incharem cada vez mais. — Ela fez uma pausa por um momento, os olhos subitamente tristes. — Não sei bem se você tem guerreiros suficientes para detê-los.

Gameknight concordou com um aceno de cabeça. Ele tinha pensado a mesma coisa desde que deixara a fortaleza de Malacoda no Nether.

— Sei que você teve os usuários para ajudá-lo no servidor de Artífice — comentou Caçadora. — Só que você não os tem agora. Não acho que os usuários possam vir para cá. Você está completamente sozinho aqui.

— Completamente sozinho — comentou ele, consigo mesmo, tentando encontrar as peças do quebra-cabeça diante de si. Assim que as ideias mais indefinidas começaram a emergir, ele ouviu uma gargalhada que gelou imediatamente seu sangue.

— Ora, ora, o que temos aqui, é meu velho amigo, Gameknight999 — disse Érebo numa voz aguda e esganiçada, ao sair das névoas e entrar na clareira, seguido por uma coleção de creepers. — Você veio até mim para se render... não é simpático?

Gameknight deu uma olhada em Caçadora. Ela se abaixara atrás do tronco da árvore, os olhos castanhos cheios de medo. A garota tentava lhe dizer algo, mas ele não conseguia ouvir. Então ele percebeu que ela estava apenas movendo os lábios para formar a palavra, não a pronunciava. Depois de duas tentativas, ele entendeu o que queria dizer.

CORRA.

E então ela desapareceu, os lobos se dispersando no nevoeiro, as patas macias movendo-se silenciosamente pela floresta.

Virando-se para o inimigo, Gameknight puxou o arco e preparou uma flecha.

— Você acha que pode me machucar com isso, idiota? — zombou Érebo. Se atirar, eu me teleporto bem ao seu lado e o esmago. Além disso, não vim matar você, Usuário-que-não-é-um-usuário. Vim apenas torturá-lo um pouco. Me dá alegria saber que posso encontrá-lo aqui na Terra dos Sonhos sempre que estiver entediado.

— Não tenho medo de você, enderman — retrucou Gameknight, tentando encher a voz com tanta confiança de que era capaz.

Érebo apenas sorriu.

— Eu não caio na sua conversa, Gameknight999. Sei o que você teme e, portanto, sei qual é sua fraqueza. É só uma questão de tempo até eu o encontrar e destruir em pessoa. Agora, baixe esse arco e venha receber seu castigo.

Gameknight puxou a flecha ainda mais e mirou, apontando a seta direto na cabeça de Érebo. Ele sentia o medo fluindo dentro de si com cada batida do coração, mas sabia que tinha que fazer frente àquele demônio... talvez fosse possível.

— Sua flecha não pode me ferir, idiota.

— Quem disse que eu estou mirando em você? — indagou Gameknight com um sorriso.

Ele disparou a flecha. Esta cortou o ar, zuniu pelo enderman vermelho-escuro e atingiu um creeper. Instantaneamente, a criatura manchada de preto e verde começou a piscar quando o processo de detonação se iniciou.

— Não... eu lhe ordeno... não exploda — gritou Érebo, com a voz ficando cada vez mais alta.

Outra flecha passou pelo rei dos endermen e se cravou no flanco do creeper, depois outra e mais outra. O arco de Gameknight cantava enquanto ele acertava flechas em múltiplos creepers. As criaturas malhadas de verde começaram a sibilar e piscar, como se iluminadas por uma forte luz branca enquanto os corpos inchavam.

— EU ORDENO QUE VOCÊS... — gritou Érebo novamente, em seguida se teleportando para longe assim que o primeiro creeper detonou.

A onda da primeira explosão foi rapidamente seguida por mais três. Elas soaram como tiros de canhão conforme o som das detonações ecoava pela Terra dos Sonhos, iluminando a área, como se fosse dia. Uma vez que a fumaça se dissipou, Érebo reapareceu onde tinha estado antes, os olhos vermelhos e brilhantes ardendo de raiva.

— Você se intrometeu nos meus planos pela última vez — guinchou ele.

E então o rei dos endermen desapareceu numa nuvem de partículas roxas e reapareceu bem ao lado de Gameknight.

Sem saber o que fazer, ele simplesmente gritou:

— Acorde! ...Acorde! ...Acorde!

E, no momento que a névoa prateada começou a se dissolver em trevas, Gameknight ouviu a voz de Érebo guinchando um alto grito frustrado.

— EU VOU PEGAR VOCÊ, USUÁRIO-QUE-NÃO-É-UM-USUÁRIO. EU VOU PEGAR VOCÊ...

Gameknight acordou gritando. Costureira se sentou ao seu lado e pôs as mãos no seu peito.

— Está tudo bem... está tudo bem, Gameknight — disse ela. — Você está com amigos.

Pastor correu até ele, com um dos lobos na cola.

— Gameknight está... está bem — gaguejou o jogador, enquanto o lobo veio até ele e cheirou sua mão direita, bem no ponto onde o outro lobo na Terra dos Sonhos o havia lambido. Este lobo pareceu reconhecer o cheiro e lambeu no mesmo lugar, depois esfregou a cabeça contra Gameknight, tranquilizando o Usuário-que-não-é-um-usuário.

Artífice e Pedreiro vieram correndo, com armas em riste e perguntas sem resposta nos rostos.

— O que foi? — indagou Pedreiro. — Estamos sendo atacados?

— Gameknight, está tudo bem? — indagou Artífice.

Olhando em volta, Gameknight reconheceu onde estava e relaxou. Ele então estendeu a mão e puxou Costureira para perto. Ignorando as perguntas de Pedreiro e Artífice, Gameknight999 se ajoelhou ao lado de Costureira e sussurrou em seu ouvido:

— Ela está viva.

CAPÍTULO 10
ATAQUE SURPRESA

Costureira se sentou ao lado de Gameknight999 na grama verde e chorou. O sorriso em seu rosto ficava mais brilhante a cada vez que ela lhe pedia para dizer de novo.

— Ela está viva.

Costureira sorriu.

— Diga de novo — pediu ela.

— Ela está viva.

Mais lágrimas de alegria desceram pelo rosto quadrado. Gameknight tentou conter a própria alegria, mas o sorriso de Costureira era contagioso.

— O que está acontecendo aqui? — inquiriu Pedreiro, com um rosto sério.

— Ahhh... nada — respondeu Costureira, rindo de alegria.

— Gameknight? — perguntou Artífice.

— Eu explico mais tarde — respondeu. — Agora precisamos deixar Costureira se deleitar com esse momento.

Foi então que o artífice de luz Lenhabrin se aproximou. Ele contemplou Gameknight com um olhar intenso, os olhos castanhos e pele morena brilhando à luz da manhã, mas a monocelha estava franzida de preocupação.

— Precisamos nos mover — afirmou ele, em staccato.

— O que foi? — indagou Artífice, os olhos azuis focados em Lenhabrin.

— Eles estão em movimento — disse Lenhabrin.

Nesse momento, dois outros artífices de luz, Gramabrin e Terrabrin, se aproximaram.

— Gramabrin consegue sentir, não é mesmo? — disse Lenhabrin.

Todos se viraram para o corpulento Gramabrin, esperando alguma resposta. Os olhos verdes pareciam forçados, a testa franzida, como se ele sentisse muita dor. Gameknight via pequenos cubos de suor em sua fronte, algumas delas pingando do queixo quadrado e caindo no chão.

— Sssim eu consigo sentiiiii-loss — respondeu Gramabrin, em sua longa voz melódica.

Gameknight gostava da voz de Gramabrin. Tudo que ele dizia soava como uma canção, as palavras esticadas e conectadas umas com as outras. Porém, naquele dia aquela canção era triste e cheia de sofrimento.

— Eleees fereem a graaaama e se mooveemmm rápppido.

Gameknight olhou ansioso para Artífice, depois procurou por Pedreiro.

— Precisamos fazer alguma coisa — comentou Artífice.

— Pedreiro... Cadê o Pedreiro? — perguntou Gameknight.

— Não precisamos de Pedreiro — afirmou Costureira, confiante. — Precisamos do Usuário-que-não-é-um-usuário... Precisamos de você.

Gameknight se levantou e olhou em volta nervoso. Sentia o peso opressivo da responsabilidade se assentando em seus ombros. Os monstros estavam chegando, e ele precisava de um plano. A indecisão o inundou enquanto pensamentos da horda vindoura preenchiam sua mente. Olhando em volta freneticamente, ele esquadrinhou a área em busca de Pedreiro. E lá estava ele, o largo NPC, abrindo caminho em meio às tropas, com uma expressão severa no rosto. A barba rala parecia escura na luz da manhã manchada de rubi, e os olhos verdes brilhavam com intensidade.

— O que está acontecendo?! — exclamou Pedreiro.

— Os monstros estão em movimento — retrucou Lenhabrin.

— Onde estão eles agora? — indagou Pedreiro.

— Perto, muuuuuuito perto — cantou Gramabrin.

O NPC grandalhão olhou para Gameknight, claramente querendo que este assumisse o comando, mas o Usuário-que-não-é-um-usuário apenas olhava para o chão.

Não posso fazer isso, pensou ele, esquadrinhava o acampamento com o olhar. *Não posso resolver esse quebra-cabeça e ser responsável por todas essas vidas... Não sou um herói. Sou só um menino.*

A situação parecia com todos aqueles dias no colégio, quando ele via os bullies chegando, os olhares abusivos focados nele. Sabendo que o bully estava a caminho parecia piorar as coisas, a antecipação fazendo tudo ficar muito mais terrível.

A antecipação de uma coisa pode ser pior que a própria coisa. Era algo que seu pai tinha lhe dito muito tempo antes, e essas palavras ecoavam em sua mente como se tivessem acabado de ser ditas. Mas ainda ele sentia aquele sentimento familiar de novo, a antecipação de alguma coisa terrível prestes a acontecer, no entanto, dessa vez, os monstros pareciam ser os bullies... ou, talvez, fosse seu próprio medo do fracasso que era o bully? Tudo que ele sabia era que não poderia ser responsável pelos amigos se ferindo. Não era forte o suficiente para assumir tamanha responsabilidade. Então, em vez de tentar resolver o quebra-cabeça, tentar criar alguma defesa brilhante que salvaria vidas, ele simplesmente desapareceu dentro de si mesmo e fitou a parede de medo que tinha se materializado em volta de sua coragem, cada monstro que já vira apenas mais um tijolo na parede. Baixou a cabeça envergonhado e olhou para os pés.

Costureira suspirou e pousou a mão de forma reconfortante no ombro do amigo, depois ergueu o olhar para Pedreiro. O NPC grandalhão assentiu com a cabeça e começou a latir ordens.

— Batedores, saiam agora e descubram onde estão esses monstros. Quero dois círculos de batedores em volta do exército. Assim que vocês virem os monstros, disparem uma flecha na direção do acampamento. — Enquanto os batedores iam até seus cavalos e partiam, Pedreiro girou a fim de se virar para o resto do exército. — Quero os idosos e os feridos no centro do acampamento. Ponham um anel de infantaria em volta deles, e um anel de arqueiros do lado de fora. Quando soubermos onde os monstros estão, vamos redistribuir e preparar nossas defesas.

— Eu posso.. posso ajudar — disse uma voz jovem.

Era Pastor.

Gameknight ergueu o olhar e estava prestes a dizer alguma coisa quando Pedreiro respondeu:

— Precisamos de guerreiros agora, não de crianças — ralhou Pedreiro. — Você precisa tomar conta dos animais, e isso é tudo. Agora vá fazer seu trabalho.

O NPC grandalhão apontou o rebanho aglomerado perto de um bosque, com um círculo de lobos brancos correndo pelo perímetro e mantendo os animais juntos.

— Mas eu posso... eu posso...

— Não! Vá cuidar de seus animais.

Pastor parecia devastado. Gameknight percebeu que ele queria ajudar desesperadamente... queria ser aceito, mas, ao invés disso, era relegado mais uma vez aos animais. O garoto baixou a cabeça e voltou ao rebanho, com olhos baixos. Gameknight ouvia os comentários maldosos de alguns dos guerreiros e ficou furioso.

— É, Porcolino, volte para seus bichinhos e deixe os homens de verdade trabalharem...

— Não queremos que seus animais fedidos fiquem com saudades do papai deles...

— Você fede tanto a porco que um creeper nem notaria que você é um NPC...

Os comentários feriram a coragem de Gameknight... ele podia ouvir os bullies vindo pelo corredor... podia sentir a lata de lixo sendo baixada sobre sua cabeça... sentir as paredes do armário arranhando sua pele ao ser empurrado para dentro...

Sua raiva começou a transbordar, porém, por algum motivo, ele ficou quieto. Olhando para o outro lado do acampamento, viu Pastor alcançando seus animais, os lobos, como sempre, ficaram felizes. O garoto se ajoelhou e baixou a cabeça. Parecia a Gameknight que ele falava com os animais peludos, mas, quando Gameknight estava prestes a comentar isso com Artífice, os lobos subitamente dispararam em todas as direções, os corpos peludos parecendo pequenos raios de relâmpago branco. Eles se afastaram do acampamento com as patas silenciosas, executando alguma tarefa para Pastor. Não fazia o menor sentido.

Foi então que uma pequena mão foi pousada no seu braço. Olhando para baixo, o jogador viu os profundos olhos castanhos de Costureira o encarando de volta.

— Vamos lá, as pessoas precisam ver você — afirmou ela, puxando-o pelo braço.

A menina o levou até o cavalo, depois pulou na sela. Fitando Gameknight, ela lhe lançou um olhar irritado, que dizia *monte agora ou...* Suspirando, o jogador subiu no cavalo e pegou as rédeas. Artífice apareceu de repente a cavalo, espada na mão e uma expressão de severa determinação no rosto.

— Você está pronto para isso de novo? — indagou Artífice.

Gameknight apenas deu de ombros.

Ele olhou em volta, procurando algum lugar para se esconder, só que eles estavam dentro de um bioma florestal, com um bioma desértico visível ao longe. Dava para ver pinheiros altos mais à esquerda, e alguma coisa neles cutucou a mente de Gameknight, como se fossem uma das peças do quebra-cabeça. Mas como poderia um bando de árvores ser a solução para o exército de monstros que se aproximava?

Bem, pelo menos elas oferecerão alguma cobertura, pensou ele com seus botões.

Virando o cavalo, Gameknight partiu pela paisagem relvada, com grupos de árvores ali e acolá.

— Aonde você vai? — indagou Costureira.

Gameknight não disse nada, se concentrava apenas em cavalgar o animal, extraindo cada gota de sua velocidade.

— Gameknight, nós não sabemos onde os monstros estão — reclamou Costureira. — Você não pode simplesmente sair correndo, pode estar cavalgando para longe da batalha!

Gameknight não disse nada, simplesmente correu. Eles estavam agora a pelo menos 40 blocos do resto do exército e continuavam avançando, porém nesse momento um uivo ecoou no ar. Gameknight fez o cavalo parar e prestou atenção, ignorando as reclamações de Costureira. Era um uivo triste, carregado de força e orgulho, mas foi silenciado subitamente, com um ganido doloroso pontuando o fim.

Esse foi um dos lobos de Pastor, pensou ele. *Por que estava uivando?*

Então, de repente, uma flecha caiu do céu e se cravou no solo diante deles.

— FLECHA... AQUI — gritou Costureira.

Gameknight ouviu a comoção atrás de si conforme o exército começou a se mover, deslocando forças na sua direção. Fitando a flecha abaixo, Gameknight suspirou. Dava para ouvir Pedreiro urrando ordens, arqueiros aqui, infantaria ali.

— Rápido, assumam suas posições — gritou o NPC grandalhão. — Velocidade é a essência da guerra.

Por que aquilo soava tão familiar... alguma coisa da escola, da aula do Sr. Planck.... Como poderia ser?

Balançando a cabeça, Gameknight sabia que não poderia se concentrar naquelas citações familiares de Pedreiro. Naquele momento, precisava descobrir como não ser morto e proteger Costureira ao mesmo tempo.

Então algo no que Pedreiro dissera ressoou dentro da mente do Jogador. Ele virou a cabeça e olhou para trás, para o exército. Estava organizado na formação padrão, arqueiros na frente, infantaria atrás, cavalaria pronta para uma carga... táticas tradicionais. Mas Gameknight sentia de alguma forma que estava tudo errado, as peças do quebra-cabeça girando em sua mente.

Os olhos dardejaram para os artífices de luz, especificamente Gramabrin e o alto Arvorebrin, que havia aparecido em algum momento durante a noite.

— Gameknight, precisamos sair daqui... agora — gritou Costureira. — Estou ouvindo a aproximação deles.

Gameknight olhou para a linha de árvores à esquerda e então se lembrou de quando encontrou Caçadora pela primeira vez. Ele e Artífice estavam enfrentando um monte de zumbis e tinham usado um beco estreito para não seriam cercados. O jogador queria que eles tivessem um beco ali agora.

— Gameknight, nós temos que...

A voz de Costureira se perdeu em meio às peças do quebra-cabeça que começavam a se encaixar.

Gemidos começaram a soar enquanto o chacoalhar dos ossos ecoava pela paisagem. Eles estavam chegando... rápido.

— GAMEKNIGHT! — gritou Costureira. Dessa vez ela conseguiu sua atenção.

— O quê? — respondeu ele, como se acordasse de um sonho.

— Acho que seria legal você tirar o cavalo daqui antes que a gente seja pisoteado pela horda de monstros.

Erguendo o olhar, ele viu o exército de monstros chegando. Zumbis, aranhas, esqueletos e endermen se aproximavam, os monstros do Mundo da Superfície. Esquadrinhando as fileiras, não encontrou sinal de sua nêmese, Érebo, mas ele tinha certeza de que o rei dos endermen estava lá fora em algum lugar.

Gameknight girou o cavalo e voltou às próprias tropas, ao som dos vivas dos guerreiros.

Foi então que as peças finais do plano se encaixaram em sua mente, como uma trovoada que quase o fez rir. Saltando do cavalo, ele correu até Pedreiro e, então, chamou os artífices de luz com gestos.

— Já sei o que fazer — declarou Gameknight. — Mas não temos muito tempo.

— Todos podemos ajudar — afirmou uma voz feito cascalho atrás dele.

Gameknight se virou e se deparou com Lenhabrin, parado logo atrás dele, os olhos castanhos profundos encarando o Usuário-que-não-é-um-usuário. Dando uma olhada por sobre o ombro, ele viu os vultos sombrios dos monstros se aproximando... um monte deles.

— Eis o que vamos fazer.

Gameknight explicou seu arriscado plano. Ao repeti-lo em voz alta, começou a tremer de medo, percebendo como sua estratégia era carregada de perigos. Eles andariam no fio da navalha, e qualquer passo em falso condenaria muitos à destruição... ou a coisa pior.

CAPÍTULO 11
BATALHA

As aranhas investiram primeiro. Os negros corpos peludos balançavam para a frente e para trás conforme rastejavam pela planície relvada. Entrando e saindo das sombras lançadas pelas árvores próximas, eram, às vezes, difíceis de ver. Os arqueiros miravam suas setas afiadas e disparavam, mas os grandes monstros eram capazes de saltar para a esquerda e a direita, e se esquivar dos projéteis. As aranhas eram mais fortes e ágeis naquele servidor, como se tivessem sido aperfeiçoados.

— Elas são rápidas demais para conseguirmos alvejá-las — gritou um dos arqueiros, com um tom de frustração na voz.

— Continuem atirando — berrou Gameknight. — Não parem de atirar.

Virando a cabeça, o Usuário-que-não-é-um-usuário deu uma olhada nos artífices de luz. Eles pareciam aterrorizados. Como nunca tinham visto batalha ou a investida de uma horda furiosa de monstros, estavam compreensivamente consumidos pelo medo.

— Gramabrin — chamou Gameknight. — Agora.

— Simmmm — respondeu o artífice de luz, enquanto ia até a primeira linha de arqueiros.

— Deixem que ele passe — comandou Pedreiro. — Arqueiros nos flancos, continuem atirando.

Gramabrin se adiantou e pôs a mão nos blocos de grama aos seus pés. O NPC fechou os olhos, inspirou fundo e depois soltou o ar num sopro sibilante enquanto estendia seus poderes de criação na grama.

Nada aconteceu.

— Eles estão se aproximando — gritou alguém.

— Arqueiros, atirem mais rápido — urrou Pedreiro. — Infantaria, prepare-se para investir.

— Não... ainda não — gritou Gameknight. Ele então se ajoelhou ao lado de Gramabrin e sussurrou para ele. — Você consegue.

O artífice de luz assentiu e respirou ainda mais fundo, inflando o peito, depois soltando o ar de novo, num sopro lento. Dessa vez, Gameknight notou as mãos do artífice de luz brilhando numa cor esmeraldina suave. O brilho se espalhou das mãos ao solo, em seguida fluiu pelos blocos relvados, como uma maré crescente. Onde a onda de luz tocava, as folhas de relva começavam a brotar.

— Gameknight, as aranhas estão chegando mais perto! — exclamou Costureira. — Temos que recuar.

— Ainda não!

E então a grama começou a crescer.

Longas folhas verdes se erguiam dos blocos por todo prado, ficando cada vez mais longas. As aranhas tentaram abrir caminho pela teia de lâminas de grama, mas a relva longa começou a se embolar nas peludas pernas negras. Os monstros sombrios investiram mesmo assim, mas, conforme a folhagem crescia, suas pernas ficavam emaranhadas numa rede de vegetação até que não podiam mais se mover.

As aranhas foram paradas.

— Agora! — gritou Gameknight.

A infantaria investiu com espadas em punho, o exército comemorando com vivas jubilosos. Eles talharam os aracnídeos indefesos, reduzindo-os a bolas brilhantes de XP e novelos de fio em minutos.

— Árvores... AGORA! — berrou Gameknight.

Um grupo de soldados montados cavalgou adiante. Eles vestiam armaduras completas, mas não carregavam armas. Enquanto avançavam, colocavam mudinhas no solo, pequenas árvores plantadas em duas fileiras. Os guerreiros cavalgaram até começar a ver as flechas dos esqueletos riscarem o ar e caírem por perto, e então voltaram rapidamente, preenchendo as linhas de mudas com mais árvores-bebês.

Enquanto os cavaleiros retornavam, Gameknight ouvia uma gargalhada estridente que lhe provocou calafrios.

Érebo... ele estava ali.

Esquadrinhando a coleção de monstros, encontrou a alta criatura do lado direito. Sua pele vermelho-escura era da cor de sangue seco e se destacava contra os ossos brancos dos esqueletos e os creepers malhados de verde. Com olhos vermelhos incandescentes, o rei dos endermen encarava furioso Gameknight do outro lado do campo de batalha.

— Vejo que nosso amigo está aqui — comentou uma voz ao seu lado.

Era Artífice.

Costureira apareceu ao lado de Artífice, com arco na mão e flecha preparada.

— Quem é aquele? — indagou ela, apontando para a criatura vermelho-sangue com o arco.

— Aquele é um dos monstros que levou sua irmã — revelou Gameknight, a voz trêmula de medo.

A menina rosnou e disse alguma coisa em voz baixa. Gameknight sentia a raiva e o ódio que fluíam dela. Costureira queria correr e agredir a criatura, mas sabia que seria tolice atacar um enderman por conta própria em campo aberto; provavelmente significaria a morte. Em vez disso, endireitou os ombros e encarou a horda de monstros que se preparava para investir.

— Arvorebrin... AGORA! — gritou Gameknight.

O alto e esguio artífice de luz se adiantou, os longos braços balançando de um lado ao outro, como se fossem soprados por alguma brisa. Ele se ajoelhou e cravou as mãos bem fundo no solo. Segurou as raízes de uma das mudinhas e inspirou profundamente, soltando o ar bem devagar. O chão ao redor dos seus pulsos começou a brilhar num marrom profundo quando seus poderes de criação de código fluíram de raiz em raiz. Assim, num instante, as árvores brotaram em pinheiros completamente crescidos, formando um funil que reuniria os monstros. Um grupo de soltados então pegou blocos de terra e construíram apressadamente um conjunto de degraus que levava à copa folhosa, dando acesso ao topo das árvores.

— Alguém aí tem alguns presentinhos para os monstros? — perguntou Gameknight. Cabeças cúbicas assentiram em resposta. — Então vão e mantenham as cabeças baixas.

Um grupo de trinta soldados correu adiante, cada um deles vestindo armadura de diamante e segurando um bloco listrado de preto e vermelho. Eles subiram com rapidez os degraus até as copas e se espalharam pelas árvores. Ao mesmo tempo, a horda de monstros investiu.

— Rápido... coloquem os blocos no lugar — gritou Pedreiro. — Arqueiros... fogo de apoio... AGORA!

Uma torrente de flechas riscou o ar enquanto os guerreiros escalavam as árvores. Como elas tinham sido plantadas tão próximas, eles foram capazes de se mover de copa em copa sem risco de cair. Gameknight viu os soldados saltando sobre as árvores enquanto o exército monstruoso corria adiante entre as duas fileiras de árvores. Os gemidos dos zumbis preenchiam o ar enquanto eles avançavam lentamente, e o chocalhar de ossos se somava à sinfonia de terror. Alguns dos esqueletos tentaram atirar nos guerreiros nas copas, mas as árvores folhosas ofereciam excelente cobertura contra as setas serrilhadas.

Enquanto corriam, os soldados jogavam blocos de TNT no chão diante da horda. Os blocos listrados criavam um forte contraste com a grama densa; eram fáceis de ver.

— MAIS! — gritou Gameknight para aqueles no alto das árvores.

O ar agora era um borrão de flechas voando, algumas caindo sobre os guerreiros NPCs, outras alvejando a horda monstruosa. Gritos de guerra ecoavam pelo exército quando as flechas dos esqueletos acertavam carne. Gameknight sabia que havia pessoas morrendo atrás dele, mas tinha que esperar até que todos os monstros estivessem dentro da armadilha.

— Provoquem os monstros! — gritou Gameknight.

Os soldados responderam na hora, lançando zombarias e insultos à horda que avançava. As provocações fizeram os monstros rosnar e correr um pouco mais rápido. Era possível ver as slimes saltitantes pularem mais rápido pelo ar, e as poucas aranhas restantes investiram, liderando a carga. Na retaguarda da horda, Gameknight viu homens-porcos zumbis a aproximando, as espadas douradas reluzindo sob a luz do sol rubi acima. Um dos homens-porcos era quase uma cabeça mais alto que o resto, o corpo coberto por uma brilhante armadura de ouro. Aquele monstro tinha uma expressão de ódio vil no rosto meio rosa/meio podre; aquele monstro era muito perigoso.

Uma flecha passou zunindo pela orelha de Gameknight e se cravou em algum pobre NPC atrás dele. Gritos de dor soaram em seus ouvidos quando mais duas flechas passaram por ele... e então os gritos pararam.

Mais mortos por minha causa, pensou ele, e a raiva começou a ferver dentro do jogador.

— Quase lá — gritou Gameknight. — Infantaria, preparar.

— Gameknight... Gameknight, deixe-me ajudar... ajudar — rogou uma voz gaguejante atrás dele.

Era Pastor.

— Agora não — explodiu Pedreiro. — Você recebeu ordens de vigiar os animais. Este é um lugar para homens, não para tratadores de animais. Agora VÁ!

— Quase lá...

Mais dos monstros entraram na alameda de árvores. Devia haver pelo menos cem deles... monstros demais. Se eles rompessem a linha de frente, se espalhariam em meio às forças dos NPCs e matariam centenas.

É melhor que isto funcione, pensou Gameknight999, enquanto ondas de medo começavam a separar as peças do quebra-cabeça dentro de sua mente.

Mais flechas passaram zunindo, alvejando braços e peitos. Gritos de terror e medo encheram seus ouvidos.

O jogador começou a imaginar o que *poderia* acontecer se o plano dele desse errado, todas as vidas inocentes que seriam perdidas por causa de seu fracasso.

Não... concentre-se! Foque no AGORA, não no "E SE"!

E então o último dos monstros entrou no funil de árvores.

— AGORA... FECHEM A SAÍDA! — gritou Gameknight.

Os guerreiros correram pelos topos das árvores e empilharam blocos de TNT na entrada do campo cercado de plantas. Gameknight viu um dos guerreiros cair do poleiro e aterrissar em meio a um grupo de zumbis. Desapareceu num redemoinho de garras escuras e, então, se foi. Os outros guerreiros ignoraram o camarada caído e soltaram seus blocos na entrada arborizada. Gameknight então retesou o arco encantado e preparou uma flecha.

Mirando bem alto no céu, ele a disparou.

O projétil flamejante riscou o ar como um meteoro, a fulgurante ponta observada por todos os NPCs.

Chamas mágicas estavam presas à cabeça do projétil enquanto ela voava, criadas pela magia do arco. Alguns dos monstros à frente da horda reduziram a velocidade para assistir ao gracioso arco formado acima. Era quase bela, a forma como as mágicas chamas azuis surgiam no rastro da ponta farpada.

E então ela aterrissou no meio de vinte blocos de TNT atrás dos monstros.

Justamente quando os blocos começaram a piscar, Gameknight disparou mais flechas contra os explosivos aninhados na grama alta, perto da vanguarda do exército inimigo.

Os monstros na dianteira da investida imediatamente viram o que estava acontecendo e tentaram dar meia-volta, mas não conseguiram. A massa de criaturas atrás deles continuava a empurrá-los para a frente, em direção aos blocos piscantes de morte. Um olhar de pânico cobriu os rostos do zumbi apodrecido e das caveiras. Só que não havia nada que pudessem fazer além de ser empurrados em direção ao destino que os aguardava.

E então o solo irrompeu com trovão.

Blocos de terra voaram no ar com a detonação do TNT. A explosão causou uma reação em cadeia, causando a ignição de mais blocos. Por sua vez, os creepers foram ativados, acrescentando as próprias vidas explosivas ao caos. Os monstros próximos da retaguarda tentaram correr para a dianteira, para longe das detonações, porém nesse momento o TNT na frente explodiu. Os blocos rubro-negros se transformaram em bolas de fogo enquanto a destruição se espalhava pela horda. Em seguida, reações em cadeia flamejantes correram a partir dos dois extremos do exército monstruoso, lentamente indo até o centro, enquanto a onda explosiva abria uma imensa ferida na carne de Minecraft.

Ossos de esqueletos e pólvora choveram do céu enquanto as últimas detonações iluminavam a paisagem. Pequenas slimes caíam no chão conforme o TNT esmagava seus pais repetidamente, dividindo-os sem parar até que apenas as menores slimes restavam.

— Agora, infantaria à frente — ordenou Gameknight, entregando o arco encantado a Costureira e sacando sua espada.

— POR MINECRAFT! — bradou.

Investindo, o Usuário-que-não-é-um-usuário saltou na imensa cratera que agora abria-se entre as duas fileiras de árvores. Sua mente era um borrão de raiva e vingança. Tinha visto tantos morrerem naquele dia, gente inocente que preferiria cultivar uma lavoura ou construir uma casa, mas, em vez disso, estavam ali, no campo de batalha, morrendo. Movimentando-se no piloto automático, Gameknight golpeava sua encantada espada de diamante em largos arcos mortais. Executou um zumbi sobrevivente, depois cortou um esqueleto e, em seguida, talhou uma aranha. Girou para se esquivar de uma flecha, correu até o esqueleto que preparava outra. Antes que pudesse alcançá-lo, um guerreiro se chocou contra o monstro, atacando-o com uma espada de ferro. Num instante, a criatura era apenas uma pilha de ossos.

— POR MINECRAFT! — Veio o grito de batalha ensurdecedor, que fez o chão tremer com sua ferocidade.

Olhando para trás, Gameknight viu o exército inteiro atacando. Um mar de rostos furiosos corria adiante, todos com os olhos intensos focados nos monstros sobreviventes, que lutavam na cratera. Eles fluíram por Gameknight, como uma maré implacável, caindo sobre os monstros com total descontrole. Ainda havia muitas criaturas no campo de batalha, mas os NPCs agora tinham os números do seu lado.

Foi então que os gemidos dos homens-porcos zumbis ecoou pela paisagem. Erguendo o olhar, Gameknight viu uma massa das criaturas meio vivas, meio mortas descer correndo para a cratera, as afiadíssimas espadas de ouro erguidas diante de si. À frente da investida estava o grande comandante homem-porco zumbi. Sua brilhante espada golpeava em largos arcos, rasgando armaduras de ferro como se nem estivessem lá. Gameknight notou um tremeluzir púrpura ondulando na lâmina, que indicava que esta era encantada. Arqueiros disparavam flechas contra a criatura, mas elas ricocheteavam inofensivas na armadura, que também exibia um tremeluzir ondulante.

O monstro dourado abria um imenso rasgo no exército de NPCs, destruindo todos que o desafiassem. Era como uma força invencível da natureza.

Preciso fazer alguma coisa, pensou Gameknight, enquanto se esquivava de mais uma flecha. *O monstro vai matar incontáveis NPCs. O que que eu faço... o que que eu faço?*

E então Pedreiro estava lá. O grande NPC se atirou contra a monstruosa horda, talhando um grupo de esqueletos e chutando zumbis do caminho. Seguiu direto para o monstrão, com uma cunha de NPCs em seu encalço.

Gameknight viu fileiras de arqueiros saindo da cratera atrás dos homens-porcos zumbis que seguiam o líder, e atacando os monstros pelas costas. Eles tinham cercado a horda de monstros!

Nesse momento, o imenso general homem-porco zumbi e Pedreiro se encontraram. As espadas dos dois se chocaram com o som de um trovão. Gameknight matou os últimos inimigos isolados mais próximos, depois se aproximou lentamente dos dois gigantes em combate. O general homem-porco golpeou para baixo com a poderosa espada dourada, querendo atingir a cabeça de Pedreiro, mas o NPC grandalhão era rápido demais e saltou para o lado bem a tempo. Mas, em vez de se mover no ritmo lento e arrastado dos zumbis, este general monstro era veloz. Ele saltou para cima e girou com a espada estendida, abrindo um corte no peito de Pedreiro.

O NPC grandalhão piscou em vermelho.

Gameknight percebeu que o zumbi era um guerreiro habilidoso, que se movia com graça inesperada. Tinha que chegar lá para ajudar Pedreiro, mas seus pés pareciam plantados no chão destroçado.

Pedreiro recuou e preparou seu próximo ataque.

— Isso é o melhor que pode fazer, homem-porco zumbi? — provocou Pedreiro. — Já vi coisa melhor de seus amigos do Mundo da Superfície.

O monstro soltou um gemido cheio de raiva e então atacou, brandindo a lâmina com selvageria. Pedreiro bloqueou o ataque com a própria espada, depois girou e investiu contra as pernas do monstro, conseguindo tocá-lo, o que fez o zumbi piscar em vermelho. A criatura gemeu e saltou para a frente, a arma erguida bem alto sobre a cabeça. Acertou o ombro blindado de Pedreiro com um golpe vertical, fazendo o grande NPC piscar de novo.

Pedreiro rolou para longe do monstro, virou-se e encarou a criatura apodrecida.

— Eu achava que vocês, homens-porcos zumbis, eram perigosos — comentou Pedreiro, enquanto sorria para o monstro. — Mas agora penso que as slimes bebês do Mundo da Superfície são guerreiras melhores.

Pedreiro riu do general homem-porco zumbi, depois se virou para os próprios soldados, que destruíam os últimos monstros no campo de batalha.

— Só falta um, e então todos esses fracassados serão apagados desta terra — urrou o NPC grandalhão, erguendo a espada bem alto. Seus soldados comemoraram.

O homem-porco zumbi uivou e arremeteu. Pedreiro girou e se esquivou para o lado assim que a espada dourada desceu, atingindo seu braço de raspão. Rodando lentamente, Pedreiro atacou, mas o golpe foi bloqueado com facilidade. O zumbi então estocou adiante, acertando o flanco do NPC.

Ele piscou em vermelho de novo.

Então o homem-porco zumbi investiu adiante, a espada se movendo em grandes arcos horizontais, martelando Pedreiro implacavelmente.

Clarão... vermelho.

A espada do zumbi se tornou um borrão enquanto ele atacava com uma velocidade que parecia impossível. A espada dourada investia contra Pedreiro vezes sem conta, fazendo o NPC grandalhão recuar. Alguns dos guerreiros foram até ele para ajudar, mas Pedreiro comandou que mantivessem suas posições.

— Esta luta é minha — disse ele ao exército com um sorriso. — Vocês, rapazes, podem se sentar e curtir o show.

— Você está quase morrendo e, ainda assim, fala como se fosse vencer — afirmou o homem-porco zumbi numa voz lamentosa. — Posso não viver além do dia de hoje, mas certamente matarei você antes de ir.

Pedreiro encarou o rosto meio apodrecido do zumbi e fitou os olhos mortos e frios; finalmente sorriu.

— Sua morte será sem sentido e insignificante, assim como sua raça inteira — provocou. — Vocês já infectaram este mundo por tempo bastante. O criador os baniu para o Nether depois da Junção porque seu povo é patético e inútil. Você não é digno de minha espada.

E então Pedreiro fez o impensável; jogou a espada de ferro no chão.

O homem-porco zumbi berrou um grito lamentoso de raiva e correu adiante, a mente completamente dominada por fúria ensandecida. E, quando girou a espada dourada na direção de Pedreiro, o grande NPC sacou uma encantada espada de diamante e aparou o ataque. Agora era Pedreiro que se movia mais rápido que alguém poderia imaginar. Sua espada tremeluzente de diamante cortou a criatura podre, abrindo seu flanco, depois o peitoral, em seguida acertando as perneiras. Pedreiro girou e bateu no braço da espada do monstro, depois estocou seu flanco.

A armadura dourada finalmente cedeu à última medida de sua força e desapareceu. Debaixo dela, todos podiam ver as costelas expostas de um lado, e um rosado saudável do outro. Pedreiro arremeteu e golpeou contra as costelas, cortando-as com uma ferocidade que chocou o monstro. O homem-porco zumbi tentou recuar, só que Pedreiro avançava mais rápido do que ele conseguia se retirar, a tremeluzente espada de diamante acutilando o monstro de novo, e de novo, até que os clarões vermelhos pareciam quase constantes.

A confiança e o ódio devastador do zumbi agora se transformaram em medo enquanto Pedreiro desbastava o HP do monstro. Quando o monstro soltou um grito lamentoso de raiva e desespero, Pedreiro tomou seu último resto de vida. O general homem-porco zumbi desapareceu com um *pop*.

A batalha estava encerrada.

CAPÍTULO 12
O RESULTADO

Os guerreiros deram vivas e entoaram o nome de Pedreiro. Gameknight desceu correndo até o enorme NPC.

— O que você estava fazendo com aquele monstro? — indagou Gameknight. — Parecia que brincava com ele.

— Aparente fraqueza quando estiver forte, e força quando estiver fraco — citou Pedreiro, como se estivesse lendo algum tomo sagrado. — Finja inferioridade para encorajar a arrogância.

Já ouvi tudo isso antes... tenho certeza disso, pensou Gameknight. *O que está acontecendo com ele?*

— Aquele monstro era habilidoso com a espada, um adversário letal — continuou Pedreiro. — Se eu tivesse simplesmente arremetido contra ele e lutado como eu normalmente luto, ele poderia ter me derrotado. Então, em vez disso, eu o provoquei e deixei que pensasse que estava vencendo. Um inimigo confiante da vitória comete erros. E, conforme eu o provocava, ele ficava mais e mais raivoso. Assim que ele começou a pensar usando as emoções em vez da inteligência, soube que ele era meu. Um inimigo enfurecido se perde na batalha e para de pensar. Em certos momentos, é necessário sofrer algum dano para induzir o inimigo ao erro.

— Esse foi um jogo perigoso — comentou Gameknight.

— A guerra é perigosa — respondeu Pedreiro. — Além disso, eu sabia que, caso passasse algum sufoco de verdade, o Usuário-que-não-é-um-usuário estaria lá para me ajudar... certo?

— É... certo — respondeu Gameknight, virando o rosto para esconder a culpa.

Guerreiros começaram a descer para a imensa cratera, parabenizando tanto Gameknight quanto Pedreiro.

— Isso foi glorioso — gritou um deles

— A maior batalha de todas — afirmou outro.

Mais soldados comemoravam enquanto chutavam pilhas de ossos de esqueletos e pólvora.

Porém, a comemoração foi interrompida por um uivo triste. Começou como um mero choramingar, mas então cresceu em volume até cortar pela paisagem tal qual um martelo no cristal, esmagando a celebração jubilosa. Seguindo rapidamente até a fonte do som, Gameknight se deparou com uma velha senhora ajoelhada, uma pilha de itens flutuando à sua frente... o inventário de alguém.

— Meu filho... ele se foi — uivou ela.

O jogador não sabia seu nome. Era apenas mais uma dos muitos NPCs arrastados para aquele conflito.

— Ele era meu único filho único... e agora ele... ele se foi.

Ela soltou mais um uivo triste, que trouxe lágrimas aos olhos de todos em volta.

Gameknight saiu correndo da cratera e foi até a mulher enlutada. Ajoelhou-se ao lado dela e passou o braço ao redor dos ombros que tremiam, abraçando-a com força. E chorou com ela. Ele não conhecia o filho... não a conhecia... mas conhecia a dor dela, então a abraçou com toda força até que as lágrimas passaram.

O jogador se levantou e ajudou a velha senhora a fazer o mesmo, depois se virou para o exército. Muitos deles ainda davam tapinhas nas costas uns dos outros, sobreviventes sorridentes.... e algo dentro de Gameknight999 se rompeu.

— Não há nada de bom aqui... só tristeza — gritou Gameknight.

Ele se virou para olhar a velha senhora. Esta se abaixava e recolhia o inventário do filho, e, em seguida, se virou e encarou o Usuário-que-não-é-um-usuário, com lágrimas ainda escorrendo pela bochecha. Os uivos de dor continuaram depois que ela se afastou do campo de batalha.

— A batalha não é gloriosa... é terrível — continuou Gameknight. — Guerras não fazem ninguém ser grandioso... elas só machucam as pessoas. Violência nunca é uma boa solução, só traz dor e perda. Isto não é algo que deveríamos comemorar, é algo que deveríamos lamentar, pois perdemos amigos e parentes hoje.

— Mas nós vencemos — gritou alguém.

— NÃO! — Gameknight apontou a velha senhora. — Nós perdemos.

E então ele ergueu a mão ao ar, com dedos bem abertos.

Não deveríamos nos sentir bem ao destruir outros, mesmo que sejam nossos inimigos, pensou ele, enquanto via mais mãos se erguendo no ar.

Aquilo o lembrava dos bullies na escola... como se sentiam bem ao maltratá-lo e também aos outros, e como ele se comportava em Minecraft. Tinha sido um bully também, descontando sua frustração naqueles mais fracos que ele... e se sentira bem com isso. Fora errado.

Por que eu não poderia ter ajudado os jogadores mais fracos e mais jovens, e me sentido bem com isso? Por que eu precisava ferir os outros naquela época? Ajudar teria feito que eu me sentisse tão bem quanto ferir.

Lentamente, ele cerrou a mão num punho e apertou com força. Toda a frustração estava compactada naquele punho, toda a raiva concentrada nos monstros, a tristeza pelos que tombaram, e talvez a culpa por quem costumava ser... um troll, o rei dos trolls.

Ajudar os outros teria feito com que eu me sentisse tão bem quanto me sentia trollando.

Devagar, ele baixou a mão e fitou o campo de batalha. Todos os olhos estavam focados no Usuário-que-não-é-um-usuário.

— Juntem tudo que puderem encontrar — instruiu Gameknight, a voz calma. Enxugando as lágrimas do rosto quadrado, ele se virou para aqueles na cratera. — Peguem todos os ossos e entreguem a Pastor. Recolham quaisquer flechas que acharem. Precisamos sair daqui antes que o próximo ataque aconteça.

— Próximo ataque? — indagou Artífice. Ele agora estava parado ao lado do amigo.

— Sim, o próximo ataque. Esta não foi nada além da menor fatia do exército que se opõe a nós. As forças deles são imensas e ainda têm a superioridade numérica. Este ataque não foi nada mais que Érebo descarregando sua frustração contra nós... contra mim. Vamos ter que enfrentar cinquenta vezes mais que isso antes que a guerra termine. — Ele olhou para o fundo da cratera, para pedreiro. O NPC grandalhão ainda estava cercado de guerreiros, a espada de diamante na mão. — Temos que conseguir as chaves o mais rápido possível antes que Malacoda e Érebo possam nos alcançar. Precisamos usar velocidade e nos colocar numa posição de força.

— Aqueles que são habilidosos na guerra conduzem o inimigo ao campo de batalha, e não são conduzidos por ele — citou Pedreiro.

Mais um ditado que conheço, pensou Gameknight, contemplando o NPC com curiosidade. *Tem alguma coisa nele que não se encaixa.*

Porém, antes que o jogador pudesse perguntar, Pedreiro gritava ordens ao exército, mandando batedores para vigiar os flancos e posicionando as tropas. Conforme o exército partiu novamente em seu caminho até a Rosa de Ferro, Gameknight pensou ver um vulto sombrio no topo de uma pequena colina. Parecia um NPC, baixo e atarracado, só que com cabelos negros, o que era incomum. E os olhos... os olhos... pareciam brilhar com puro ódio incandescente, causando um calafrio no jogador assim que o medo percorreu sua espinha.

CAPÍTULO 13
ARTÍFICES DE SOMBRAS

O exército de monstros de Malacoda se aproximou da montanha rochosa e pontiaguda com trepidação. Seus olhos frios e escuros fitaram o pico distorcido que se erguia sobre eles conforme chegavam mais perto. Cada monstro sentia o perigo daquele lugar e sentia uma ânsia de fugir, mas sabiam que dar meia-volta e correr significaria a morte, portanto, marcharam adiante, encabeçados pelos líderes, Malacoda e Érebo.

— Não gosto disto — comentou Malacoda, a voz estranhamente baixa.

Érebo só fez grunhir uma resposta afirmativa. O enderman estava pronto para se teleportar para longe caso alguma coisa inesperada acontecesse.

— Mande nossos blazes à frente — sugeriu Érebo, na voz aguda e esganiçada. — Depois mande os esqueletos wither para os flancos.

— Sim, parece uma boa ideia — concordou Malacoda.

O rei do Nether se virou e olhou sério para o general wither.

— Faça acontecer — comandou o ghast.

O esqueleto wither, ainda montado no lombo da aranha gigante, se afastou para transmitir as ordens.

Érebo olhou para os próprios withers, os torsos-esqueletos de três cabeças que flutuavam por perto. Essas criaturas vis não tinham pernas, apenas um toco atarracado de espinha dorsal, que flutuava sobre o chão. Costelas escuras e curvas envolviam os corpos de sombras, conectadas à coluna. As três cabeças cor de cinza giravam sobre os largos ombros ossudos, vigiando todas as direções ao mesmo tempo. Se encontrassem uma ameaça, dispariam uma torrente de caveiras flamejantes venenosas contra o alvo, e a explosão resultante espirraria a toxina mortal também contra aqueles em volta. Eram guerreiros poderosos e serviam como os generais do próprio Érebo.

Érebo fez finais silenciosos com os dedos escuros, comandando os withers a se espalhar e ficar de olho em qualquer coisa fora do comum. Os pesadelos sombrios se afastaram silenciosamente, e seus meio-corpos enegrecidos sumiram por entre as árvores.

Quando a horda se aproximou do sopé da montanha, Érebo começou a notar a ausência de folhas nas árvores. Era como se algo tivesse desfolhado por completo os galhos, deixando as árvores com uma aparência morta e doentia, lançando uma mortalha soturna sobre toda área.

Érebo se encolheu... *Quem poderia ter feito isso?*

Logo, o enderman conseguiu ver a base da montanha. A área em volta tinha sido limpa de vida vegetal, o solo infértil e morto. Érebo notou seus endermen formando um círculo junto ao sopé do monte, os olhos roxos brilhando forte. Quando viram seu rei, todos se endireitaram, com uma névoa de partículas púrpura orbitando cada um. Érebo se teleportou até eles e surgiu dentro do anel protetor. Ele se virou e contemplou a clareira, girou de novo e fitou a montanha, que agora se erguia diante dele. Viu uma imensa abertura escura escavada na base da montanha, com uma projeção pontiaguda se erguendo sobre a entrada.

— Tudo está seguro, meu rei — disse um dos endermen.

Érebo se virou para ele e fez que sim com a cabeça.

— Vocês fizeram bem — respondeu o rei dos endermen. — Onde estão eles?

— Desceram por aquele túnel. Recebemos uma mensagem para o senhor e Malacoda.

— E qual é ela?

— Recebemos ordem de transmiti-la aos dois.

Érebo se virou e olhou para aquele idiota, Malacoda, que flutuava alto sobre as árvores ao se aproximar da clareira.

— Conte-me agora — comandou Érebo.

— Mas nos disseram para...

— AGORA!

O enderman se curvou e passou a mensagem.

— O senhor e Malacoda devem entrar pela abertura e encontrá-los nas profundezas dos túneis. Ele disse que vocês devem seguir até alcançarem lava, e ele os encontrará lá.

Érebo fez que sim com a cabeça e se teleportou de volta a Malacoda. Quando se materializou próximo ao enorme ghast flutuante, percebeu uma cascata que fluía de uma rachadura no costão da montanha. A coluna de água caía de uma altura de pelo menos vinte blocos até um largo poço no chão. Ele teria que se lembrar de que aquilo estava ali para que assim pudesse evitá-lo; água era letal para os endermen.

Com muito cuidado, eles se aproximaram da imensa entrada do túnel e pararam ali. Mesmo que os endermen tivessem garantido a segurança do local, ainda havia uma atmosfera de perigo. A abertura lembrava Érebo da bocarra escancarada de algum tipo de fera imensa, que esperava para devorar a próxima vítima tola. Malacoda distribuiu as tropas num anel protetor, de forma a se assegurar de que não seriam surpreendidos por um ataque daquele irritante Usuário-que-não-é-um-usuário. Reunindo forças, Malacoda posicionou zumbis-esqueletos no perímetro, e depois um anel de blazes em volta da imensa entrada do túnel. Por fim, colocou os próprios ghasts bem alto no ar, para que assim vissem quaisquer forças que se aproximassem ao longe. Uma vez que considerou a posição deles segura, virou-se e encarou Érebo.

— O artífice de sombras nos instruiu a descer o túnel — explicou Érebo.

Malacoda desceu lentamente até o chão, desconfiado.

— Posicione seus monstros do Mundo da Superfície aqui — comandou Malacoda. — Vamos descer na caverna acompanhados pelos meus withers e um esquadrão de blazes.

— E quanto à prisioneira? — perguntou Érebo, apontando Caçadora.

— Vamos deixá-la aqui. Meus ghasts lhe farão companhia. — Ele então se virou para o ghast que ainda tinha seus tentáculos úmidos envoltos no corpo de Caçadora. — Mantenha a prisioneira segura até meu retorno.

— Ouço e obedeço — respondeu o ghast ao flutuar mais alto no ar, com Caçadora bem firme em seus tentáculos.

— Agora, nós vamos entrar na caverna de nossos amigos — anunciou Malacoda, com voz apreensiva. — Enderman, acho que você vai na frente.

O ghast soltou uma risadinha felina.

Érebo grunhiu enquanto entrava na imensa abertura, pronto para se teleportar assim que necessário. Ouvia Malacoda o seguindo, os longos tentáculos arrastando no chão como cobras desmaiadas. Olhou por sobre o ombro e viu a cara do rei do Nether; ele parecia nervoso. Ghasts sempre ficam nervosos em lugares fechados; sua defesa primária, o voo, era completamente anulada naquele túnel estreito.

Érebo soltou uma risadinha seca.

— Qual é a graça, enderman? — retrucou Malacoda.
— Ahhh... nada... milorde — respondeu ele.

O túnel era um declive acentuado, que mergulhava nas profundezas rochosas. No começo, Érebo sentiu a temperatura cair, porém, conforme eles se aprofundaram cada vez mais no túnel, voltou a esquentar; eles se aproximavam da lava. O rei dos endermen se sentia voltando para casa. As câmaras subterrâneas fumacentas e cheias de lava do Mundo da Superfície eram seu domínio, e ele as conhecia melhor que qualquer outra criatura. Porém, o túnel se nivelou e se abriu numa câmara imensa, maior que qualquer coisa que Érebo jamais vira, com tochas iluminando a entrada.

Eles ficaram chocados com o que viram. Aldeões — ou pelo menos pareciam ser — estavam por toda parte, em plataformas, fendas, poças de lava, pendurados no teto... por toda parte. Cada um deles parecia produzir alguma coisa diferente, porém, não tinham bancadas de trabalho.

Érebo observou atentamente os curiosos aldeões enquanto entrava na câmara. Não sentia o ódio ou o desejo de matar habituais de quando se aproximava dos NPCs. Aquelas criaturas eram diferentes de alguma forma... não eram o inimigo, eram aliados, e isso não fazia sentido. Quando estava prestes a falar com Malacoda, um dos aldeões sombrios se aproximou do grupo.

— Vocês finalmente chegaram — disse o NPC de cabelos negros.

Érebo observou cuidadosamente o recém-chegado. Tinha o narigão normal dos aldeões, uma monocelha negra atravessando a testa, só que havia algo nessa criatura que a diferenciava de todos os aldeões que Érebo já destruíra. Eram os olhos... eles brilhavam levemente, como se iluminados por dentro.

— Você é aquele que falou comigo na Terra dos Sonhos? — indagou Malacoda.

O aldeão assentiu e avançou até ser iluminado pelas tochas. Seu rosto era pálido, doentiamente esverdeado, assim como os braços. Depois que ficou mais visível, sob a luz, Érebo concluiu que aquela criatura tinha quase o visual de um zumbi, exceto pela ausência de partes podres do corpo e os braços estendidos. Foi nesse momento que Érebo notou a bata negra, com uma listra cinzenta indo da gola à bainha. Aquele era um artífice! Em seguida o enderman olhou em volta e percebeu que todos os NPCs estavam vestidos do mesmo jeito... eram todos artífices; não, não apenas artífices... alguma coisa mais...

— Sim, fui mandado para encontrá-lo na Terra dos Sonhos — confirmou o NPC, cuja voz tinha um tom lamentoso e triste. — Meu nome é Zumbibrine. Eu trabalho nos zumbis.

— O quê? — perguntou Malacoda.

— Nós somos os artífices de sombras de Minecraft — explicou Zumbibrine. — Fazemos as melhorias e upgrades nos itens que vivem nas sombras. Minha especialidade são os zumbis. Ali adiante. — Ele apontou um artífice de sombras que trabalhava num creeper. — É Creeperbrine. — O artífice de sombra tinha uma pele meio malhada e um tom um pouco esverdeado no rosto e braços. — Acima está Morcegobrine. Abaixo está Lavabrine. Todos nós trabalhamos para fazer as criaturas das sombras mais fortes, mais rápidas e mais letais. Lutamos para fazer a balança de Minecraft pender ao nosso favor.

— Por quê? — indagou Érebo.

— Ahhh... o quê? — gemeu Zumbibrine.

— Por que vocês desequilibram a balança em favor das criaturas da noite?

Zumbibrine pareceu confuso, depois se virou e fitou um artífice de sombras que os observava de uma sacada escavada bem alto na parede da caverna. Érebo, cujos olhos estavam acostumados à escuridão das cavernas subterrâneas, percebeu o artífice de sombras imediatamente. Não foi difícil; os olhos dele emitiam um branco incandescente como pequenos sinalizadores malévolos, mais brilhantes que qualquer outra coisa na câmara... até mesmo a lava e as tochas. Érebo notou que aquela criatura tinha um ar de autoridade; era ele quem estava no comando ali. Zumbibrine olhou nervoso para o vigia e depois se virou de volta e olhou sério para Érebo.

— É nossa tarefa, e nós a fazemos porque fomos programados para tal — respondeu Zumbibrine, com gotas de suor se formando no rosto. — E, agora, fomos programados para ajudar em sua missão. Vamos ajudá-los a destruir a Fonte.

— Era isso que nós queríamos ouvir! — exclamou Malacoda, enquanto se aproximava flutuando de Zumbibrine.

Érebo deu outra olhada na sacada sombria e notou que o artífice de sombras de olhos brilhantes não estava mais lá.

Aquele de olhos brilhantes era perigoso, muito perigoso, pensou ele.

Olhando novamente para Zumbibrine, Érebo viu o artífice de sombra parar de se mover, como se estivesse ouvindo alguma coisa ao longe, depois foi até o centro do círculo de luz das tochas.

— Vou lhes mostrar como encontrar a Fonte — anunciou o artífice de sombras. — Porém, antes que isso seja possível, precisamos encontrar a primeira chave.

— A primeira chave? — perguntou Malacoda, cujos olhos vermelhos ainda dardejavam por todos os lados, espiando as sombras.

— Isso mesmo — respondeu Zumbibrine, com uma voz lamentosa que ecoava pela câmara. — A primeira chave para a Fonte... a Rosa de Ferro. É lá que sua jornada se inicia. Depois disso, vocês precisarão da segunda chave e, então, poderão ir à Fonte.

— Onde está essa segunda chave? — indagou Érebo.

— Ninguém sabe — revelou Zumbibrine. — A primeira chave vai levá-los à segunda, e em seguida, à Fonte. Só que nós não temos tempo a perder. Venham, sigam-me.

Zumbibrine passou por Malacoda e seus guardas wither, seguindo pelo túnel de volta à superfície. Érebo olhou para Malacoda e encolheu os ombros, depois se virou e seguiu o artífice de sombras pela passagem, sem esperar pelo rei do Nether.

Em alguns minutos, Zumbibrine alcançou a enorme entrada e emergiu das entranhas da montanha, sendo seguido de perto por uma coleção de esqueletos-wither e pelo rei do Nether.

— A Rosa de Ferro fica naquela direção — afirmou Zumbibrine, apontando para o norte. — Vamos.

Érebo deu dois passos para fora do túnel, e então começou a chover. Os pingos caíram no rosto de Érebo, e imediatamente sua carne ferveu, lançando fumacinhas de cada ferida.

Água... odeio água, pensou Érebo, enquanto as gotas queimavam sua pele.

Érebo reuniu uma névoa de partículas roxas de teleporte ao seu redor, desapareceu e reapareceu dentro do túnel rochoso, com a pele ainda fumegando da umidade. Malacoda saiu lentamente do túnel e pairou no ar, deixando a chuva se derramar inofensiva em sua pele branca manchada. O rei do Nether se virou para encarar o enderman com um sorriso fantasmagórico e soltou uma gargalhada felina que ecoou pela floresta.

— Qual é o problema, enderman, não gosta de chuva? — zombou Malacoda.

Érebo não disse nada, só olhou sério para o ghast.

Zumbibrine abriu caminho em meio aos monstros e saiu para a chuva. O artífice de sombras fez uma careta e olhou para os pingos que caíam.

— Chuva — resmungou ele. — Não suporto a chuva!

E então seu rosto pareceu ficar com um tom doentio de verde quando a raiva transbordou do artífice de sombras.

— Eu te odeio, Chuvabrin — berrou Zumbibrine, em seguida partiu rumo ao norte.

— General. — Malacoda chamou seu comandante esqueleto-wither.

O esqueleto escuro seguiu montado em sua aranha até o ghast, e olhou em seus olhos vermelhos.

— Você levará uma parte do meu exército e me trará essa Rosa de Ferro. — Ele se virou e deu um sorriso irônico para Érebo, e então continuou: — Vamos deixar nossos irmãos da Superfície liderar esta investida com a ajuda de alguns de meus blazes e homens-porcos zumbis, para garantir que eles não perderão a coragem.

O rei de Nether relanceou o olhar pelo exército enquanto as gotas de chuva caíam inofensivas em sua cabeça. Todos os endermen se aglomeravam na abertura do túnel. Isso provocou uma risada ribombante, que soava como trovão.

— Vá, meu irmão! Traga-me a Rosa de Ferro e destrua aquele irritante Usuário-que-não-é-um-usuário. AGORA VÁ!

O esqueleto-wither seguiu o artífice de sombras, a aranha se apressando em alcançá-lo. A enorme coleção de monstros do Mundo da Superfície foi atrás do sombrio jóquei de aranha, todos com olhos odiosos procurando alguma coisa para destruir.

Malacoda se abaixou lentamente, até perto da prisioneira, Caçadora.

— Você, minha cara, vai ficar comigo por algum tempo.

O ghast usou um dos tentáculos para apontar um dos artífices de sombras, que tinha acabado de emergir do túnel.

— Tenho um presentinho para você, uma coisa que encomendei especialmente para lhe dar.

— Você não me assusta, ghast — cuspiu Caçadora.

— Tenho certeza de que não. — Ele se virou para o artífice de sombras. — Ferrobrine, traga a encomenda.

O artífice de sombras se aproximou e tirou uma grande estrutura do inventário. Era uma jaula feita de barras de ferro, com a parte de cima ainda aberta.

— Jogue ela lá dentro — comandou Malacoda.

O ghast que a segurava flutuou no ar sobre a jaula e a soltou de repente. Caçadora caiu na gaiola, piscando em vermelho com o dano de aterrissar. Antes que pudesse fugir, Ferrobrine selou o cativeiro com mais uma camada de barras de ferro, prendendo-a ali dentro. Caçadora segurou as barras e as chacoalhou com violência, como se pudesse arrancá-las.

Malacoda riu enquanto via o pânico da prisioneira crescer.

— Divirta-se em seu novo lar, NPC — provocou. — Você vai ficar aí dentro por um bom tempo.

O rei do Nether olhou sério para a prisioneira, depois se virou de volta para Érebo, com um sorriso maldoso e esperto no infantil rosto quadrado.

Será que ele desconfia de mim?, pensou Érebo, desviando o olhar.

A chuva parou, permitindo que os endermen saíssem da proteção do túnel, o que provocou outra risada em Malacoda.

— Vão, endermen, com seus irmãos, e não voltem a não ser que sejam vitoriosos — comandou Malacoda.

As criaturas de trevas olharam do ghast para Érebo, sem saber o que fazer. O enderman vermelho-sangue assentiu, sinalizando que deveriam obedecer. Uma névoa roxa de partículas envolveu cada um assim que eles desapareceram e se teleportaram para a monstruosa horda.

— Bem? — indagou Malacoda a Érebo. — Obedeça ao comando de seu rei.

Érebo lançou uma careta para o rei do Nether.

Eu farei o que você manda... por enquanto, pensou Érebo. *Mas logo seu tempo vai acabar, e o rei dos Endermen vai comandar.*

Usando os poderes de teleporte, Érebo desapareceu ao som da risada retumbante de Malacoda.

CAPÍTULO 14
A PRISÃO DE PASTOR

O acampamento de NPCs jazia quieto, aninhado em meio às altas árvores do montanhoso bioma de eucaliptos. Eles já vinham seguindo o rio à beira do bioma desértico havia dois dias, marchando dia e noite, e os soldados estavam cansados. Gameknight tinha sugerido que eles precisavam de uma boa noite de descanso, pois no dia seguinte alcançariam a Primeira Chave. Lenhabrin tinha dito alguma coisa sobre a Ponte para Lugar Nenhum, só que ninguém tinha entendido realmente o que ele quis dizer.

— Por que alguém construiria uma ponte para lugar nenhum? — indagou Costureira ao artífice de luz. — Seria um completo desperdício de esforço e recursos.

— Esse é o nome da ponte — explicou Lenhabrin, as palavras sempre curtas e ritmadas, a voz soando como batidas rápidas de um tambor. — Ela vai para algum lugar agora... para a Rosa de Ferro. Só que foi esse nome que demos à ponte.

Todos estavam ansiosos para obter a primeira chave, só que sentiam um pouco de medo também. Lenhabrin avisara que haveria sentinelas guardando a Rosa de Ferro, e que eles não a entregariam com facilidade. Seria perigoso... e era isso que preocupava Gameknight999.

Estremecendo, o Usuário-que-não-é-um-usuário afastou o pensamento enquanto caminhava pelo acampamento. Os altos eucaliptos ofereciam ótima cobertura, escondendo o exército com eficácia. Olhando a floresta em volta, ele se maravilhou com a beleza majestosa daquele bioma. Os eucaliptos tinham pelo menos dez a doze blocos de altura, e a casca branca malhada alcançava as folhas verde-escuras. A altura daquelas árvores fazia Gameknight se sentir seguro, por algum motivo, como se criaturas gigantes de madeira fossem de alguma forma protegê-lo do ataque de uma horda de monstros... improvável, mas ainda assim ele se sentia reconfortado em estar em meio aos majestosos gigantes.

A floresta se estendia até onde a vista alcançava, com altos morros e vales estreitos; era uma paisagem espetacular e teria sido divertida de se explorar... isto é, exceto pela ameaça de ser atacado por monstros terríveis. A noite ainda era a hora dos monstros, mesmo nessa terra pacífica. Ele ergueu o olhar e viu alguns dos guardas nos altos das árvores, buscando ameaças com os olhos vigilantes. Fora trabalhoso colocá-los lá em cima. Construtores tiveram que posicionar blocos de madeira em volta do tronco de uma das árvores, formando uma escadaria em espiral que levava ao alto da copa folhosa. Depois que eles chegavam ao topo, era fácil pular de árvore em árvore, assim espalhando vigias por toda floresta.

Ao caminhar pelo acampamento, Gameknight escutava os roncos dos homens e mulheres que dormiam. Muitos dos soldados cansados demais até mesmo para tirar as armaduras, e agora jaziam no chão dentro dos casulos de ferro, os corpos exaustos.

Justamente quando Gameknight estava prestes a seguir em direção ao rio, ele ouviu um barulho de passos correndo pela floresta. Ouviu folhas sendo esmagadas e gravetos se quebrando sob botas pesadas.

Seria um ataque?, pensou ele. *Não, parece gente correndo, e zumbis e esqueletos não podem correr. Devem ser soldados.*

Gameknight caminhou com cuidado em direção ao som, com a espada encantada de diamante lançando um brilho azul iridescente na casca branca das árvores. Ao se aproximar, ouviu alguém choramingando... não... chorando mesmo. Seguido de um barulho de madeira batendo em pedra. Gameknight foi atrás desse novo som e escutou a ferramenta de madeira gemer e estalar conforme o material começava a rachar... e então o som de quebra ecoou pela floresta quando a ferramenta soltou o último suspiro contra um obstáculo rochoso.

Por fim, o som de punhos batendo na rocha soou pelo ar. Alguém tentava quebrar um bloco de pedra com as mãos.

Talvez alguém esteja metido em encrencas?

Gameknight apressou o passo e se moveu silenciosamente pela floresta em direção aos baques. Depois ouviu passos à esquerda, e também atrás. Ele se encostou de costas contra a casca branca manchada de uma árvore, se abaixou e espiou a floresta.

Seria uma armadilha? Será que há outras criaturas aqui comigo?

O medo começou a infiltrar sua mente enquanto o jogador esquadrinhava a floresta, em busca dos vultos elusivos que os ouvidos diziam estar ali. Uma sombra escura passou em torno de um tronco. Era possível ver algo em sua mão, mas não distinguir o quê... uma arma? E então outro vulto, este mais alto que o último, passou por um arbusto, só que os fachos de luar que perfuravam a copa das árvores não eram suficientes para iluminar a criatura.

O que está acontecendo? Seria Érebo?

E finalmente uma voz soou na floresta.

— Socorro.

Começou baixa e débil, quase com medo de ser ouvida, mas então cresceu em volume... e tristeza.

— SOCORRO!

Era Pastor.

De repente, Gameknight ouviu o som de muitas patas atrás de si. Olhou para trás e viu pequenas coisas brancas e peludas disparando pela floresta, como pequenos projéteis de neve. Eles se esquivavam das árvores com incrível velocidade, cada um rumando direto para Pastor. E, num instante, Gameknight entendeu o que eles eram... lobos... os lobos de Pastor. O jogador saiu correndo na direção dos gritos tristes, seguindo os velozes animais.

Em vinte passos, ele alcançou uma pequena clareira. Uma estrutura de pedregulho de três blocos de altura se erguia no centro da clareira, cercada por um anel de lobos com coleiras vermelhas, todos exibindo os dentes. Pedreiro, Artífice e mais três soldados estavam parados diante do anel de protetores lupinos, com armas nas mãos. De dentro da estrutura de pedra, os gritos de Pastor ainda ecoavam. Quando Gameknight entrou na clareira, todos os olhos se voltaram para ele.

— Pastor, é Gameknight. Estou aqui, está tudo bem.

Os gritos de socorro pararam, mas agora os rosnados dos lobos soavam alto.

— Como vamos ajudá-lo? — indagou Artífice. — Os lobos não nos deixam chegar perto.

Pedreiro deu um passo à frente e foi recebido com rosnados agressivos.

Nesse momento, mais passos soaram atrás deles; mais soldados vindo ajudar... ou apenas assistir. Gameknight percebeu que alguns deles davam risadinhas ao chegar na clareira.

Subitamente, Costureira estava ao seu lado.

— O que aconteceu? — perguntou ela.

— Não sei direito — explicou Gameknight. — Não conseguimos chegar perto o bastante para tirá-lo dali.

— Me deixe tentar.

Costureira guardou o arco e avançou lentamente. Num instante ela foi recebida por um rosnado raivoso que a forçou a recuar.

— Matem os cachorros — gritou alguém no fundo.

— É... matem todos, isso vai ensinar Porcolino a não ficar de brincadeira aqui fora.

Gameknight os ignorou e embainhou a espada. Estendeu a mão, aquela que tinha sido lambida pelo lobo na Terra dos Sonhos, e avançou lentamente. Assim como os outros, foi recebido com rosnados furiosos.

— Gameknight, é melhor você voltar — aconselhou Artífice. — É perigoso demais, os lobos podem matá-lo.

Gameknight ignorou o amigo e continuou andando. Ouviu arcos sendo sacados de inventários, as hastes de madeira rangendo quando flechas eram encaixadas e cordas, retesadas. Ergueu a mão esquerda no ar, tentando impedir que qualquer um atirasse, e seguiu em frente, a mão direita ainda estendida.

O jogador se aproximou mais alguns passos e olhou nos olhos vermelhos do lobo mais perto. Não era o líder da matilha, mas, ainda assim, era um animal grande. Se ele atacasse, Gameknight não teria tempo de sacar a arma... ficaria indefeso. Encarando bem dentro dos olhos do lobo, ele se aproximou ainda mais.

— Está tudo bem, ninguém vai machucá-lo — disse Gameknight, a voz calma.

O lobo rosnou.

— Eu sou amigo.

Outro rosnado raivoso, orelhas bem coladas à cabeça.

Gameknight estendeu a mão para o lobo. O animal mordeu o ar e rosnou conforme a deliciosa mão se aproximou. Porém, nesse momento o lobo farejou o ar. O focinho, incrivelmente sensível, cheirou o ar em volta da mão de Gameknight, depois chegou mais perto e farejou as costas da mão dele. O bicho ficou paralisado, congelado com indecisão pelo que pareceu uma eternidade e, por fim, suas orelhas ficaram de pé quando ele lambeu a mão do Usuário-que-não-é-um-

-usuário, enquanto os olhos passavam de vermelho para o normal amarelo canino. Ao ver isso, os outros lobos vieram até Gameknight e cheiraram sua mão, em seguida a lamberam com afeição. Gameknight olhou para trás e viu os guerreiros baixando arcos e embainhando espadas.

— Rápido, tirem Pastor dali — ordenou Gameknight, enquanto coçava a cabeça do líder da matilha.

Três guerreiros se adiantaram com picaretas de ferro. Em segundos, os pedregulhos foram removidos, e um Pastor envergonhado foi libertado.

— O que está acontecendo aqui? — perguntou Pedreiro, com uma expressão severa no rosto quadrado. Em seguida, ele baixou a voz. — Estamos tentando nos esconder dos monstros desta terra. Não podemos sair gritando por socorro. Como você se prendeu ali dentro?

— Bem... ah... eu não... eu não... ahh...

— Pastor, foi alguém que fez isso com você? — indagou Artífice.

O garoto magricelo confirmou, envergonhado.

— Quem foi que fez isso... quem fez isso? — perguntou Pedreiro.

Artífice foi até o general e pousou a mão em seu ombro para acalmá-lo, depois se virou para Pastor.

— Você pode nos contar o que aconteceu?

Pastor olhou para todos os guerreiros na clareira, depois para Gameknight999. Ainda tinha marcas de lágrimas no rosto, e seus olhos estavam vermelhos e inchados. Gameknight deu um passo à frente, colocou a mão reconfortante no ombro do menino e apenas assentiu com a cabeça. Pastor fitou o ídolo, respirou lenta e profundamente, e então falou.

— Certo, certo... bem, olhe só, alguns dos guerreiros disseram que eu poderia... eu poderia ser um deles... vocês sabem... um guerreiro. Mas eu tinha que passar... passar no teste. Eles disseram que eu só teria... só teria uma espada de madeira. Entreguei todas as minhas ferramentas e peguei... e peguei a espada, mas então eles puseram os blocos... os blocos ao meu redor — explicou Pastor, que focava o olhar numa vaca próxima que pastava na grama da clareira.

— Quem fez isso? — gritou Pedreiro.

— Culpa minha... foi culpa minha — disse o garoto. — Meu pai tinha... tinha razão. Culpa minha.

— Do que ele está falando? — perguntou um dos guerreiros.

— Acho que ele é meio ruim da cabeça — comentou outro.

Gameknight ouvia Caçadora rosnar como um dos lobos enquanto girava e olhava sério para os guerreiros.

Alguém riu.

— Não temos tempo para isso — disse uma voz granulosa atrás de Gameknight.

O jogador olhou por sobre o ombro e viu Lenhabrin parado logo atrás dele, os olhos castanhos avaliando a situação com impaciência.

— Foi culpa minha. Eu deveria... deveria ter ficado com... com os animais, meu pai tinha razão — gaguejou Pastor, enquanto se aproximava e passava o braço em volta do maior dos lobos, o líder da matilha. Ele se ajoelhou e deu tapinhas calorosos no flanco do animal, e depois se virou para encarar Gamknight999. —

Este é o meu lugar, com os... com os animais. É culpa minha que eu seja... que eu seja diferente.

—NÃO! — retrucou Costureira. — Todos nós somos diferentes. É isso que faz uma comunidade ser tão especial. Cada um de nós tem um dom diferente que nos ajuda a todos. O meu é este arco. O de Pedreiro é sua liderança. O seu dom é... ahh...

— O que ela quer dizer — interrompeu-a Artífice. — É que todos nós somos especiais e todos nós somos diferentes. É assim que as coisas devem ser. — Ele ergueu a voz para que todos na clareira pudessem ouvir. — E aqueles de vocês que pregaram esta peça terrível, vocês precisam entender que ferem a comunidade com essas ações. Se todos nós ajudarmos e aceitarmos uns aos outros, então seremos capazes de fazer grandes coisas juntos. Porém, se continuarem com essas ações, vocês vão, no fim, isolar a si mesmos e não terão a confiança de ninguém.

Alguém riu.

Gameknight se virou em direção ao som e viu Lenhador encarando Pastor, com um sorriso maldoso no rosto quadrado. Instintivamente, o jogador se afastou do bully, pois a experiência que tivera com bullies no próprio colégio o deixava com vontade de desaparecer. Porém, Costureira estava ao seu lado, com o arco na mão. Ele sentia a raiva dela fervendo enquanto olhava furiosa para lenhador. A raiva e a força da amiga fizeram que Gameknight se sentisse um covarde.

Estou com medo desses bullies, e eles nem fizeram nada comigo, pensou Gameknight. *E olhe só Costureira. Ela não tem medo de nada nem ninguém... igual a Caçadora.*

Ele desejou ter uma migalha da coragem da menina. Mas, então, só por um instante, tudo fez sentido.

— Pastor, você tem só que ser você, e parar de tentar ser outra pessoa — explicou Gameknight baixinho, enquanto se virava para encarar o menino. — Não mude por esses idiotas... eles são míopes demais para apreciar você por quem você é. — Ele então deu um passo à frente e pôs a mão no ombro do menino. — Acredite em si mesmo e aceite que você é o melhor Pastor que poderia ser. Não se diminua por ninguém!

Pastor assentiu com a cabeça.

— Podemos resolver este problema mais tarde — retumbou Pedreiro, os olhos verdes raivosos esquadrinhando todos na clareira. — Agora temos que desmontar acampamento e seguir até a Ponte para Lugar Nenhum. Todo mundo, juntem suas coisas... Vamos marchar.

Com tais palavras, os soldados entraram em ação. Todas as risadas zombeteiras e xingamentos foram postos de lado quando os guerreiros começaram a fazer seus serviços.

Gameknight estendeu a mão e bagunçou o cabelo de Pastor, e então se inclinou para perto do menino.

— Vá tratar de seus animais, Pastor. Ninguém mais pode cuidar deles tão bem quanto você.

Limpando as lágrimas do rosto, Pastor olhou para seu herói e deu um sorriso débil.

— É mesmo?

O Usuário-que-não-é-um-usuário concordou e deu tapinhas no ombro do menino magricela.

— Vá em frente, logo mais faço uma visita para ver como você vai — disse Gameknight, depois girou e se deparou com Costureira logo adiante.

— Você tem que obrigá-los a parar de fazer essas coisas com ele — afirmou ela, em tom acusador.

— Mas o que eu posso fazer? — indagou Gameknight.

— Falando alguma coisa! Você pode garantir que ele não sofra sozinho. Você pode lhe dar esperança, como faz com os guerreiros em combate. — Ela fez uma careta ao tentar controlar a raiva. — Basta o apoiar, é tudo que eu peço.

E então ela girou e seguiu em direção ao acampamento, para buscar suas coisas.

Gameknight999 suspirou ao vê-la partir, depois foi até o próprio cavalo. Sabia que ela tinha razão, mas ver Pastor ser provocado pelos bullies trazia de volta tantas de suas próprias lembranças dolorosas da escola. Ele queria ser corajoso e queria ajudar Pastor, mas só de pensar nos bullies da vida real, ele ficava com vontade de se esconder e ser invisível. Não sabia bem como enfrentá-los. Suspirou de novo e montou no cavalo. Assim que todo mundo se aprontou, eles deixaram a floresta e voltaram ao rio que serpenteava ao longo da fronteira do bioma desértico.

Durante a jornada pelas dunas, Gameknight notou uma estrutura surgindo no horizonte. Era uma elaborada construção de pedra, que traçava um alto arco no céu, desaparecendo nas nuvens quadradas, aparentemente indo a lugar algum... e era para lá que eles precisavam seguir. Ao contemplar a imensa estrutura, Gameknight estremeceu. Que perigo os aguardaria do outro lado da Ponte para Lugar Nenhum?

CAPÍTULO 15
PONTE PARA LUGAR NENHUM

O exército cruzava a areia quente do deserto, aproximando-se cautelosamente do pilar da Ponte para Lugar Nenhum. A ponte se estendia bem alto no céu, curvando-se para cima num gracioso arco e perfurando as nuvens até que o outro extremo se perdesse de vista. Era a maior coisa que Gameknight já vira... bem, exceto pela terrível fortaleza de Malacoda no Nether. Tinha pelo menos vinte blocos de largura na parte de baixo, com uma escadaria ornada descendo até o solo do deserto. Ela subia num arco gracioso, que se estendia sobre as águas agitadas do rio que fluía pelo bioma desértico. Grandes colunas de pedra nas laterais da ponte curva sustentavam o telhado arqueado. Blocos azuis de lápis-lazúli e cubos verdes de esmeralda decoravam os pilares de tijolos, as cores brilhando forte. Sobre o telhado, Gameknight viu blocos brilhantes de redstone, só que a cor destes, misturada à luz manchada do sol, os deixava com uma aparência agourenta e assustadora, como se fossem blocos de sangue.

Gameknight estremeceu.

Saltou do cavalo e subiu lentamente os degraus que levavam à ponte, cada passo dado com receio. No ponto em que a escada alcançava a ponte em arco podia-se ver uma placa de madeira pregada na primeira coluna de tijolos. Era uma moldura de item. Gameknight se aproximou dela e percebeu que continha a imagem de uma flor; uma rosa. Só que a rosa não tinha a característica cor vermelha. Na verdade, não parecia ter quase cor alguma, como se os verdes e vermelhos tivessem sido drenados pela passagem do tempo. O jogador se inclinou para a frente, a fim de ver a moldura mais de perto, e notou que as pétalas da rosa tinham um reluzir peculiar, como se fossem polidas e metálicas.

A Rosa de Ferro; nós a encontramos!

Gameknight estendeu a mão para tocar a rosa, tentando sentir a flor de metal. Porém, em vez de roçar nas rígidas pétalas metálicas, sentiu apenas ar quando a mão atravessou a imagem.

— Então, você consegue pegar? — perguntou um dos NPCs atrás dele.

Gameknight tentou de novo, e a mesma coisa aconteceu outra vez. A mão atravessou a rosa como se fosse feita de ar.

— Não — respondeu Gameknight, enquanto se afastava da placa.

Um dos NPCs se aproximou e tentou. A cena se repetiu; dedos quadrados tocando o ar.

— O que isso significa? — indagou alguém.

— É só uma placa — afirmou Artífice. — Um marco para indicar que este é o caminho certo, mas não é a Rosa de Ferro que buscamos. Temos que seguir a ponte. A Rosa estará do outro lado.

— Só que não sabemos aonde essa ponte vai levar — argumentou Gameknight, com a voz tremendo um pouco.

— Vai levar à Rosa de Ferro — afirmou Lenhabrin atrás do Usuário-que-não-é-um-usuário.

O artífice de luz tinha a incrível habilidade de se esgueirar bem atrás de alguém, sem nunca ser visto ou ouvido. Isso irritava um pouco Gameknight.

— Só sabemos que a Rosa de Ferro estará do outro lado — disse Pedreiro, confiante. — Temos que pegar a chave antes que os monstros possam alcançá-la.

Ele se virou e contemplou o exército reunido ao pé da ponte. A imensa coleção de NPCs se estendia pelo deserto arenoso que acabaram de cruzar. Todos fitavam Pedreiro, com confiança no olhar.

— Um pequeno grupo vai atravessar a ponte e trazer de volta a Rosa de Ferro — explicou Pedreiro. — Aqueles que ficarem devem fortificar este lado da ponte e se preparar para os inimigos, no caso de eles nos desafiarem aqui.

Fez uma pausa por um momento, para considerar suas palavras, e então continuou:

— Aquele que é prudente e aguarda por um inimigo que não o é será vitorioso — afirmou Pedreiro, como se lesse algum tipo de citação famosa.

Gameknight espiou a silhueta cúbica de Pedreiro, e, por um instante, seus olhos se encontraram. Uma expressão de culpa surgiu num clarão no rosto de Pedreiro, como se ele tivesse sido pego com a boca na botija, e então o NPC grandalhão afastou o olhar.

Eu me lembro dessa, pensou Gameknight. *Ficava na parede do Sr. Planck, ao lado do apontador de lápis. Era um ditado daquele general japonês... qual era o nome dele... ah, sim, Sun Tzu. É do livro dele, A Arte da Guerra... como Pedreiro pode saber essas coisas?*

— Preparem campos de tiro sobrepostos para os arqueiros, e espaços para cargas de cavalaria atacar o inimigo — continuou Pedreiro, evitando o olhar de Gameknight. — Construam obstáculos para servir de cobertura, muros e colunas. Não se esqueçam de...

À mente de Gameknight voltou à lembrança daquela batalha na vila de Artífice, onde ele e Shawny tinham enfrentado Érebo pela primeira vez. Parecia ter sido um milhão de anos antes. Certamente os conhecimentos táticos de Shawny seriam úteis agora... porém, algo que o amigo tinha dito ressurgiu.

Temos uma inundação chegando, meus amigos, afirmara Shawny. *Não podemos resistir rigidamente a essa torrente, pois ela vai nos carregar. Em vez disso, vamos redirecionar o fluxo para onde precisarmos dele, onde estaremos preparados.*

Temos uma inundação chegando... redirecionar o fluxo... essas palavras quicaram na cabeça dele, peças tentando encontrar seu lugar no tabuleiro de jogo aberto diante de si. E, então, ele entendeu.

— Redirecionem o fluxo e preparem uma surpresinha para eles — disse Gameknight em voz alta, depois começou a rir.

Pedreiro interrompeu suas instruções às tropas e se virou para Gameknight, com uma expressão de confusão no rosto.

— O quê? — indagou o NPC grandalhão.

Gameknight olhou bem dentro dos olhos verdes e quadrados. Colocou a mão no ombro do amigo e sorriu.

— Eu sei o que fazer... Algo que Shawny me ensinou lá no servidor de Artífice — respondeu o Usuário-que-não-é-um-usuário.

— Redirecionar o fluxo? — perguntou Pedreiro, claramente confuso.

— Isso mesmo... redirecionar o fluxo.

Descendo de volta pelos degraus, Gameknight se ajoelhou e explicou o plano, desenhando formações na areia. Rostos quadrados assentiam enquanto os guerreiros murmuravam entre si, vendo sabedoria no plano de Gameknight.

Pedreiro acenou com a cabeça conforme Gameknight lhe explicou o plano, um sorriso irônico se abrindo na grande cabeça cúbica.

Depois que Gameknight terminou, Pedreiro se levantou e falou com a poderosa e autoritária voz.

— Enquanto alguns de vocês estiverem construindo, outros comecem a minerar. Precisaremos de recursos, e este lugar é ótimo para começar. — Pedreiro então olhou para Lenhabrin, perdido em pensamento, e depois continuou. — Artífices de luz, vocês virão conosco quando atravessarmos a ponte, para o caso de precisarmos de sua ajuda.

— Não podemos ajudar vocês lá — explicou Lenhabrin, a voz rangendo de tensão, quase soando como uma tábua rachando sob pressão. — Os artífices de luz ficarão aqui e ajudarão nos preparativos para a batalha.

— Muito bem — respondeu Pedreiro. — Vamos buscar a Rosa enquanto o restante de vocês defende este lado da ponte. — Ele então sacou a espada e a ergueu bem alto. — Os monstros de Minecraft terão uma surpresa dolorosa se tentarem nos deter aqui. POR MINECRAFT!

— POR MINECRAFT! — responderam os guerreiros, todos com armas erguidas.

Mesmo enquanto os guerreiros bradavam, Gameknight teve a sensação de que os monstros de Minecraft *iriam* desafiá-los ali, e que *haveria* uma grande batalha ao pé daquela ponte. Quase conseguia ouvir Érebo rindo enquanto os monstros atacavam, chocando-se contra as defesas deles com total selvageria. Imagens do que *poderia* acontecer começaram a girar na cabeça de Gameknight, afastando sua coragem e fazendo com que ele tremesse de medo.

Será que meu plano vai funcionar, ou vai nos levar à ruína? E se Érebo desvendar meu plano e contornar as defesas? E se...

Nesse momento, algo que o pai havia lhe dito certa vez começou a ecoar levemente na mente do jogador. As palavras ganharam volume e, assim, empurraram os fracassos imaginários para o lado e encheram Gameknight de confiança.

Não se concentre no que poderia acontecer, dissera o pai dele. *Abandone o talvez e se concentre no agora!*

O agora... é isso mesmo, o agora... vou me concentrar no agora e abandonar o resto.

Descartando os eventos que ainda não tinham acontecido, Gameknight deu meia-volta e começou a subir o suave aclive da ponte. Sacou a espada de diamante, enterrou os medos e seguiu em frente, em direção do agora.

— Vejam, o Usuário-que-não-é-um-usuário já está indo atrás da Rosa de Ferro — gritou Pedreiro. — Nada poderá nos deter enquanto tivermos Gameknight999 como ponta da lança. Sua coragem é um exemplo para todos nós.

Os soldados deram vivas.

Concentre-se no agora.

Um som de cascos soou bem alto quando Artífice veio cavalgando até Gameknight, segurando as rédeas de outro cavalo com a mãozinha.

— Venha Gameknight, vamos cavalgar — chamou Artífice.

Gameknight pegou as rédeas e pulou na sela. Daquela altura, ele achou que conseguiria ver acima da curva da ponte e enxergar o outro extremo, mas ela continuava arqueando para o alto e para adiante, o lado oposto ainda um mistério.

Pedreiro emparelhou com eles, seguido por uma coleção de vinte cavaleiros.

— Estamos prontos — declarou Pedreiro, com voz firme. — Lidere, Usuário-que-não-é-um-usuário. Leve-nos à Rosa de Ferro.

Antes que Gameknight pudesse se mover, alguém agarrou sua perna. Ele olhou para baixo e viu Costureira devolvendo o olhar, acompanhada de Pastor.

— Você não vai a lugar nenhum sem mim — afirmou ela em sua característica voz séria. — Meu lugar é ao seu lado, e, até que minha irmã volte, é minha obrigação evitar que você faça alguma besteira. Tenho que mantê-lo em segurança, e é isso que eu vou fazer.

Gameknight franziu o cenho para ela, mas a menina só fez devolver a careta.

— Você pode até me deixar para trás, mas eu vou segui-lo! — exclamou ela.

— Eu também — disse Pastor.

— Pastor, seu lugar é com o... — começou Gameknight.

— Meu lugar é com você! — retrucou Pastor, com severidade, os dois olhos coloridos encarando Gameknight. — Você me disse para acreditar em mim mesmo... mim mesmo. Bem, eu acredito. Eu sei que eu posso... eu posso ajudar, então eu vou... vou com você.

Ele montou no cavalo e se sentou na sela, atrás de Gameknight.

Gameknight lançou um olhar para Artífice, na esperança que o amigo o ajudasse.

Artífice apenas assentiu e sorriu.

— Venha, Costureira — disse Artífice. — Você pode vir comigo, acho que o cavalo de Gameknight já está meio lotado.

A menina riu, depois foi rapidamente até o cavalo de Artífice. Ela subiu para a sela, o cabelo ruivo esvoaçando como uma onda escarlate, depois se sentou habilmente diante dele, com o arco na mão e uma flecha preparada.

— Vamos lá — disse ela, e sorriu para Gameknight.

Era um sorriso de vitória.

CAPÍTULO 16
PONTE PARA ALGUM LUGAR

O grupo cavalgou ponte acima por pelo menos dez minutos. Ela se arqueava tão longamente para o alto que as águas frescas do rio abaixo agora tinham desaparecido por completo. Nuvens brancas e cúbicas começaram a passar pelos pilares que suportavam o teto multicolorido; seus verdes, vermelhos e azuis atenuados pela névoa.

Gameknight calculou, pelo padrão de blocos em degraus, que estavam quase no vão central da ponte; começariam a descer em breve. Mas, em vez de encontrar o ápice plano da ponte, ele ficou chocado ao se deparar com outra coisa; um portal.

Um enorme retângulo de luz roxa cortava a ponte. Cobria toda a largura do caminho, as bordas do portal embutidas nos pilares de tijolos que sustentavam o colorido teto. Gameknight via pequenas partículas roxas de teleporte movendo-se perto da borda do portal, saindo do campo iridescente e sendo puxadas de volta.

Gameknight chegou bem perto, desmontou e foi até a beira da ponte. Segurou-se num dos pilares e se inclinou para fora sobre a mureta da estrutura rochosa. Conseguiu espiar do outro lado da borda do portal e não encontrou nada além de ar livre. Eles poderiam até construir um caminho em volta do portal e contorná-lo, mas não havia aonde ir. As únicas opções eram atravessar o portal ou voltar.

O jogador pegou as rédeas do cavalo e foi até o portal, enquanto o animal o puxava de volta um pouco.

— Tudo bem, garoto — disse Gameknight à montaria, dando-lhe tapinhas leves na cabeça.

— Faça um carinho assim — aconselhou Pastor, enquanto fazia um cafuné suave no focinho do cavalo.

Gameknight seguiu as instruções, e o cavalo se acalmou um pouco.

— Temos que atravessar — afirmou Pedreiro, enquanto desmontava do cavalo.

— Gameknight e eu vamos ver o que há do outro lado, depois voltamos para contar a vocês — disse Artífice enquanto se aproximava, segurando a rédea do cavalo com firmeza numa das mãos, e a espada de ferro na outra.

— Pastor, Costureira, preciso que vocês fiquem aqui — avisou Gameknight, soando quase como se implorasse a eles.

Artífice olhou para a menina e balançou a cabeça, concordando com o Usuário-que-não-é-um-usuário.

— Talvez nós precisaremos nos mover com agilidade, e será mais fácil sem passageiros adicionais nos cavalos — explicou Gameknight, daquela vez com um pouco mais de confiança.

— Tudo bem, vamos ficar — decidiu Costureira. — Mas não por muito tempo, então é melhor irem logo.

Artífice sorriu para ela, depois se virou para o portal. Foi até o campo roxo faiscante, virou a cabeça para encarar Gameknight999, e então atravessou o portal com o cavalo a reboque. Tremeluziu por um instante e sumiu.

Gameknight sentia todos os olhares em si; os soldados esperando que o Usuário-que-não-é-um-usuário se juntasse ao amigo. Segurou a rédea firmemente e se aproximou do portal. Sentiu a serpente de medo começar a se enrodilhar na sua coragem e espremer sua determinação, mas ignorou a sensação e entrou.

O campo roxo vibrante preencheu a visão do jogador e o deixou meio enjoado por um instante, e então ele chegou do outro lado. Ficou chocado que o calor do Nether não o tivesse golpeado como no último servidor. Na verdade, estava bem fresco ali, quase confortável...

Olhou para cima e viu Artífice esperando por ele, já montado.

— Obrigado por ter vindo — comentou o jovem NPC, com um sorriso no rosto.

Gameknight não sabia dizer se ele estava sendo sincero ou sarcástico.

— Vamos cuidar logo disso — afirmou ele, enquanto montava novamente.

Gameknight virou o cavalo, dando as costas ao portal. Podia ver a outra metade da ponte se estendendo diante deles, o arco suave se dobrando lentamente de volta ao solo. Não havia ameaças por perto.

— Espere aqui — disse Gameknight a Artífice, e começou a cavalgar ponte abaixo.

A ponte era igual na descida ao que tinha sido na subida. Cravando os calcanhares no flanco do cavalo, ele desceu a ponte a galope. Abaixo havia água, um vasto oceano que se espalhava sob a ponte, e uma praia de areia que surgia lentamente. Viu escadas no fim da ponte, levando à praia, só que, em vez de conectar a um bioma desértico, levava a algo completamente pálido, com areia por todos os lados. No lugar de arenito ou colinas rochosas, Gameknight via apenas brancura. Não era neve; era outra coisa. Uma trilha de cascalho se afastava da ponte e passava entre dois altos pináculos, todos brancos. As colunas eram entalhadas com o relevo de dois NPCs, cada um vestindo mantos e robes soprados pelo vento. Ambos seguravam uma espada em uma das mãos, e erguiam a outra à frente, como se comandassem os recém-chegados a parar.

Gameknight esquadrinhou a paisagem e não viu ameaça alguma, apenas as duas altas estátuas dos dois reis de pedra guardando a entrada de sabe-se lá o quê. Deu meia-volta com o cavalo e galopou ponte acima, de volta a Artífice.

— O que foi? — indagou o jovem NPC. — Encontrou monstros?

— Não, nada — respondeu Gameknight. — Só a outra metade da ponte.

O jogador desmontou para recuperar o fôlego e permitir que o cavalo descansasse.

— Traga o resto — instruiu ele a Artífice. — Eu espero aqui.

Artífice desmontou e segurou as rédeas do cavalo. Entrou no portal, puxando a montaria logo atrás. Os dois desapareceram num instante, porém num minuto estavam de volta, acompanhados de Pedreiro e os soldados.

Pastor foi empolgado até Gameknight. Costureira já estava no cavalo de Artífice.

— O que há à frente? — indagou, Pedreiro enquanto montava.

— Uma terra estranha ao pé da ponte — respondeu Gameknight. — Mas não vi nenhum monstro.

— São boas notícias — concluiu Pedreiro em voz alta. — Alcançamos a primeira chave antes das criaturas da noite. Venham, vamos em frente.

Os guerreiros desceram a ponte numa cavalgada, com Pedreiro e Artífice à frente e Gameknight na retaguarda. Quando chegaram ao fim, os soldados se espalharam, assumindo posições defensivas, todos esquadrinhando o terreno em busca de inimigos.

Gameknight trotou até Artífice e Pedreiro e parou ao lado deles.

— Para onde agora, Usuário-que-não-é-um-usuário? — indagou Pedreiro.

Gameknight apontou a trilha de cascalho e urgiu o cavalo adiante, segurando a espada tremeluzente de diamante, Pedreiro e Artífice o ladeando. O caminho os levou pelo meio das duas imensas estátuas, com seus robes de arenito e as mãos estendidas que pareciam ser feitas de blocos de ferro. Tanto Gameknight quanto Pastor olharam nervosos para as esculturas ao passar por elas, e o jogador torceu para que elas não ganhassem vida e os esmagassem.

— Quem vocês acham que construiu essas coisas? — perguntou Gameknight.

— O Criador construiu tudo neste servidor — contou Artífice, como se recitasse uma passagem de algum livro sagrado. — Este é o servidor particular dele, onde muito do desenvolvimento de Minecraft aconteceu. Tudo que você vê foi formado pela mão do Criador.

Gameknight grunhiu.

— Queria que ele tivesse formado um caminho mais rápido para encontrar essa Rosa idiota — reclamou Gameknight, com um tom desrespeitoso. Isso provocou resmungos em Artífice e Pedreiro, mas Costureira apenas riu.

Depois de passar pelas estátuas, o caminho de cascalhou levou a uma elevada muralha de talvez oito blocos de altura e uma montanha colossal além dela, tudo feito dos blocos brancos brilhantes. Não havia vegetação à vista, nada de árvores, grama ou flores; só um mar de asspéticos cubos incolores. Adiante havia uma estreita abertura na muralha de apenas dois blocos de largura, aonde a trilha os conduzia. Ao se aproximar do muro, Gameknight tocou os blocos pálidos com a espada. Eles retiniram como um sino; um tom puro que reverberou nos blocos vizinhos, criando uma harmonia que preencheu o ar.

— Blocos de ferro — concluiu Gameknight, enquanto passava pela estreita abertura, que os obrigava a cavalgar em fila indiana. — Por que alguém formaria esta muralha, e o que parece ser uma cordilheira adiante, com blocos de ferro?

Ao sair da passagem, Gameknight divisou a montanha branca mais claramente ao longe, com sua superfície igualmente reluzente e lisa; mais blocos de ferro. O caminho de cascalho logo os despejou numa área que parecia uma arena, com paredes verticais cercando um centro plano. Esta área deveria ter uns cinquenta blocos de largura, de parede a parede, pontilhada com algumas colinas baixas. Assim como na região que cercava o pé da ponte, não havia relva decorando a arena, como se espera num bioma de colinas, nem um salpicar de flores. De fato, a paisagem era quase totalmente estéril. A única vegetação visível na arena era a presença de vinhas nas paredes, longos dedos verdes que desciam pelos blocos de ferro.

No centro da arena, havia uma colina de uns oito blocos de altura. O topo da colina era envolto em um brilho branco tremeluzente, como se uma poderosa tocha branca estivesse instalada ali.

— Deve ser a Rosa — afirmou Artífice, apontando o morro. — Vamos.

O NPC estava prestes a atiçar o cavalo quando Pedreiro segurou seu braço.

— Espere — disse o general, enquanto olhava para trás, para o caminho por onde vieram. — O resto de vocês venha cá — gritou.

O som dos cascos ecoou nas paredes de ferro quando os guerreiros restantes se juntaram aos dois.

— A Rosa aguarda naquele morro — anunciou Pedreiro. — Vamos avançar lenta e cuidadosamente. Todo mundo, desmonte e saque as espadas.

Os soldados desceram de suas montarias com rapidez, desembainhando as espadas de modo a se preparar para o que quer que acontecesse; só que nada aconteceu. A arena continuou fantasmagoricamente silenciosa. Nenhum som soava, nem mesmo o vento... nada.

— Pastor, você fica aqui e toma conta dos cavalos — determinou Pedreiro — Os demais vêm comigo.

Pastor desmontou e tomou as rédeas dos outros guerreiros. Parecia decepcionado, mas sabia que era a melhor pessoa para aquele serviço.

Pedreiro avançou, ainda seguindo a trilha de cascalho, que logo terminou quando o caminho marrom desapareceu à beira da arena. O solo adiante era todo de ferro. Pedreiro olhou em volta e deu um passo hesitante para deixar a trilha e entrar no ferro. Nesse exato momento, tudo começou a tremer e rumorejar. Gameknight teve a impressão de que as paredes ganhavam vida quando os blocos cobertos de vinhas começaram a se mover. Formas emergiram das paredes, corpos com pernas curtas e atarracadas, ombros largos e longos braços. Rostos surgiram nas cabeçorras conforme olhos se abriam e focalizavam os intrusos sob grossas monocelhas franzidas de raiva.

— Golens de ferro — disse Gameknight, segurando a espada com ainda mais força, dominado pelo medo.

— Nossa aldeia tinha um desses — comentou um dos guerreiros, se aproximando.

Ele embainhou a espada e começou a andar até o gigante metálico mais próximo.

— Não há nada a temer — afirmou ele. — Golens são amistosos aos NPCs. Eles protegiam nossa aldeia dos monstros. São nossos amigos, vejam só.

O soldado foi direto até o golem. Não havia medo na expressão do soldado, na verdade, ele parecia bem empolgado, como se estivesse prestes a reencontrar um velho amigo. Porém, quando chegou a dez passos do gigante, um ribombar começou a ser emitido pelo golias ferroso, um som como o mastigar de engrenagens numa câmara de eco. Com a aproximação do NPC, o rangido raivoso ficou cada vez mais alto.

O guerreiro parou e estendeu os braços para a frente, como se esperasse algum tipo de presente, aguardando que a criatura desse os últimos passos até ele. Ao alcançar o soldado, o golem de ferro ergueu os braços num movimento rápido, atingindo o guerreiro e o jogando para o alto. Gameknight viu o soldado brilhar num forte clarão vermelho quando este voou pelo ar. Caiu no chão com um baque, piscando em vermelho de novo, e desapareceu, morto.

— O que aconteceu? — gritou um dos soldados.

— Ele está morto, o golem matou Entalhador! — exclamou outro.

— O que nós vamos fazer...

— Vamos sair daqui...

Enquanto ficaram parados ali, olhando a pilha flutuante de objetos que pertencera ao guerreiro morto, mais dos gigantes metálicos emergiram das paredes. Avançaram pesada e lentamente em direção ao grupo, enchendo o ar com o som de metal rangendo e arranhando, os olhos furiosos focados nos NPCs... e em Gameknight999.

CAPÍTULO 17
BATALHA COM FERRO

chão tremia, e mais gigantes de metal saíram das paredes, todos indo em direção aos NPCs. Seus olhos escuros pareciam brilhar, de alguma forma, com ódio pelos invasores, as monocelhas franzidas com fúria tóxica.

— Eis o plano — disse Pedreiro. — Vamos correr até a Rosa, pegá-la, e então voltar correndo. O Usuário-que-não-é-um-usuário vai nos liderar

Todos os guerreiros pegaram os cavalos com Pastor e os montaram... todos menos Gameknight, o Usuário-que-não-é-um-usuário perdido em pensamento.

— Preparar... — trovejou Pedreiro.

Esse plano é suicídio, pensou Gameknight. *Será que eu consigo? Não sei se sou esperto o bastante. Certamente não tenho força suficiente para encarar um daqueles golens. E se eu não conseguir? E se eu fracassar?*

— ...Apontar — continuou Pedreiro.

E, de repente, as peças do quebra-cabeça se encaixaram e a solução irrompeu na mente dele... uma fazenda.

— Sei o que fazer, eu sei o que fazer! — exclamou Gameknight de súbito. — Todo mundo, saiam dos blocos de ferro, rápido.

Os golens estavam chegando mais perto.

Os guerreiros viraram os cavalos e saíram da arena, voltando à trilha de cascalho. Assim que o último soldado deixou os blocos de ferro, os golens interromperam o avanço implacável e deram meia-volta. Caminharam pesadamente de volta às paredes da arena e se encaixaram nos nichos, desaparecendo na muralha metálica. Isso fez os guerreiros pausarem, muitos deles comemorando o desaparecimento das imensas criaturas. Baixaram as armas e olharam para o Usuário-que-não-é-um-usuário.

— Olhe só, uma vez fiz uma fazenda de golens, para conseguir ferro, e eu...

— Você fez o quê? — indagou Artífice, enquanto embainhava a espada.

— Uma fazenda de golens para coletar o ferro deles. Olhe só...

— Você quer dizer que matava... matava eles pelo ferro? — perguntou Pastor.

— Bem... isso foi na época que eu era um... quero dizer, eu era só... — Gameknight fez uma pausa e baixou a cabeça, envergonhado. — Sim, eu os matava pelo ferro em meus tempos de trollagem, mas sei como detê-los sem ter que enfrentá-los. Sei como tirá-los do caminho sem ter que matá-los... sei como conseguir a Rosa de Ferro.

Olhos nervosos espiavam as vinhas verdes que decoravam as paredes de ferro, cada conjunto de vinhas representando um golem pronto para emergir e proteger o tesouro, e havia um monte de vinhas em volta da arena. Os guerreiros então voltaram a fitar Gameknight999

— Então diga de que você precisa — respondeu Pedreiro rapidamente, enquanto embainhava a espada. Fez um gesto para os outros soldados, que também guardaram suas armas.

— Precisamos apenas de água, um montão de água — explicou Gameknight999. — Alguém trouxe baldes?

Um punhado de soldados se adiantou com baldes nas mãos.

— Ótimo. Vão buscar água do oceano ao pé da ponte, o máximo que puderem carregar — comandou Gameknight. — O resto de vocês, peguem suas picaretas, temos muito a cavar. Não há margem para erros, pois todos nós vimos o que acontece quando se tenta enfrentar esses monstros.

— Não são monstros — retrucou Pastor.

— Sim, sim, não são monstros — admitiu Gameknight. — Mas são letais mesmo assim. Agora, cheguem perto para que eu possa explicar o que precisa ser feito...

Gameknight detalhou o plano para os guerreiros, que assentiram com as cabeças quadradas enquanto ouviam. Depois que acabou, o Usuário-que-não-é-um-usuário olhou nos olhos de cada um dos soldados e se assegurou de que todos eles sabiam qual era a própria tarefa. Com todo mundo preparado, eles se reuniram à beira do caminho de cascalho, e ninguém pisou no chão de ferro da arena... ainda não.

— Todos prontos? — perguntou Gameknight.

Os guerreiros concordaram balançando a cabeça, medo e incerteza marcando seus rostos.

— Tudo bem então — disse Gameknight, enquanto pulava no cavalo. Artífice também montou. — Estejam prontos quando nós viermos buscá-los — comentou com Pedreiro, que estava ao lado. — Nossas vidas dependem disso.

— Nós estaremos prontos — respondeu o enorme NPC, os olhos verdes brilhando de antecipação.

— Agora... POR MINECRAFT! — gritou Gameknight, enquanto fazia o cavalo galopar, com Artífice ao seu lado.

Assim que os cavalos puseram os cascos no chão de ferro da arena, o piso começou a tremer conforme os golens emergiam novamente das paredes cobertas de vinhas, todos convergindo aos dois cavaleiros

Pedreiro e o restante dos guerreiros esperaram por um ou dois minutos, permitindo que Gameknight e Artífice atraíssem os gigantes metálicos para longe da entrada, e, então, saíram correndo com picaretas e baldes de água nas mãos. Num instante, começaram a escavar um grande retângulo no chão de metal, as picaretas de ferro retinindo ao escavar um fosso de seis blocos de largura por doze de comprimento.

Enquanto os outros cavavam, Gameknight e Artífice disparavam para o morro brilhante, com todos os golens seguindo devagar.

— Lembre-se, temos que nos mover como fizemos no seu servidor na batalha contra Érebo e o exército — explicou Gameknight. — Bater e correr, como em Wing Commander.

— Wing Commander? — indagou Artífice.

— Esqueça, o importante é manter todos esses golens na nossa cola, longe de Pedreiro e dos outros. Temos que deixá-los ocupados até que Pedreiro esteja pronto.

— Bem, não parece que isso vá ser um problema — comentou Artífice, apontando para a direita.

Gameknight olhou na direção indicada e viu pelo menos uma dúzia de golens convergindo na posição da dupla, girando os braços violentamente para cima. Já à esquerda, havia mais cinco gigantes férreos, com expressões de raiva incontrolável nos rostos metálicos.

— Rápido, vamos pelo meio! — gritou Gameknight, enquanto incitava o cavalo a galopar.

Os cavaleiros passaram entre os dois grupos de monstros, quase ao alcance dos braços. Em seguida, deram a volta e partiram na direção das paredes da arena, Gameknight rumando para a esquerda, Artífice para a direita. Usando a velocidade máxima dos cavalos, contornaram o perímetro, atraindo os golens do centro para as paredes e criando, de novo, uma grande abertura no centro.

— Agora! — gritou Gameknight.

Novamente eles giraram e partiram direto na direção do outro, puxando os golens para o centro da arena. Gameknight alterou a rota e embicou para a Rosa de Ferro enquanto Artífice voltava para Pedreiro, tentando atrair golens de volta ao meio da arena, para longe das vulneráveis forças terrestres.

Gameknight escalou a suave colina e disparou para o topo. Ao passar pelo pico, olhou para baixo e viu uma rosa solitária brotando de um bloco de ferro, as pétalas metálicas emitindo um forte brilho branco, que quase fez seus olhos doerem. Desviou o olhar do tesouro e concentrou-se nas feras férreas que se aproximavam vindo de todas as direções. Viu pelo menos uma dúzia de golens atrás dele, do lado oposto da arena, agitando os braços loucamente, enquanto outro grupo se aproximava pelo outro lado. Os rangidos e arranhões metálicos dos gigantes lentos preenchiam a arena e ecoavam nas paredes de ferro polido, dando a impressão de que havia mais monstros do que se poderia ver.

O Usuário-que-não-é-um-usuário girou o cavalo e mudou de direção abruptamente, atraindo-os para a esquerda. Investiu direto contra um grupo de golens. As criaturas pareceram esperar por ele, empolgadas com a chance de esmagar aquele intruso, porém, no último momento, Gameknight se desviou. Um imenso punho metálico passou logo diante de seus olhos, errando a cabeça por pouco.

Gameknight estremeceu. Tinha acabado de evitar a morte por meros centímetros.

Essa passou perto demais, pensou ele.

Estalou as rédeas, girou e seguiu para o outro lado da arena, atraindo mais gigantes metálicos. O jogador deu uma olhada na direção da entrada e viu que o grupo de Pedreiro tinha escavado o poço retangular e começava a enchê-lo de água.

Ótimo... estava na hora.

— Venham, suas bestas metálicas — gritou Gameknight. — Agarrem-me se puderem.

Forçando sua montaria a correr o mais rápido possível, Gameknight disparou num zigue-zague, ainda atraindo mais golens, no entanto também os levando à entrada.

— Todo mundo de volta à entrada — berrou, enquanto se aproximava da armadilha de água.

Quando chegou mais perto, Gameknight viu que a água tinha sido colocada ao longo de um dos extremos do retângulo, fluindo pelo comprimento, alcançando assim apenas seis blocos, e então caindo num buraco com dois blocos de profundidade. Ele girou num círculo estreito para deixar que os golens se aproximassem, depois investiu direto contra a armadilha aquática. Saltou na água corrente e atravessou o retângulo a galope num ângulo de modo a não ser arrastado para o lado fundo. Depois de alcançar a margem oposta e sair da armadilha, Gameknight deu meia-volta e parou para observar. Os golens vinham direto na sua cola, agitando os braços com violência. Os rangidos dos gigantes metálicos soavam como trovões ao ecoar nas paredes próximas, e Gameknight queria cobrir os ouvidos, mas, em vez disso, sacou a espada com a mão livre enquanto a outra segurava as rédeas.

O primeiro grupo de golens entrou no retângulo de água e foi imediatamente empurrado de lado pela correnteza. A confusão logo substituiu a raiva nos rostos deles enquanto eram empurrados para o lado fundo pelo fluxo de água, levados ao canal de dois blocos de profundidade. Eles descobriram que não conseguiam sair do fundo e estavam presos.

Uma celebração irrompeu atrás de Gameknight quando os guerreiros viram as primeiras vítimas da armadilha. Nesse momento, o jogador assustou-se quando Artífice galopou pela água, com outro grupo de golens em seu rastro. Os titãs de ferro entraram na armadilha e foram empurrados de lado pela correnteza, puxados devagar para o lado fundo com seus colegas. As poderosas criaturas agitaram os braços enquanto tentavam escapar das garras aquáticas da correnteza, mas não eram páreo para as forças que os oprimiam; eram simplesmente lentos demais para escapar.

Os guerreiros comemoraram de novo da entrada da arena quando Gameknight desmontou. Os guerreiros entoaram o nome do Usuário-que-não-é-um-usuário e levaram o punho ao peito em saudação. Enquanto celebravam, os golens restantes vieram na direção do jogador, cada um deles lhe lançando um olhar tão toxicamente odioso que ele apostou que os monstros desejavam matá-lo apenas com aqueles olhos raivosos. Jamais vira ódio tão virulento, exceto de sua nêmese, Érebo. Aquelas criaturas desejavam a morte do Usuário-que-não-é-um-usuário com cada fibra de seu ser, e dariam com alegria as próprias vidas em troca da dele.

Em minutos, restava apenas um golem, só que este sobrevivente era diferente dos outros, maior e mais perigoso. Em vez de escuros, seus olhos eram amarelos brilhantes, como se fossem de ouro. Faiscavam à luz rosada do pálido sol escarlate acima. Além disso, as vinhas verdes que desciam pelo flanco e braço esquerdos da criatura também envolviam sua fronte. Gameknight tinha a impressão de que se tratava de algum tipo de coroa folhosa sobre aquele rosto furioso de aura majestosa.

Este deve ser o líder, o rei dos golens, pensou Gameknight.

A criatura parou à beira da armadilha de água e encarou o Usuário-que-não-é-um-usuário. Este sacou seu arco e disparou flechas contra o gigante metálico, uma atrás da outra, mas elas quicavam inofensivas contra a pele de ferro; o colosso não se moveu. O rei dos golens olhou o retângulo e começou a dar a volta pelo lado, contornando a armadilha em vez de cair nela.

Ah, não, ele não vai cair no nosso truque, pensou Gameknight. *Tenho que fazer alguma coisa para deixá-lo mais raivoso e fazê-lo entrar na água.*

E então o Usuário-que-não-é-um-usuário viu o morro brilhante atrás do golem.

É claro, a Rosa de Ferro.

Gameknight saltou no cavalo e disparou pelo outro lado da armadilha, rumando direto para a Rosa. Viu com o canto do olho que o rei dos golens o seguia.

Tenho que chegar lá e escavá-la antes que aquele monstro me alcance.

O Usuário-que-não-é-um-usuário cravou os calcanhares no cavalo e cavalgou morro acima. Chegou ao topo e saltou do cavalo, pousando com a picareta de ferro na mão. Marretou o bloco sob a Rosa e cavou o mais rápido que pôde. O som rangente e rascante do golem ficava cada vez mais alto.

— Saia daí — gritou Costureira da entrada. — Ele está chegando!

— Mexa-se Gameknight — gritou outra pessoa. — MEXA-SE!

Gameknight ignorou os avisos e se concentrou em cavar.

O bloco de ferro era teimoso e não queria entregar o tesouro. Gameknight continuou martelando, mesmo que agora sentisse o chão tremer com cada pesado passo do gigante.

— Ele está chegando, saia já daí! — gritou alguém.

Golpeando ainda mais forte com a picareta, Gameknight viu rachaduras se formarem no bloco de ferro, mas o mesmo também acontecia com sua picareta, e a ferramenta começava a perder força naquela batalha.

THUMP... THUMP

Os passos do poderoso gigante faziam o chão tremer tão forte que quase derrubava Gameknight. Ele queria erguer o olhar, ver quão perto estava de morrer. Só que sabia que, se se distraísse, a batalha estaria perdida e o bloco de ferro venceria. Em vez disso, redobrou os esforços, colocando toda a força em cada marretada.

E então, SNAP, a picareta se estilhaçou no último golpe... ele tinha perdido. Por puro instinto, Gameknight se abaixou quando um imenso punho de ferro tirou um fino de sua cabeça. Olhou para a Rosa ao se levantar, e ficou surpreso ao ver que o bloco de ferro também tinha se estilhaçado, deixando a Rosa flutuando ali no chão. O Usuário-que-não-é-um-usuário se abaixou, pegou o tesouro e rolou para o lado bem a tempo de escapar de outro punho férreo que passou a centímetros de sua cabeça.

O jogador se levantou e correu para o cavalo. Num único movimento fluido, Gameknight saltou na montaria e partiu de volta à piscina retangular. Um uivo mecânico de raiva ecoou na arena quando o rei dos golens gritou. O gigante de ferro perseguiu o jogador com toda a velocidade, uma expressão de ódio absoluto pintada no rosto metálico.

Gameknight alcançou o poço e conduziu o cavalo até o centro. Em vez de saltar para o outro lado, ficou no meio, o cavalo fazendo força contra a correnteza. Mal conseguiu manter a posição enquanto o golem se aproximava. Abriu o inventário, tirou a Rosa de Ferro e a ergueu bem alto no ar. As pétalas brilhavam forte, lançando um intenso círculo de luz em volta do Usuário-que-não-é-um-usuário e fazendo com que este parecesse incandescente, como se iluminado por dentro. Ouviu todos os golens capturados gritando raivosos, mas seu coro de fúria não era nada comparado ao rei. Este soltou um alto urro mecânico que estremeceu as próprias paredes da arena.

— Você quer isto — gritou Gameknight para o guardião. — Então venha pegar.

O rei dos golens uivou de novo. Daquela vez, tão alto que vários NPCs soltaram suas armas e caíram no chão, tremendo de medo.

— Devolva o que você roubou! — exclamou o gigante mecânico, a voz carregada de engrenagens metálicas.

— É? VEM PEGAR! — gritou Gameknight de novo, dando mais um passo rumo à beira da poça.

Então, o golem pulou na água, jogando os longos braços para cima com violência. Gameknight girou o cavalo no último instante, e o punho de ferro o atingiu de raspão no braço, quase fazendo com que soltasse a Rosa. A dor desceu pelo ombro e o braço do jogador, mas ele não deixou o tesouro cair. Incitou o cavalo adiante, contra a corrente, e rumou para o lado oposto. O animal saltou com toda a força e saiu da armadilha de água, pousando no solo seco de ferro.

Outro uivo metálico soou quando o rei dos golens foi empurrado pela água para o lado fundo do poço, ficando preso.

Eu consegui, pensou Gameknight, *nem precisei morrer. Viva eu!*

Os gritos artificiais cessaram quando todos os golens pararam de se debater e se viraram para encarar o Usuário-que-não-é-um-usuário, encabeçados pelo rei.

— Vamos tomar de volta o que é nosso — afirmou o rei dos golens, com voz de trovão. — E nada vai nos deter. Vamos aparecer quando vocês menos esperarem e então as marés da batalha vão virar. Vamos tomar o que é nosso; se você vai morrer como resultado depende apenas de você.

Gameknight estremeceu, como se as palavras do golem rei fossem algum tipo de presságio, só que nesse instante levou um susto com o som de vivas logo atrás de si. Deu meia-volta com o cavalo e viu que os guerreiros tinham se adiantado para congratular o Usuário-que-não-é-um-usuário. O jogador desmontou e foi parabenizado com tapinhas nas costas e nos ombros, pois todos os soldados queriam tocar aquele que tinha a Rosa de Ferro. Ele a ergueu bem alto e deixou que a forte luz das pétalas prateadas iluminasse a arena, forçando muitos a proteger os olhos.

— Vamos lá, precisamos nos juntar aos outros e encontrar a segunda chave — afirmou Artífice em voz alta.

— Sim, os outros — concordou Gameknight.

Ele pulou no cavalo e começou a voltar à ponte, os cascos retinindo nos blocos de ferro da arena. Porém, quando alcançaram o caminho de cascalho, um som rítmico ecoou pela terra. Era um tinir, como alguém tocando um enorme sino com um martelo de metal, um gongar ressoando puro no ar. Gameknight olhou para trás e viu Pastor escavando os blocos de ferro que cercavam a armadilha de água. O jogador deu meia-volta e foi até o garoto magricela.

— O que você está fazendo? — gritou o Usuário-que-não-é-um-usuário sobre o barulho de gongo.

— Eles estão presos... presos. Não podemos... podemos deixá-los presos.

— O quê? — indagou Gameknight, enquanto desmontava.

O Usuário-que-não-é-um-usuário foi até o menino, tomando cuidado para evitar a picareta em movimento, pousou a mão reconfortante no ombro dele e segurou o cabo da ferramenta.

O martelar cessou.

— Pastor, o que você está fazendo?

O garoto baixou a picareta e se virou para o ídolo. Atrás dele soava o ruído dos golens que se debatiam, lutando com punhos de ferro contra a correnteza e atacando as bordas da armadilha. A cada golpe, o chão tremia com as investidas dos poderosos gigantes para tentar se segurar na beirada de sua prisão líquida. Apenas o rei dos golens continuava parado, olhos incandescentes com ódio frio por aquele que tinha aprisionado seu povo; Gameknight999.

—Eles estão presos — repetiu Pastor. — Não podem... podem sair.

—Essa é a ideia.

—Qual é o problema? — indagou alguém atrás deles.

Gameknight olhou para trás e viu Artífice acompanhado de Costureira. Pedreiro chegou em seguida, com a impaciência bem clara no rosto quadrado.

—Temos que ir — afirmou o NPC grandalhão numa voz grave que parecia trovejar pela arena.

Os golens de ferro na armadilha de água ouviram essa voz ribombante e pararam de lutar. Os olhos frios se voltaram para Pedreiro e o contemplaram, e o ódio que estivera ali há um minuto aparentemente evaporou. Até o rei dos golens parecia em paz enquanto fitava Pedreiro, mas o ódio voltou aos seus olhos quando ele voltou-se para Gameknight999.

—Não podemos deixá-los aqui... presos — repetiu Pastor, a voz agora afetada pela emoção. — Como no jogo de spleef... jogo de spleef. Isto não é certo, eles têm que ser... que ser soltos.

Pastor ergueu a picareta de novo e voltou a cavar, partindo lentamente os blocos de ferro perto da armadilha.

—Você sabe como é ficar preso, não sabe, Pastor? — comentou Artífice com voz suave e tranquilizante. — Mas nós temos que ir. Precisamos chegar à última chave.

O garoto magrelo ignorou o NPC e continuou cavando.

Costureira puxou a própria picareta, adiantou-se e se juntou ao esforço, abrindo lentamente um canal que permitiria a fuga dos gigantes de metal. Gameknight suspirou, pegou sua picareta e foi ajudar. Assim que ele se aproximou, os golens de ferro ficaram agitados, mexendo os braços perigosamente.

— Eles não parecem gostar muito de mim — comentou Gameknight, enquanto se afastava e guardava a ferramenta no inventário.

Pedreiro deu tapinhas no ombro do Usuário-que-não-é-um-usuário e avançou, com uma picareta de ferro reluzente na mão. Quando ele se aproximou, os golens se acalmaram e pararam de abanar os imensos punhos.

— Melhor você voltar à ponte, Usuário-que-não-é-um-usuário — aconselhou Pedreiro. — Você ainda está com a Rosa de Ferro deles. Assim que forem soltos, vão atacar você. Seria melhor estar fora de alcance quando isso acontecer.

— Jura? — respondeu o jogador. — Costureira, venha comigo.

A garotinha sorriu, guardou a ferramenta, correu e saltou graciosamente no ar, aterrissando no cavalo, os cabelos esvoaçando como uma chama viva.

Gameknight montou no cavalo atrás dela e seguiu a trilha de cascalho que levava à ponte. Olhou para trás e viu Pedreiro quebrar o último bloco com a picareta e, depois, se afastar rapidamente quando os golens de ferro saíram devagar da armadilha de água. Em vez de voltar aos nichos na parede e dormir, todos caminharam direto para o Usuário-que-não-é-um-usuário e a Rosa de Ferro.

Gameknight virou sua montaria disparou para a ponte e ouviu sons que indicavam que os outros o alcançavam com rapidez. Enquanto subia a ornada ponte de pedra, olhou para trás. Os golens de ferro saíam lentamente da arena, e o rei dos golens o encarava furiosamente, com sua coroa de vinhas e folhas brilhando forte no sol rosado. O ódio tóxico fez Gameknight estremecer.

CAPÍTULO 18
À BRECHA NOVAMENTE

Eles atravessaram o portal; Gameknight liderando a coluna. A Rosa de Ferro pulsava em seu inventário, como se estivesse viva. O jogador sentia a atração que ela exercia, guiando-o ao norte, provavelmente em direção à segunda chave.

Gameknight estremeceu. Tinha certeza de que a segunda chave seria tão perigosa quanto a primeira, se não mais.

Costureira esticou o pescoço, tentando olhar além da ponte curva.

— Você consegue ver o exército? — indagou a menina.

— Acho que ainda estamos alto demais, mas logo vamos ver.

Colocando a montaria para galopar, Gameknight desceu pelo caminho, guiado pela Rosa de Ferro. Olhou para trás e viu o resto do esquadrão passando pelo portal. Artífice emergiu da névoa roxa com o vulto magrelo de Pastor na sela, atrás de si.

Olhando de novo para a frente, Gameknight sentiu um frio estranho na pele, como se alguém tivesse lhe salpicado gelo raspado, pontinhos frios se cravando de leve na carne.

Tem alguma coisa errada, pensou ele.

Costureira sentiu o amigo ficar tenso e olhou para ele.

— O que foi?

— Eu não sei — respondeu Gameknight. — Mas tem alguma coisa errada.

Fez o cavalo galopar e voou arco abaixo, olhando de um lado ao outro em busca de inimigos.

O calafrio desceu por sua espinha. Era uma sensação familiar. Tinha se sentido assim naquele sonho do porão, e nas névoas rodopiantes da Terra dos Sonhos vezes sem conta.

— Ele está aqui... Estou sentindo.

— Quem está aqui? — indagou Costureira.

— Ele está aqui... ele está aqui.

Quando se aproximaram do pé da ponte, o jogador viu o que ele já sabia que os aguardava. Uma imensa onda de monstros se chocava contra suas defesas. Gameknight percebeu que era a menor fração do exército de Malacoda. A maioria dos atacantes era de monstros da Superfície, com algumas criaturas do Nether misturadas à horda. Não era um ataque, mas um teste... um teste muito letal.

Fileiras de aranhas gigantes combatiam os defensores numa muralha exterior de pedregulhos. Clarões de creepers explodindo pontuavam a cena enquanto a muralha de pedra era perfurada em múltiplos lugares, permitindo que a torrente de monstros avançasse.

Uma série de muros tinha sido construída na ausência de Gameknight. A barreira mais externa tinha sido rompida, e os monstros entravam pelas aberturas, matando os NPCs lentos ou distraídos demais para fugir. Felizmente, a maioria dos defensores se retirara quando a muralha foi destroçada... de acordo com o plano.

Uma segunda muralha se erguia diante dos monstros, agora feita de terra e areia. Havia arqueiros no alto da barreira, disparando flechas sobre os inimigos que se aproximavam, mas os projéteis pontudos pouco fizeram para lhes deter o avanço.

Na retaguarda da horda de monstros, Gameknight viu um enorme grupo de endermen cuja pele negra se destacava contra a areia brilhante. Na retaguarda desse grupo havia uma criatura sombria, da cor de sangue seco; um vermelho profundamente escuro, a apenas alguns tons do preto, os olhos ameaçadores brilhavam escarlate. Era Érebo, sua nêmese... seu pesadelo.

— Aquele é ele? — indagou Costureira.

Gameknight assentiu com a cabeça, um calafrio lhe desceu a espinha.

— Talvez seja hora de mostrar que é ele quem deve nos temer — afirmou a menina, enquanto tirava o arco do inventário e preparava uma flecha.

— Não, guarde seu arco — disse Gameknight.

Costureira se virou e olhou para ele, confusa.

— Guarde logo — insistiu o jogador. Eles chegaram ao fim da ponte.

A menina guardou o arco e encarou o amigo, a monocelha franzida em confusão. Gameknight abriu o próprio inventário e pegou o arco encantado. O brilho iridescente da arma faiscante iluminou o rosto dos dois.

— Sua irmã me deu isto, mas acho que você vai usar melhor.

Ele entregou o arco com suas ondas de magia roxa que subiam e desciam pela haste. Costureira contemplou o arco e preparou uma flecha. Puxou a corda e disparou o projétil no ar. A flecha flamejante riscou o céu azul, saindo da ponte e caindo no rio abaixo. A menina então voltou-se para Gameknight e abriu um sorriso que lhe aqueceu a alma.

— Ela vai ficar feliz em saber que está com você — comentou Gameknight.

— Lembre-se de dizer isso a ela quando nós a resgatarmos — respondeu Costureira. — Nós *vamos* resgatá-la... né?

— Se nós sobrevivermos ao dia de hoje... sim, vamos buscar sua irmã.

Ela lhe deu mais um sorriso imenso, depois, sério, olhou para a frente para o exército inimigo.

Conforme o exército de monstros se aproximou da muralha de terra, uma nuvem de partículas púrpura se formou na vanguarda. De repente, uma linha de endermen apareceu diante da barreira. As criaturas sombrias estenderam as mãos e seguraram blocos-chave de areia e terra e se teleportaram em seguida, deixando para trás um buraco na barricada. Voltaram e continuaram desmontando o muro, se teleportando de um lado ao outro. Os defensores suspenderam as flechadas enquanto os endermen desfaziam lentamente a parede, pois não queriam enfurecê-los, permitindo assim que entrassem na luta. Então escolheram a única opção disponível... retirada.

Os defensores correram de volta à última muralha e se posicionaram de acordo com o plano. A parede final era feita de pedregulho nos flancos direito e esquerdo, mas tinha apenas areia no meio. Altas torres marcavam este último muro, com topos cheios de arqueiros. A infantaria aguardava atrás da proteção com espadas em riste, e a cavalaria estava pronta para a carga final. Diante da parede de areia, o chão normal do deserto tinha sido substituído por blocos de terra. De onde observava, Gameknight viu mudinhas plantadas aqui e ali pelo campo de terra, provavelmente uma pequena surpresa dos artífices de luz.

Finalmente no pé da ponte, Gameknight foi até um monte de areia assistir à batalha, acompanhado de Pedreiro e Artífice. Eles viam os monstros se aproximando dos montes de areia, com creepers energizados liderando os grupos. O campo de faíscas azuis ao redor dos bichos malhados de verde faria suas explosões causar o dobro do dano normal. A barreira de areia cairia com facilidade.

— Preparar — gritou Gameknight.

Todos os olhos passaram da muralha ao Usuário-que-não-é-um-usuário.

— Libertem os cães de guerra — murmurou ele para si mesmo, depois se endireitou na sela.

— AGORA!

NPCs puxaram alavancas que ligaram circuitos de redstone, ativando os pistões ocultos sob os altos montes de areia. E, num instante, a parede arenosa caiu num buraco no chão, revelando uma linha de canhões de TNT. As longas estruturas retangulares de pedregulho, com água fluindo no centro, subitamente ganharam vida. Tochas de redstone foram tocadas em blocos de TNT, e logo os céus limpos ganharam vida com trovões.

No mesmo instante, Gramabrin e Arvorebrin usaram seus poderes de artífices de luz, fazendo enormes carvalhos brotarem, obscurecendo a visão da horda atacante, enquanto longas folhas de relva serpenteavam devagar no campo de batalha, emaranhando pés e reduzindo a velocidade da investida.

Os canhões rugiram suas boas-vindas. Blocos de TNT explodiam, lançando cubos piscantes no ar. O bloco ativado de TNT caiu em meio a horda de monstros aprisionados na grama alta e explodiu, estremecendo o solo. Um rasgo enorme se abriu no chão com a explosão que levou dúzias de monstros.

— DISPARAR... DISPARAR! — gritou Gameknight.

Mais canhões foram acesos, e o ar de súbito ficou cheio de cubos rubro-negros piscantes. Enquanto as bombas voavam, a cavalaria se preparava para a carga.

— À brecha novamente — gritou Pedreiro. — ATACAR!

Os cavaleiros e amazonas investiram adiante para destruir os monstros mais próximos. Espadas retiniram ao golpear esqueletos de armadura e ser aparadas pelas espadas dos homens-porcos zumbis. A luta era terrível. Gameknight via pessoas conhecidas desaparecerem numa nuvem de itens quando seus pontos de vida eram extintos, apenas para serem substituídas por outro guerreiro. Não havia retirada para os NPCs, então eles lutavam por suas vidas... e as vidas de suas famílias... e por Minecraft.

Eles estavam virando o jogo... os monstros começavam a recuar. Porém, nesse momento uma flecha perdida, disparada por algum defensor, atingiu um dos endermen. O monstro de trevas começou a tremer, e seus olhos se acenderam num branco brilhante. Os outros endermen começaram a tremer também quando todos ficaram furiosos.

E assim, num outro instante, a batalha virou de novo quando os endermen se juntaram ao combate. As criaturas de sombra se teleportavam de um lugar ao outro, atacando NPCs implacavelmente, criando caos onde aparecessem.

Para piorar as coisas, o som de trovão dos canhões de TNT começou a mudar. Em vez do ribombar oco, começou a soar como um rangido metálico, como superfícies de ferro raspando umas nas outras. Gameknight olhou para trás, e seu coração gelou.

Golens de ferro.

Eles tinham atravessado o portal e agora vinham na direção dos NPCs. Mas, surpreendentemente, os gigantes minerais pareciam não notar nenhum dos defensores; seguiram direto para Gameknight999.

O rei dos golems uivou um grito metálico de raiva que fez todos congelarem em meio à batalha.

— Não sei o que fazer — murmurou Gameknight. — Não há jeito de vencermos.

— Não se preocupe — disse Costureira cujo arco cantava quando ela disparava contra monstros do alto do cavalo. — Podemos pensar em alguma coisa, é só...

Ele não a ouviu, só conseguia escutar seus próprios medos berrando para si de dentro da alma... *você é só um menino... corra... esconda-se.*

E foi isso que ele fez... correu.

Cravando os calcanhares no cavalo, Gameknight investiu direto contra a horda de monstros, passando por zumbis, creepers e aranhas. Enquanto cavalgava, viu Érebo o olhando, surpreso; simplesmente continuou galopando o mais rápido que pode, olhando direto para a frente.

Caçadora comemorou ao olhar para trás. Os golens de ferro seguiam seu tesouro, a Rosa de Ferro, e começaram a atacar os monstros. As poderosas criaturas lançavam os braços para cima, arremessando monstros bem alto no ar. Quando caíam no chão, os monstros pereciam num clarão de vermelho, deixando para trás carne de zumbi, seda de aranha e pólvora. Os golens massacravam os monstros no caminho com fúria, a inimizade ancestral entre golens e criaturas da noite revivida e ainda mais potente.

Indo de monstro em monstro, os gigantes de metal pisoteavam aqueles que fossem tolos o bastante para atacar enquanto davam socos em grupos de criaturas, lançando os inimigos no ar. Em minutos, o exército de Érebo batia em retirada. Os poucos sobreviventes tentavam se afastar daquele lugar o máximo possível.

Quando Gameknight estava longe o bastante, deu meia-volta e observou o combate. Viu Érebo no campo de batalha, os olhos vermelhos de ódio e malícia. E então, numa nuvem de névoa roxa, Érebo desapareceu.

— Gameknight... nós vencemos! — exclamou Costureira olhando nos olhos dele.

— O quê... o quê?

— Nós vencemos, veja.

Gameknight desviou o olhar de onde Érebo sumira, e viu o resto do campo de batalha. Notou que todos os monstros tinham fugido para o sul, os poucos que restavam sendo eliminados pela cavalaria. Porém, agora que os monstros tinham se ido, os golens de ferro continuaram a perseguir o Usuário-que-não-é-um-usuário.

— Escute — disse ele a Caçadora. — Eu vou levar os golens para longe, depois me encontro com o exército.

— Do que você está falando?

— Os golens, eles não vão parar até terem a Rosa de volta. Vou atraí-los para o sul, talvez pegar alguns dos monstros. Diga a Pedreiro para seguir para o norte, é para lá que está a próxima chave. Alcanço vocês depois que eles estiverem longe. Agora vá.

Ele empurrou a menina, fazendo-a saltar do cavalo, e se afastou cavalgando.

Costureira aterrissou agachada, fez um rolamento e se levantou num salto. Olhou Gameknight999 se afastando, depois deu meia-volta e rumou para o exército. O chão tremeu com os gigantes férreos que seguiam para sul no rastro do Usuário-que-não-é-um-usuário, todos exceto o rei dos golens. O majestoso líder foi até a menina e parou, a escura coroa de vinhas destacada contra a testa clara. Costureira se preparou para o ataque, porém, em vez de golpear com os poderosos braços, ele lentamente ergueu uma das mãos. Dentro da palma imensa havia uma única rosa, cuja cor vermelha contrastava forte contra a pele metálica. A menina pegou a flor com cuidado e assistiu aos golens que continuavam avançando, seguindo a trilha de Gameknight.

Levou a flor ao rosto e inalou o perfume, depois olhou na direção do som de cascos. Um esquadrão de cavalaria se aproximava com Pedreiro e Artífice na vanguarda. Ela segurou a mão que Artífice estendia, e subiu para a sela. Voltou a olhar os golens.

— Tome cuidado, Usuário-que-não-é-um-usuário, e volte logo — disse ela. — Não vamos conseguir sem você.

Ela fitou o arco encantado, sorriu e pensou na irmã, depois contemplou as montanhas acidentadas que se erguiam ao longe.

— Vou te encontrar de algum jeito, irmã — afirmou Costureira em voz alta para ninguém. Olhou de volta na direção em que Gameknight tinha ido e suspirou. — Nós vamos encontrá-la... eu prometo.

CAPÍTULO 19
ÉREBO

Érebo materializou-se quase no sopé da montanha escarpada. Enquanto a névoa púrpura formada pelas partículas do teleporte se dissipava, ele olhou para o cume rochoso, que atingia uma grande altura. Os picos ao lado eram quase tão altos quanto aquele. Olhavam para Érebo tal qual os dedos em garra de alguma espécie de mão que houvesse rasgado a terra, distorcidos e dobrados como se sofressem uma dor terrível.

Eles o fizeram sorrir.

Olhou a paisagem ao redor e avistou o grande túnel que se abria na base de um dos picos. Ali e acolá, ao longo de toda aquela área, viam-se árvores moribundas, desfolhadas, com galhos nus que se esticavam para a frente em desespero impotente. De início, aquelas árvores contorcidas o haviam deixado inquieto, mas agora ele estava começando a apreciar sua beleza angustiada. Mais à direita, o rei dos endermen viu algumas árvores ainda com folhas. Porém ali, diante de seus olhos, as folhas de uma delas começaram a murchar e secar nos galhos castanhos, e a copa luxuriante aos poucos foi mudando de um verde magnífico para um feio tom cinzento, para em seguida esfarelar-se em cinzas. Aquilo o fez sorrir.

Enquanto caminhava em direção à entrada do túnel, Érebo viu um dos artífices de sombras se aproximando, vindo de onde estava a árvore agora morta. Era aquele que parecia jamais falar nada... apenas observar; aquele de olhos cintilantes intensos. Zumbibrine nunca lhes dissera o nome daquele artífice, mas parecia manifestar um respeito silencioso por ele, como se na verdade fosse ele quem estivesse no comando... curioso.

Érebo cumprimentou o artífice de sombras quando este se aproximou da abertura do túnel. Notou, pela primeira vez, que ele não tinha nem o nariz bulboso nem a monocelha que ele passara a esperar dos artífices e dos NPCs em Minecraft. Na verdade, aquela criatura parecia mais um usuário que um NPC. Olhou para o espaço acima da cabeça dele, mas não viu nenhuma letra flutuando sobre o cabelo escuro, nem tampouco o filamento de servidor de um usuário. Com certeza ele era parte integrante daquele servidor, tal como Érebo e todos os monstros e NPCs, porém ao mesmo tempo era algo diferente... era mais do que aparentava ser.

Interessante.

O artífice de sombras entrou no túnel. Érebo começou a segui-lo, mas parou quando o túnel clareou. Algo em chamas se aproximava. Ele estacou imediatamente e esperou enquanto uma fila de blazes emergia da entrada, seguida por um grupo de esqueletos wither, os ossos enegrecidos iluminados com um tom alaranjado por causa do brilho interno dos blazes. Atrás dos esqueletos negros vinha Malacoda. O rei do Nether flutuou bem alto assim que entrou no túnel. Quando atingiu altura suficiente para ficar fora de alcance, a expressão inquieta pareceu abandonar sua testa franzida.

Atrás de Malacoda vinha Zumbibrine e alguns outros artífices de sombras. Érebo viu que o de olhos brilhantes estava escondido nas sombras do túnel, perto o bastante para ouvir o que acontecia, mas não para ser visto... exceto, claro, pelos olhos aguçados do rei dos endermen.

À direita da entrada do túnel, Érebo notou que a jaula de ferro, ainda com sua prisioneira de cabelos ruivos trancada, agora estava em cima de um pedestal de pedra. Ele lançou um sorriso maldoso cheio de dentes para ela e depois virou-se para Malacoda.

— Onde está seu exército, enderman? — inquiriu Malacoda.

— A maior parte dele foi destruída. Alguns soldados estão a caminho, mas muito poucos.

Érebo abaixou a cabeça, como se demonstrasse respeito, pois sabia que Malacoda seria perigoso quando soubesse das novidades. Reunindo seus poderes de teleporte, preparou-se para sumir caso o ghast o atacasse, mas descobriu que não parecia capaz de atrair as partículas púrpura para si; não conseguiria ser teleportado.

Viu um sorriso maldoso estampado na cara de bebê do rei do Nether, seus olhinhos redondos cintilarem com um tom vermelho-vivo. A ponta de seus tentáculos de ghast emitiam um brilho alaranjado suave, como se estivessem engendrando alguma espécie de magia.

— Estava de saída, Érebo? Já?

— Ahhhh... não... eu só estava...

— Chega de desculpas! — ribombou Malacoda. — Você ainda me tem utilidade, e é só por isso que continua vivo. Agora me diga o que aconteceu com aquele arremedo de exército que você comandava!

— Foi o Usuário-que-não-é-um-usuário — respondeu Érebo, e uma expressão de raiva formou-se na cara escura ao mencionar o nome de seu inimigo. — Ele reuniu um grande exército de NPCs, e eles estavam à espera. Não sei como, mas ficaram sabendo que íamos atacar. Suas fortificações eram adequadas, mas não foram o bastante para nos frear.

— Mas, apesar disso, você chega a mim derrotado. Por que, enderman?

— É que ele tinha golens de ferro... ahhh... meu senhor.

— Como assim? — perguntou Zumbibrine, dando um passo à frente. — Ele comandava golens de ferro? Como eles eram? Eram todos idênticos, ou um deles trazia uma coroa de folhas?

— Sim, um deles era exatamente assim, usava uma coroa de vinhas e folhas em torno da cabeça — explicou Érebo.

Zumbibrine virou-se e olhou para trás, para a entrada do túnel. Érebo, com seus olhos argutos de enderman, percebeu que o artífice de sombras escondido na penumbra parecia inquieto e seus olhos brilhavam mais que o normal. Dava a impressão de que Zumbibrine estava de alguma maneira se comunicando silenciosamente com aquela criatura. Quando a conversa telepática dos dois terminou, Zumbibrine virou-se para encarar Malacoda.

— Eles estão com a primeira chave! — explicou o verde artífice de sombras. — Os golens de ferro eram os guardiães da Rosa de Ferro, e o rei dos golens jamais abdicaria de seu posto a menos que a Rosa fosse roubada.

Malacoda olhou carrancudo para Érebo, como se aquilo fosse de alguma forma culpa dele.

— Devem ter recebido ajuda — interveio o rei dos endermen. — O jeito como usaram a terra para derrotar nossas forças, plantando árvores que cresciam num instante e usando grama para aprisionar minhas aranhas na última batalha... devem ter recebido ajuda de alguém.

— E por que motivo eu não fiquei sabendo de nada disso? — vociferou Zumbibrine.

Este virou-se para olhar carrancudo para trás, para a entrada do túnel, e em seguida novamente para Érebo e Malacoda.

— Eles estão recebendo ajuda dos artífices de luz — explicou Zumbibrine.

Levando as mãos à boca, o artífice de sombras soprou por entre seus dedos verdes, soltando um assovio agudo, que machucou os ouvidos de todo mundo. Ouviu-se um farfalhar vindo do túnel, quando todos os artífices de sombras emergiram da passagem escura.

— Precisamos ir atrás do exército de luz e destruí-lo — declarou Zumbibrine. — Eles estão com a primeira chave e devem ser destruídos. É hora de atacar.

— Não! — exclamou Érebo.

Todos os olhos se voltaram para o alto enderman.

— Vamos deixar que o Usuário-que-não-é-um-usuário nos leve até a segunda chave. Que ele lute contra os monstros que protegem essa chave. Depois que ele destravar a Fonte para nós, atacaremos.

— Você fala como se estivesse no comando — disse Malacoda, com um tom agressivo.

Érebo convocou seus poderes de teleporte, mas novamente descobriu que aquela sua habilidade estava, por enquanto, neutralizada. Viu as pontas dos tentáculos de Malacoda cintilarem muito ligeiramente; devia ser assim que ele aniquilava seus poderes de teleporte. Érebo olhou fundo nos olhos odiosos de Malacoda, fez uma mesura e estendeu os braços compridos num floreio.

— Meu único desejo é servir ao rei do Nether — guinchou ele.

Malacoda olhou para Érebo e sorriu.

— É bom ver que você conhece bem seu lugar, enderman — disse Malacoda. — Mas resolvi que vamos atrás do Usuário-que-não-é-um-usuário e destruí-lo quando *eu* estiver preparado. — Virando-se, olhou para seus esqueletos wither. — Reúnam as tropas, vamos partir assim que possível.

— E a prisioneira? — perguntou um dos blazes, a voz cheia de zumbidos mecânicos.

— Nosso animalzinho de estimação ficará bem aqui. Meus esqueletos wither cuidarão dela, para que fique bem guardada.

— Você é muito sábio — elogiou Érebo, com voz fraca. — Mas talvez seja melhor levá-la para os túneis e rodeá-la de lava, tornando a fuga impossível.

— Não preciso de nenhuma lava para guardar meu animalzinho — vociferou Malacoda. — Vou deixar alguns de meus esqueletos wither como sentinelas. Eles não falharão comigo do modo como você falhou.

Malacoda olhou para o general wither e assentiu. O monstro escuro ergueu o arco cintilante que roubara de Caçadora à guisa de cumprimento e, em seguida, com um gesto, convocou seus camaradas. Pelo menos vinte esqueletos enegrecidos rodearam a jaula onde estava a prisioneira, todos com as armas a postos.

O rei dos endermen empertigou-se, foi até um de seus subalternos e disse em voz baixa:

— Não saia daqui e fique de olho na prisioneira. Mas não deixe que o vejam. Se acontecer qualquer coisa, quero que me comunique — ordenou Érebo. — Entendeu?

O enderman assentiu e em seguida recuou, sumindo em meio às árvores desfolhadas. Seu vulto escuro franzino parecia tão sem vida quanto os galhos nus das árvores.

Então, subitamente, Érebo sentiu um formigamento percorrer seu corpo. Era como se ele estivesse ficando de alguma maneira mais forte. Olhou ao redor e não viu nada de incomum, tampouco alguém notou as mudanças que estavam acontecendo no interior de seu corpo vermelho-escuro. Mas, ao olhar para a entrada do túnel, viu que o artífice de sombras de olhos brilhantes fazia alguma coisa; as mãos atarracadas moviam-se depressa numa mancha de agitação. Então suas mãos pararam, e, no mesmo instante, o formigamento também. O artífice de sombras olhou para o rei dos endermen, lá da entrada do túnel, e seus olhos emitiram um brilho extremo. Em seguida ele deu um sorriso maldoso para Érebo, como se soubesse de alguma coisa que o enderman não sabia...

CAPÍTULO 20
SONHANDO ACORDADO

Enquanto cavalgava de volta para o norte, Gameknight sonhava acordado. Estava dando um descanso ao cavalo depois do galope angustiante durante a fuga dos golens de ferro. Naquele momento, permitiu-se relaxar um pouco.

Ele conduzira os gigantes de metal por uma trilha estreita que atravessava a fenda de uma geleira. Fizera a trilha de terra para aprisionar os golens no outro lado, e a artimanha havia funcionado. Eles o seguiram pela trilha estreita como camundongos, como gigantescos camundongos metálicos perseguindo um pedaço de queijo, mas, quando chegaram ao outro lado da fenda, Gameknight virou para a direção contrária e disparou correndo pela trilha. Em seguida, destruiu a ponte de terra com TNT e, assim, aprisionou os monstros do lado oposto. A fenda estendia-se indefinidamente de ambos os lados; os golens ficariam presos... mas por quanto tempo? Gameknight ainda se lembrava da cara furiosa do rei dos golens ao olhar para ele, os olhos escuros ardendo de ódio. A guinchante voz metálica do monstro ainda ecoava em seus ouvidos:

"*Você não escapará de nossa fúria*", dissera o rei dos golens, do outro lado da ravina. "*E nada conseguirá nos impedir! Vamos tomar de volta o que é nosso; a decisão é sua se vai morrer por isso ou não.*"

Ele estremeceu quando aquela lembrança o encheu de medo. Gameknight sabia que o rei dos golens só desistiria depois de recuperar a Rosa de Ferro.

Seu cavalo trotava, e o balanço do animal pareceu acalentá-lo, fazendo-o cair num *sono* acordado. As lembranças das *pessoas* de seu *passado* vieram à tona de seu inconsciente... os pais *dele*... sua irmã... Shawny... a *equipe do Minecraft*, da qual ele fora um membro, a *Equipe Apocalipse*... até que os trollou e acabou expulso. Mas, enquanto *sua mente flutuava através* dessas lembranças, como num sonho, *uma voz familiar começou a agitar* sua mente, lá no fundo. Era uma *voz que ele não ouvia pelo que parecia ser uma eternidade, a voz de seu amigo*, provavelmente seu único amigo.

A voz de Shawny.

Ele chamava Gameknight, digitando seu nome sem parar. Era igual à vez em que Gameknight contatara Shawny na vila do Artífice. Pensar naquela vila o fez soltar um suspiro. Ele tinha saudade daqueles tempos mais simples, quando só havia Minecraft, e não essa batalha maior-que-a-vida que agora enfrentava. Porém, justamente quando ele ia responder ao amigo, a voz desapareceu e foi substituída por outra voz, também familiar... Caçadora.

Uma visão veio à mente de Gameknight, a imagem de Caçadora presa em uma jaula de ferro. Ela sacudia as barras da prisão e chamava seu nome enquanto um grupo de withers observava tudo, dando gargalhadas que chacoalhavam seus ossos. Atrás dela, ele viu uma série de finos picos rochosos, cujos cumes irregulares elevavam-se até as alturas. Uma névoa prateada os circundava, e seus tentáculos flutuantes lentamente desciam pelos altos cumes. As montanhas eram estreitas e tortuosas, como espiras recurvas de pedra, que houvessem sido distorcidas por alguma coisa vil e malévola. No sopé de uma dessas montanhas ele avistou a enorme entrada de uma caverna, e a escuridão que existia ali dentro o encheu de pavor.

De repente, Caçadora parou de gritar e olhou diretamente para Gameknight. Os withers pareceram sumir enquanto uma névoa prateada aparentemente a envolvia.

— Usuário-que-não-é-um-usuário, você precisa me resgatar — pediu ela, a voz calma enquanto as barras de ferro aos poucos desapareciam.

Agora ela flutuava, e a névoa prateada rodopiava ao seu redor em grandes correntes turbulentas. O vibrante cabelo ruivo era arrastado por aquelas correntes prateadas, dando a impressão de que ela havia sido envolvida em alguma espécie de selvagem aura mágica. Os profundos olhos castanhos fitaram os de Gameknight, e ele se deu conta de que ela conseguia enxergá-lo também.

— Chegou a hora de você ser o Usuário-que-não-é-um-usuário das profecias. A hora chegou, mas antes você precisa me salvar. Conheço os planos deles. O exército está marchando para uma armadilha. Érebo e Malacoda estão planejando...

De repente ela foi lançada para fora da Terra dos Sonhos. O cavalo de Gameknight se pôs a galopar quando um creeper saiu de trás de uma árvore e se detonou. A explosão abriu uma enorme cratera na terra, mas a velocidade do cavalo o salvou.

— Preciso salvá-la antes que seja tarde demais.

Enfiou os calcanhares na montaria e saiu a galope, rumo ao norte. Enquanto disparava pela paisagem, os limites serpenteantes de um exército entraram em seu campo de visão.

Era a retaguarda.

Eles avistaram aquela figura solitária se aproximando e assumiram uma formação defensiva, com a infantaria na frente e os arqueiros atrás. Mas, quando Gameknight se aproximou um pouco mais, os soldados o reconheceram e soltaram vivas.

— O Usuário-que-não-é-um-usuário voltou!

Enquanto Gameknight seguia a cavalo até a frente da coluna, a notícia de sua chegada se espalhava adiante, e, ao finalmente chegar na dianteira, o exército já havia parado a marcha.

Pedreiro já desmontara quando Gameknight o encontrou. Costureira ocupava a sela à frente de Artífice, o arco brilhante na mão e uma seta preparada, claro. Gameknight cavalgou direto até Pedreiro e desmontou, depois fez sinal para que Artífice e Costureira se aproximassem.

— Vejo que o Usuário-que-não-é-um-usuário sobreviveu às provações com os golens e voltou para juntar-se a nós — disse Pedreiro. — Espero que não tenha destruído todos os golens.

— Eles ainda estão todos a salvo — respondeu Gameknight. — Eu os atrasei, mas, se não agirmos depressa, ainda poderão nos surpreender.

Sentiu um par de braços envolver seu peito. Olhou para baixo e viu que era Costureira, que o olhava com um sorriso.

— Eu sabia que você iria voltar — disse ela. — Bem que eu disse a Artífice...

— Agora não temos tempo para isso — interrompeu Gameknight. — Malacoda e Érebo estão planejando alguma coisa, Pedreiro. Você está conduzindo o exército até uma espécie de armadilha.

— Armadilha! — exclamou o grande NPC, sacando a espada num experiente movimento fluido.

O som das demais espadas sendo desembainhadas retiniu quando os soldados próximos viram a reação de Pedreiro e se prepararam para o combate.

— A armadilha não está aqui... pelo menos é o que eu acho — explicou Gameknight.

— Então onde ela está? — perguntou Artífice, atrás de Costureira. Ele também havia sacado a espada.

— Não sei, mas Caçadora me disse que...

— Caçadora... você falou com minha irmã?

— Sim. Conversamos na Terra dos Sonhos. Ela ouviu o monstro relatando seus planos. Precisamos salvá-la... agora!

— Espere um pouco — disse Pedreiro, enquanto baixava a espada. — Você falou com Caçadora num sonho e quer que eu mande meu exército para salvá-la?

— Isso mesmo — retrucou o Usuário-que-não-é-
-um-usuário.

— E onde ela está?

Gameknight subitamente caiu em silêncio. Não tinha certeza. Olhou ao redor e não viu nada que sugerisse onde a amiga estava presa, mas então seu olhar caiu sobre cinco picos pontudos que se destacavam em meio à folhagem, ao longe. Eram cinco estreitas montanhas rochosas cujas elevações curvavam-se para um lado e para o outro, tortuosas. Fechou os olhos e lembrou-se da aparência daquelas montanhas em seu sonho, a aparência distorcida e sofrida que tinham, com árvores mortas e desfolhadas espalhadas pela superfície. Ao abrir os olhos, Gameknight pegou a espada de diamante encantada e apontou para os picos.

— Ela está ali — disse, com um tom repleto de confiança. — E vou salvá-la.

— Olhe... Gameknight... Entendo que se sinta culpado por Caçadora ter sido capturada na fortaleza de Malacoda no Nether — disse Pedreiro. — Mas partir para uma aventura maluca, sem ter mais nada em que se basear a não ser um sonho, não vai trazê-la de volta. Não há mais nada que você possa fazer.

— NÃO! Eu vou salvá-la... sozinho se for necessário, mas eu *vou* salvá-la!

— Sozinho, não! — vociferou Costureira, com o arco encantado na mão.

— Você vai também? — perguntou Pedreiro, exasperado.

Costureira assentiu.

Gameknight enfiou a mão em seu inventário e sacou de lá a Rosa de Ferro. Quando as pétalas metálicas cintilaram com uma pureza que parecia afastar a luz tingida de vermelho do sol mórbido, uma luz branca preencheu tudo ao redor. Ele entregou a Rosa para Pedreiro.

— Leve-a e siga a força dela até encontrar a segunda chave — disse Gameknight. — Vou salvar Caçadora e depois volto.

— Mas como você vai nos encontrar sem a Rosa? — perguntou Pedreiro.

— Eu vou... guiá-lo de volta — disse uma voz gaguejante.

Pastor deu um passo à frente e postou-se ao lado de Gameknight, altivo.

— Posso sentir meus animais a uma... longa distância. Eles vão nos guiar... nos guiar até vocês.

Gameknight olhou para o jovem magricela, estendeu a mão e deu-lhe um tapinha no ombro. Ouviu os risinhos zombeteiros e os comentários que foram dirigidos a Pastor, que curvou ligeiramente os ombros e olhou para o chão, enquanto os bullies sem rosto o torturavam com os insultos sussurrados. A única coisa que ele queria era ajudar seu amigo, e Gameknight respeitava isso. Olhando de Pastor para Costureira, o Usuário-que-não-é-um-usuário endireitou os ombros e retribuiu o olhar de Pedreiro.

— Estamos em três e vamos salvar Caçadora.

— Três não: quatro — declarou Artífice, dando um passo à frente e passando um braço em torno do ombro de Pastor. O garoto magricela olhou para Artífice e sorriu, depois tornou a olhar para Gameknight, com um ar de adulação pelo seu herói.

Gameknight levantou uma das mãos, com quatro dedos esticados, e sorriu para Pedreiro.

— Pelo visto estamos em quatro — disse o Usuário-que-não-é-um-usuário.

— O Quarteto Fantástico — zombou Pedreiro, mas em seguida sorriu.

Mas nenhum de nós é careca, pensou Gameknight, enquanto se lembrava daquele filme antigo.

— Voltaremos em breve com nossa amiga e então cuidaremos de Malacoda e Érebo.

Pedreiro assentiu e fez sinal para que um dos soldados próximos providenciasse cavalos. Montarias foram trazidas, uma para cada um deles. Depois que montaram, Pedreiro foi até Gameknight e disse em voz baixa, desejando ser ouvido apenas por ele:

— Não se esqueça de qual é o objetivo maior aqui... salvar Minecraft.

— Claro.

— Morrer tentando salvar uma única pessoa não serve de nada.

— Não deixarei ninguém para trás — retrucou Gameknight. — A dedicação aos amigos é o que nos diferencia daqueles monstros.

E dos bullies, pensou ele.

— Voltaremos, prometo.

— Vou cobrar essa promessa — garantiu Pedreiro, e, em seguida, o NPC grandalhão lhe deu o sorriso enorme e contagiante pelo qual era famoso.

Gameknight sorriu também, depois puxou as rédeas e partiu em direção às montanhas escarpadas ao longe, com os três amigos ao lado.

CAPÍTULO 21
AS MONTANHAS ESCARPADAS

Eles cavalgaram em direção às montanhas escarpadas em silêncio, cada um exigindo o máximo possível de sua montaria, mas sem deixar que elas chegassem à completa exaustão. Quando se aproximaram dos altos picos, Gameknight percebeu que o sopé das três montanhas era gigantesco, com no mínimo cem blocos de comprimento.

Como saber em qual das cinco montanhas Caçadora está presa, e em que ponto do seu perímetro?

A tarefa parecia quase impossível.

— Para que montanha vamos primeiro? — perguntou Artífice.

Gameknight deu de ombros.

— Não sei. Só vi a prisão dela bem de perto; nessa distância tudo parece igual.

— Sabe — acrescentou Artífice —, minha tia-avó Padeira certa vez me disse que, "quando perdemos nosso caminho, só precisamos fechar os olhos e escutar... a nós mesmos e a Minecraft".

— Claro, fechar os olhos! — disse Gameknight, enquanto conduzia o cavalo até a base de um grande carvalho. Um dos picos altos e montanhosos assomava ali perto.

Desmontou e rapidamente deitou-se sobre a grama.

— O que você está fazendo? — perguntou Costureira.

— Vou encontrar Caçadora — respondeu Gameknight. — É melhor vocês desmontarem, não tenho certeza de quanto tempo isso vai durar.

Depois de ajustar a espada e a armadura, tentando ficar confortável, ele lentamente fechou os olhos. Mas a última coisa que viu foi Pastor correndo em direção à floresta, murmurando alguma coisa. Sentou-se depressa e olhou para Artífice, depois novamente para o garoto.

— Pastor, o que está fazendo? — perguntou Gameknight.

— Mais amigos... precisamos de mais amigos — respondeu ele, depois virou-se e sumiu entre os galhos folhosos das árvores.

— Ele vai voltar? — Quis saber Gameknight.

— Mas claro — retrucou Costureira.

— E como você sabe?

— Porque ele jamais abandonaria você — explicou Costureira. — Você é como um pai para ele. Ele o respeita e o tem como exemplo, e não quer outra coisa a não ser sua aprovação... você não enxerga? Tudo o que ele faz é para agradar você. Você é a família dele agora, tal como Caçadora é a minha. Pastor e eu somos muito parecidos; jamais desistimos de nossas famílias.

Aquelas ideias rodopiaram na cabeça de Gameknight. *Como um pai para ele... mas sou só um garoto.*

Não posso pensar nele como um filho... isso é errado... OK, talvez um irmão menor, como minha irmã, só que menino. Suspirando, sentindo o peso de ainda mais responsabilidade acumular-se pesadamente em sua alma, ele fechou os olhos e tentou dormir. Claro que, sem Pastor por perto, Costureira e Artífice olhando fixo para ele e a montanha aterrorizante assomando acima... era difícil descansar. Mas ele fechou os olhos e esticou a mente em direção à Terra dos Sonhos... *e de repente, estava lá.*

A névoa prateada rodopiava ao seu redor. Desembainhando a espada, ele caminhou com cuidado pela neblina. Esta era a terra de Érebo tanto quanto era a sua própria, e ele precisava ter cautela. Esticando ainda mais a mente, tentou sentir a presença de Caçadora, sua coragem tenaz, sua vontade de viver... e então ali estava ela.

Gameknight estava diante de uma estranha floresta, com árvores sem nenhuma folhagem, os galhos nus. Aquilo lhes dava uma aparência atormentada e enferma, que fez com que Gameknight não sentisse a menor vontade de tocar sua casca lisa sem vida. Ao olhar por trás de um dos troncos, avistou Caçadora dentro de uma jaula de ferro que fora colocada no topo de uma coluna de pedra. Uma dúzia de esqueletos wither montava guarda ao seu redor, talvez até mais, cada qual com um olhar de ódio malévolo estampado nos rostos ossudos. A entrada do enorme túnel ao lado da sua prisão era escura e ameaçadora, e um pouco mais acima dela, uma formação rochosa irregular despontava da encosta da montanha. À esquerda, Gameknight avis-

tou uma cachoeira caindo de uma fenda na encosta, uma queda de no mínimo vinte blocos, a água dando origem a um grande lago.

Olhando ao redor, ele viu mais daquelas árvores desfolhadas de aparência enferma que vira antes por ali. Era assim que ele iria encontrá-la.

— Acorde... acorde... acorde.

Gameknight abriu os olhos e sorriu.

— Você a encontrou? — perguntou Costureira.

Gameknight sorriu e assentiu.

A garota enlaçou o peito do Usuário-que-não-era-um-usuário num abraço e apertou-o com força, esmagando-o de leve: ele ficou feliz por estar usando uma armadura de diamante. Desfazendo o abraço, ela olhou nos seus olhos.

— Para que lado?

Ele olhou os cinco picos e viu que todos tinham algumas árvores espalhadas pela sua superfície, mas que o mais próximo exibia apenas troncos nus.

— Aquela — respondeu Gameknight.

— Então vamos! — exclamou Costureira.

— E quanto a Pastor? — perguntou Artífice, trazendo os cavalos para perto.

— Ele terá que nos alcançar — respondeu Gameknight, saltando no lombo de seu cavalo. — Tenho certeza de que conseguirá nos encontrar. Tenho confiança nele. Agora vamos, precisamos seguir em frente. Temos de encontrar Caçadora antes do cair da noite.

Os três amigos rumaram até a montanha. Enquanto isso, Gameknight ia olhando por entre a floresta, na esperança de encontrar Pastor correndo na direção deles. Porém, nada viu. De vez em quando ouvia os uivos dos lobos... muitos deles. Mas nada de Pastor.

Suspirando, seguiu caminho, torcendo para que estivesse fazendo a coisa certa.

CAPÍTULO 22
O ATAQUE DOS LOBOS

Gameknight ia na frente, conduzindo o cavalo pela borda da floresta, a montanha agora assomando sobre eles como uma garra poderosa esticada em direção ao céu. Eles viram o sopé da montanha, mas seu perímetro era amplo, e, sem a visão que Gameknight tivera na Terra dos Sonhos, eles passariam dias vasculhando a área inteira.

Movendo-se o mais silenciosamente possível, o Usuário-que-não-era-um-usuário procurava um sinal que indicasse que eles estavam chegando perto.

Então ele o viu.

Era uma árvore sem vida de aparência doente, com todos os galhos nus. Ao se aproximar, Gameknight viu pequenos montinhos de cinzas no chão, como se as folhas de alguma maneira houvessem sido queimadas. Artífice olhou para as cinzas e, em seguida, pousou a mão reverentemente sobre a árvore, sentindo o tronco nodoso. Gameknight viu uma lágrima escorrendo pelo rosto jovem e a raiva em seus olhos sábios enquanto ele acariciava a casca da árvore.

— Que espécie de criatura seria capaz de fazer isso com uma árvore inocente? — rosnou Artífice.

— Está dizendo que isso não é algo natural? — perguntou Gameknight.

— Não — vociferou Artífice. — Foi feito de propósito, por maldade e ódio. — Afastou os olhos da árvore e olhou sério para Gameknight999. — Precisamos encontrar essa criatura e destruí-la antes que possa prejudicar Minecraft ainda mais.

— Que tal salvarmos Minecraft primeiro? — retrucou Gameknight. — Depois vamos atrás de seu assassino de árvores.

— Ele não matou essas árvores — vociferou Artífice. — Ele as machucou. Retirou sua capacidade de crescer e as deixou aqui sofrendo uma vida dolorosa e inútil. Nada mais irá crescer por aqui, mesmo que cortemos esta árvore. Essa criatura machucou o próprio Minecraft, e devemos apanhá-la.

— Como bem disse o Usuário-que-não-é-um-usuário — interrompeu Costureira. — Primeiro vamos salvar Minecraft e, para isso, antes precisamos encontrar minha irmã.

Gameknight desmontou do cavalo e amarrou as rédeas no galho nu da árvore. Em seguida, fez um sinal para que os outros o imitassem.

— A partir daqui devemos seguir a pé — sussurrou. — Agora o mais importante não é a velocidade, é agirmos em segredo, e o barulho dos cascos dos cavalos poderia nos entregar.

Os outros dois assentiram e desmontaram também, depois prenderam os cavalos ao galho nu da árvore. Desembainhando a espada, Gameknight andou cautelosamente para a frente, cuidando para não pisar em nenhum dos galhos caídos ou das folhas secas no chão. Enquanto caminhava, pensava na Terra dos Sonhos e como era o local ao redor da jaula de Caçadora. Lembrava-se que havia árvores sem vida por toda parte, mas também se lembrava de algo mais... de uma cachoeira que descia pela encosta da montanha.

Gameknight parou por um instante, fechou os olhos e ficou à escuta.

— O que foi? — perguntou Artífice, olhando para todos os lados em busca de algum perigo ou ameaça.

Gameknight levantou a mão para silenciar o amigo e inclinou a cabeça quadrada ligeiramente para um lado. Tentando ampliar todos os seus sentidos, escutou a música tensa e opressiva de Minecraft. Ouviu o cacarejar de algumas galinhas ali perto... depois uma vaca mugindo... então o uivo de alguns lobos... e em seguida...

Ele o encontrou: o som da queda-d'água.

Abrindo os olhos, apontou para a esquerda.

— É para lá — sussurrou.

Gameknight agachou-se e seguiu lentamente para a frente. Tanto Costureira quanto Artífice perceberam que as letras que flutuavam sobre a cabeça de Gameknight perderam significativamente o brilho quando ele se agachou, e então o seguiram, com as armas a postos. À medida que iam abrindo caminho pela floresta, o som da queda-d'água ia aumentando, mas por outro lado o som de paus sendo brandidos uns contra os outros também.

Esqueletos...

Gameknight virou-se e olhou para Artífice, fazendo um sinal na direção daquele barulho.

— Está ouvindo? — sussurrou.

— Sim, estou.

— Parece que são muitos — comentou o Usuário-que-não-é-um-usuário.

— Precisamos de um plano — sugeriu Artífice.

— Vamos primeiro chegar mais perto e espiar, depois bolamos um plano.

Artífice concordou e continuou seguindo em frente. Os três companheiros andavam silenciosamente pela floresta, indo de árvore em árvore para não serem vistos. O cintilar iridescente da espada de Gameknight e do arco de Costureira lançava ao redor deles um sutil brilho azul. Ele se perguntou se aquilo não poderia entregá-los. Embainhou a espada e fez sinal para que Costureira também guardasse seu arco encantado. Com as armas mágicas guardadas em seus inventários, o trio se misturou às árvores enquanto a luz rosada do sol, filtrada pelo que restara da abóbada verdejante, lançava áreas de luz confusas sobre seus corpos.

Ao se aproximarem dos sons trepidantes dos ossos dos esqueletos, Gameknight percebeu que mais árvores tinham aquela aparência nua e enferma — havia montinhos de cinzas por toda a parte. Artífice tocava reverentemente a casca de cada árvore ao passar, murmurando algo baixinho enquanto o rosto assumia uma expressão cada vez mais furiosa.

Parando um instante, Gameknight999 encostou as costas em uma das árvores desfolhadas e ficou à escuta. Costureira e Artífice fizeram o mesmo. Agora era possível ouvir claramente os esqueletos, sua fala gutural e trepidante, difícil de compreender. Pelo som, deviam estar logo depois do morro seguinte. Gameknight voltou a agachar-se e rumou cautelosamente até a elevação, fazendo sinal para que seus companheiros ficassem onde estavam. Escondendo-se atrás de um enorme carvalho sem folhas, olhou ao redor de seu tronco. Mais além do morro, avistou a grande caverna na encosta da montanha e a formação rochosa logo acima dela. A distância, viu a cachoeira alta, sua coluna aquosa despencando pela encosta até cair com força num grande lago. Era aquele o lugar.

Ele foi até a árvore seguinte; dali podia ter uma visão melhor da área. Havia uma clareira em frente à boca escura do túnel, onde um grupo de esqueletos wither montava guarda. Em um dos lados da entrada, Gameknight viu Caçadora presa em uma jaula de ferro colocada sobre três blocos de pedra, mas em seguida gelou. Agora conseguia ver claramente os withers. Deveria haver pelo menos vinte, cada um deles armado com uma espada de ferro e um arco encantado.

Como podemos lutar contra esses vinte monstros se somos apenas três?

Ele precisava abrir a porta da jaula e entregar um arco para Caçadora. Com ela, seriam quatro combatentes contra os esqueletos, e, se bem conhecia Caçadora, ela provavelmente valia por dois. Então ele se lembrou de uma frase que ficava na parede da sala do Sr. Planck, extraída de *A arte da guerra*, de Sun Tzu: "No meio do caos, existe a oportunidade." Era disso que precisavam, do caos... de uma distração. Precisavam de algo que desviasse a atenção dos esqueletos para que alguém pudesse soltar Caçadora e colocar um arco em suas mãos.

Desceu silenciosamente o morro e voltou para o lado de Artífice, depois fez um sinal para que Costureira se aproximasse.

— Eu vi Caçadora... ela está lá.

O rosto de Caçadora se iluminou de empolgação e esperança.

— Mas tem pelo menos vinte esqueletos wither montando guarda.

O brilho no rosto dela diminuiu um pouquinho.

— O que precisamos é de uma distração — continuou Gameknight. — Algo que afaste os esqueletos para que possamos abrir a jaula onde ela está. O problema é que vamos precisar de...

De repente, da floresta veio o som de lobos, de uivos de lobos irritados... e famintos. Gameknight percebeu que eles ainda estavam longe, mas que se aproximavam depressa.

— Lobos? — perguntou Costureira. — O que vamos fazer?

Era uma coisa terrível combater uma matilha furiosa de lobos. Eles atacavam de todos os lados, e suas mandíbulas destroçavam o inimigo com eficiência impiedosa. E, pelo visto, naquele instante a matilha estava vindo exatamente na direção deles.

— Depressa, atrás de mim! — exigiu Gameknight, enquanto desembainhava a espada de diamante. — Vamos ficar costas contra costas.

Artífice e Costureira seguiram o Usuário-que-não--é-um-usuário e sacaram as armas, preparando-se para a batalha.

Então ouviram o som de pés correndo pela floresta, de galhos sendo partidos, de folhas secas estalando. Como uma tempestade que chegava cada vez mais perto, o som das patas correndo tornou-se mais intenso à medida que elas se aproximavam dali. Os uivos aumentaram de volume, mas agora vinham acompanhados também de grunhidos irados... aqueles animais estavam furiosos, furiosos de verdade.

Cubinhos de suor se formaram na testa de Gameknight, que segurava firme sua espada, de frente para a ameaça iminente. Ele se lembrou de que certa vez lutara contra uma matilha de lobos, na época em que Minecraft não passava de um jogo. E a coisa não terminara nada bem. Agora, mais uma vez ele precisava enfrentar uma matilha. Virou-se, olhou para Artífice e Costureira e sorriu, torcendo para encorajá-los um pouco. Os dois pareciam aterrorizados, pois sabiam qual era o resultado provável de uma luta contra uma matilha inteira de lobos.

Então os lobos vieram para cima deles.

Criaturas enormes e peludas foram correndo na direção dos três. Gameknight percebeu que estavam iradas; seus olhos cintilavam com um brilho vermelho-vivo. A distância, percebeu que a matilha devia ter no mínimo trinta lobos, se não mais; eles não tinham a menor chance de sobreviver a um ataque daqueles. Cada lobo trazia uma coleira colorida no pescoço, mas Gameknight não entendia o motivo daquilo; o medo e o pânico haviam tomado conta de sua mente. Segurando a espada com firmeza, preparou-se para enfrentar o primeiro par de mandíbulas poderosas.

Porém, então, a gigantesca matilha de lobos passou direto.

Mais pareciam pequenas balas brancas ao dispararem direto por eles, trançando caminho por entre as árvores sem folhas. Os lobos subiram o morro e, em seguida, mergulharam do outro lado, como uma onda branca irrefreável.

Quando o último lobo passou, Costureira gritou:

— É Pastor!

Gameknight virou depressa a cabeça e avistou Pastor correndo atrás do último lobo.

— Oi, Gameknight! — cumprimentou o garoto magricela, enquanto disparava correndo, com um enorme sorriso.

— O quê? — Gameknight estava confuso.

— Vamos, eles estão atacando os esqueletos! — berrou Artífice, subindo o morro.

Ainda em estado de choque, Gameknight também subiu correndo o morro e, em seguida, parou no alto. O que viu o deixou estupefato. A clareira estava um caos; lobos brancos guerreavam contra withers enegrecidos. Dentes afiados mordiam ossos escuros, enquanto espadas de ferro rasgavam carne peluda.

— Vamos, precisamos ajudar! — berrou Costureira.

— Não. Vá soltar a sua irmã! — gritou Gameknight, enquanto atirava para ela uma picareta de diamante.

Costureira apanhou a arma em pleno ar e saiu correndo em direção à jaula de ferro. Gameknight foi logo atrás dela. Entrando na batalha, Gameknight brandiu sua espada encantada com cada grama de força que tinha. Abaixou-se para se desviar de uma lâmina de ferro e, em seguida, arremeteu contra um dos esqueletos, depois girou o corpo e, com sua espada de diamante, bloqueou o ataque de outro. Rolando por baixo de mais uma lâmina de ferro, Gameknight decepou as pernas de um atacante, depois virou-se e atravessou o corpo de um outro monstro ossudo.

Olhando por cima do ombro, viu que Artífice estava preso numa dança mortal com um dos monstros e que o esqueleto obrigava seu amigo a recuar, mas então dois lobos atacaram a besta negra, mordendo suas pernas e braços. O monstro sumiu em meio a uma nuvem de ossos e esferas de XP. Os esqueletos aos poucos iam perdendo a batalha, mas ainda havia muitos deles vivos, e basta um para matar alguém.

Arremetendo para a frente, Gameknight conteve o braço que segurava a espada de um esqueleto assim que este estava prestes a descê-la sobre um lobo ferido. Arrancou a espada da mão do monstro e derrubou-o no chão enquanto dois outros lobos caíam sobre ele, consumindo seu HP em questão de segundos.

Clank!

Uma flecha ricocheteou em sua armadura de diamante, fazendo-o recuar três passos. Tinha sido atingido pela seta de um arco... de um arco encantado.

Virou-se e viu, do outro lado do campo de batalha, um esqueleto wither empunhando um arco mágico, preparando uma flecha que mirava diretamente nele. O wither soltou a flecha. Gameknight a viu espiralando pelos ares, em sua direção. Era como assistir a um filme em câmera lenta. A flecha que se aproximava o hipnotizou; sua mente pareceu ficar paralisada com aquela experiência. E então, de repente, ele foi derrubado no chão, Pastor estava em cima dele. Ouviu a seta passar zumbindo pelo seu ouvido e fincar com força na terra. Gameknight olhou para o esqueleto; viu que o monstro negro já tinha preparado mais uma flecha e que mirava sua cabeça. Ele havia perdido o elmo e a espada durante a queda; estava indefeso. O esqueleto wither lhe deu um sorriso ossudo enquanto retesava o arco, mirando a ponta da seta diretamente na cabeça do Usuário-que-não-é-um-usuário. Mas, antes que pudesse atirá-la, foi atingido por uma flecha na lateral do corpo e se desequilibrou. O esqueleto soltou a flecha exatamente no mesmo instante em que outra o atingia no peito.

— Não atire flechas nos meus amigos! — berrou Caçadora. — E eu com toda a certeza nunca lhe dei permissão para usar meu arco!

A flecha do esqueleto cravou-se no chão ao lado de Gameknight enquanto os projéteis de Caçadora atingiam de novo o peito do monstro... e de novo... e de novo. O monstro negro sumiu numa poeira de carvão e ossos.

— Ah, é isso aí! Assim que eu gosto! — exclamou Caçadora.

Então ela saiu correndo em direção a Gameknight enquanto os lobos destruíam o último dos esqueletos wither.

— Tudo bem com você? — perguntou ela, esticando a mão para ajudá-lo a se levantar.

Gameknight assentiu, depois virou-se e procurou por Pastor. Viu que ele estava caído, atingido por uma flecha na lateral do corpo. Gameknight estendeu uma das mãos quadradas para ajudar o garoto a se levantar.

— Tudo bem com você? — perguntou Gameknight.

Pastor tocou a flecha, que saía de seu corpo, e estremeceu de dor. Depois abriu um sorriso enorme.

— Eu disse... Bem que eu disse que a gente precisava de mais amigos — gaguejou Pastor.

— Bem, uma coisa não dá para negar: você trouxe os amigos certos — retrucou Gameknight, dando-lhe um tapinha nas costas. Aquilo fez o amigo estremecer de dor mais uma vez.

— Que bom que você encontrou uma matilha de lobos e não uma vara de porcos — acrescentou Artífice, enquanto se aproximava com um enorme sorriso no rosto jovem.

Aquilo fez Gameknight rir pela primeira vez em... sabe-se lá quanto tempo. A imagem de uma vara de porcos vindo ajudar Pastor fez com que desse uma risadinha.

Então Costureira chegou correndo e lançou-se nos braços da irmã. Caçadora imediatamente abaixou o arco e abraçou a irmã caçula enquanto lágrimas desciam por seu rosto. As duas ficaram ali, sem se mexer, abraçadas, cada qual grata pelo fato de a outra estar a salvo.

— Fiquei com tanto medo quando vi aquele ghast monstruoso levar você de volta para o Nether — sussurrou Costureira ao ouvido de Caçadora. — Gritei para chamá-la, mas eu estava longe demais. Quando finalmente consegui sair da fortaleza...você já não estava mais lá.

— Então você também estava ali... mas onde?

— Fui levada como prisioneira depois que eles... depois que eles destruíram nossa vila — explicou Costureira, pontuando os gritos de alegria com um instante de tristeza. — Mamãe e Papai...

— É... eu sei... eles se foram.

Então tanto Caçadora quanto Costureira começaram a chorar de novo, e, daquela vez, a alegria foi substituída pela tristeza quando finalmente a ficha de que seus pais não existiam mais caiu. Sua família fora arruinada pelos planos malévolos de Malacoda, e agora elas só tinham uma à outra. Saber disso fez com que ficassem abraçadas por um pouco mais de tempo, até que por fim Costureira soltou-se do abraço e olhou para a irmã mais velha.

— Fiz Gameknight999 prometer que viria salvar você — disse, enxugando as lágrimas dos olhos. Depois sorriu para o Usuário-que-não-era-um-usuário. — Então, aqui estamos nós.

— Bem, confesso que me sinto feliz por ele ter mantido a palavra — retrucou Caçadora, sorrindo para Gameknight. — Mas quem é esse? Acho que não conheço você.

Quando estendeu a mão para cumprimentar Pastor, percebeu a flecha que saía de seu flanco.

— Oh, não! Você foi ferido! — exclamou ela.

— Isso não é... não é nada — retrucou Pastor. — Eu já... já passei por coisas piores.

— Você é um mentiroso, Pastor — retrucou Costureira. — Está me dizendo que passou por coisa pior que ser atingido pela flecha de um wither?

O garoto magricela desviou os olhos, cheio de culpa, e ficou arrastando os pés no chão.

— Foi exatamente o que pensei — disse Costureira. — Mas você se saiu muito bem, Pastor. Sem seus lobos, não sei como teríamos conseguido salvar minha irmã. Obrigada.

Ela lhe deu um beijo na bochecha e depois um forte abraço.

O rosto do garoto magricela ficou vermelho, e ele desviou o olhar, constrangido. Naquele momento, Caçadora segurou a haste da flecha e puxou-a. Pastor soltou um grito de dor e surpresa. Um coro de rosnados de repente se fez ouvir na clareira quando os cerca de vinte lobos sobreviventes lentamente começaram a se aproximar de Caçadora. Mais que depressa, Pastor foi até a matilha com os braços abertos.

— Estes são amigos de Pastor — disse o garoto. — Vocês devem tratá-los da mesma forma como me tratariam.

Os olhos vermelhos aos poucos desbotaram para um tom amarelado, à medida que os animais se acalmavam e relaxavam.

— Precisamos ir, agora mesmo! — exigiu Caçadora. — Eu sei o que Malacoda está planejando fazer, e precisamos nos apressar.

— E o que é? — perguntou Artífice.

— Eu explico no caminho. Espero que vocês tenham trazido cavalos, porque neste momento a velocidade é nossa única aliada.

— Eles estão para lá — indicou Gameknight, apontando na direção das montarias com a espada cintilante.

— Então vamos logo! — disse Caçadora.

O grupo saiu correndo pela floresta. A matilha correu atrás deles enquanto se dirigiam até os cavalos. Nenhum deles, porém, viu o enderman escuro que observara toda a batalha do alto da formação rochosa que ficava em frente à clareira. O monstro sombrio observou o grupo correr por entre as árvores até que sumisse de vista. Em seguida, uma névoa de partículas púrpura o envolveu assim que ele começou a ser teleportado até seu rei... Érebo.

CAPÍTULO 23
O PLANO DE MALACODA

Depois que o enderman deu a notícia da fuga de Caçadora, Malacoda urrou de raiva, sua voz ribombante ecoou por toda a planície. Os gritos semelhantes ao de um gato e os berros de gelar o sangue fizeram todos os monstros que estavam por perto levar as mãos tensionadas aos ouvidos para não ouvirem aquele ruído terrível.

Érebo fincou pé e não se mexeu, mas tivera o cuidado de ficar longe do alcance de Malacoda quando a má notícia foi dada. Ele já vira a velocidade com que o rei do Nether era capaz de atacar com aqueles nove tentáculos, e não queria ser sua próxima vítima.

— Como assim, ela fugiu? — urrou Malacoda.

— *Ele* a libertou — respondeu Érebo, a voz aguda de nervosismo.

— *Ele*... você quer dizer aquele...

— Sim, o Usuário-que-não-é-um-usuário libertou sua prisioneira da guarda dos wither. Lembra quando lá na sua fortaleza do Nether eu lhe disse que esse tal de Gameknight999 é capaz de fazer o inesperado no momento mais inconveniente?

Malacoda apenas grunhiu e olhou para o outro lado.

— Bem, foi isso que ele fez aqui — disse Érebo. — Interrompeu a busca pela segunda chave da Fonte para salvar essa única NPC.

— Mas isso não faz o menor sentido! — exclamou Malacoda, com voz trovejante, flutuando ainda mais alto, os olhos ardendo com um vermelho intenso. — Por que ele desviaria todo o seu exército apenas para salvar uma única NPC?

— Ele não levou seu exército inteiro — respondeu Érebo, com um sorriso torto. — Foi só o Usuário-que-não-é-um-usuário e três NPCs.

O enderman ao lado de Érebo murmurou algo para seu rei.

— Ah, é! E uma matilha de lobos — acrescentou.

— Quatro combatentes e uns cachorros derrotaram meus esqueletos wither? — perguntou Malacoda, com incredulidade e ira estampadas na cara manchada. As cicatrizes em forma de lágrimas embaixo de seus olhos começaram a brilhar intensamente de raiva.

— Ah, sim... e eu já falei que Gameknight999 era o único usuário e que os outros três não passavam de jovens NPCs?

— O QUÊ?

Érebo sorriu.

Malacoda ficou possesso de raiva. Flutuando até um blaze ali perto, bateu seus nove tentáculos com a velocidade de um raio no corpo incandescente. Os golpes soaram como relâmpagos, e o HP da pobre criatura se extinguiu em segundos; agora apenas uns pauzinhos iluminados marcavam a existência do monstro de chamas.

— Com você deixou isso acontecer? — berrou Malacoda para Érebo.

O enderman deu um passo à frente e disse em voz baixa, para que apenas o rei do Nether ouvisse.

— Se bem se recorda... Vossa Majestade... eu recomendei que levasse a prisioneira para o interior dos túneis e que a deixasse rodeada de lava. — Érebo fez uma pausa, depois recuou para ter certeza de que estava longe do alcance de Malacoda. Então falou mais alto, para que todos pudessem ouvir. — O Usuário-que-não-é-um-usuário zomba de todos os monstros da Superfície e do Nether com este insulto. Porém, nós nos vingaremos o quanto antes!

— Eu quero vingança agora! Quero que ele seja destruído AGORA! — ribombou Malacoda. — Vamos atacar esses NPCs da Superfície e destruí-los imediatamente.

— Não — disse depressa Érebo, recuando outro passo.

— O que você disse? — rosnou Malacoda, a voz de gato cheia de fúria.

— Seria um erro... Suprema Realeza. — Érebo deu um passo à frente de novo, arriscando-se a receber a ira do ghast, mas abaixou a voz para que apenas o rei pudesse ouvi-lo. — Melhor deixar que esses NPCs tolos nos conduzam até a segunda chave e guerreiem com seja lá o que a está protegendo. Depois que conseguirem a chave, nós nos vingaremos. — Érebo então recuou um ou dois passos e levantou a voz guinchante para que todos pudessem ouvir: — Vamos roubar as chaves da Fonte da mão desses NPCs insignificantes e então a Fonte será nossa... e poderemos acabar com ela!

Érebo se teleportou até o alto de um pequeno morro, que o deixava na mesma altura de Malacoda. Olhou para o exército de monstros e abriu bem os braços escuros.

— Irmãos e irmãs, a vitória está muito próxima. Os NPCs são muito poucos para nos enfrentar. Seremos como uma tempestade irrefreável e os detonaremos tão violentamente que eles vão se arrepender de seu criador, Notch, ter se dado ao trabalho de programá-los no código de Minecraft.

Os monstros soltaram vivas.

Érebo virou a cabeça e olhou para Malacoda. O rei do Nether parecia agitado, sua raiva era crescente. Ele sabia que ainda precisava tomar cuidado... por enquanto.

Sorrindo, o rei dos endermen continuou:

— O rei do Nether irá liderar todos nós na maior batalha que já se viu... a Última Batalha por Minecraft. E, quando vencermos, iremos até o mundo físico, onde tomaremos conta de TUDO!

Os monstros soltaram outro urro exaltado.

— Mas devemos ter paciência e aguardar até chegar a hora certa — acrescentou, quando Malacoda lançou-lhe um olhar carrancudo. — Todos saúdem Malacoda, o rei do Nether!

Érebo apontou o comprido braço escuro para o ghast flutuante e então levantou os punhos negros fechados para o alto. Os monstros soltaram mais vivas, e seus gemidos e uivos ecoaram pela paisagem.

Olhando para aquele exército, Érebo percebeu os olhos frios dos monstros voltados para Malacoda, os rostos repletos de violenta expectativa, mas muitos também olhavam para ele. Pelo canto do olho, espiou Malacoda. O ghast sorria com aquela adulação momentânea e aproveitava cada instante dela, os olhos faiscando de satisfação.

Tolo.

Em breve aqueles seriam seus soldados e ele se livraria daquele ghast idiota. *Malacoda, seus dias estão contados*, pensou, levantando um punho negro e soltando vivas. Ao lembrar-se de seu plano para eliminar aquele tolo, um sorriso torto espalhou-se pelo rosto escuro do rei dos endermen.

CAPÍTULO 24
SHAWNY

Eles cavalgaram depressa em direção ao noroeste, onde estavam Pedreiro e o exército. Gameknight ia na frente, estabelecendo o ritmo exaustivo, Pastor ao seu lado. Um círculo protetor branco e peludo estava sempre ao redor do grupo. Recusando-se a sair do lado de Caçadora, Costureira seguia no mesmo cavalo que a irmã, e as duas não paravam de conversar — contando tudo o que havia acontecido desde que sua vila fora atacada. Artífice seguia na retaguarda, correndo os olhos azuis brilhantes pelo horizonte em busca de monstros.

À tarde, eles terminaram de atravessar o bioma acidentado de florestas para adentrar o bioma incomum e seco da savana. As estranhas árvores de acácia, com copas achatadas, pontilhavam a planície com as folhas verde-acinzentadas, parecendo enfermas sob o brilho avermelhado do sol de Minecraft. Seus troncos desconjuntados e angulosos, com casca cinzenta, pareciam quase alienígenas em comparação aos majestosos carvalhos e aos luxuriantes e verdes pinheiros do bioma da floresta. Gameknight, entretanto, gostou daquele terreno plano; era possível avistar monstros se aproximando de uma longa distância. Eles viram um ou outro zumbi ou aranha se aproximarem deles na savana, os corpos recortados contra a alta grama amarela, como tubarões nas ondas do oceano, mas Caçadora acabou depressa com eles usando seu arco; os monstros nem tiveram a chance de chegar perto o bastante para que alguém precisasse sacar a espada.

Cavalgaram o resto do dia e a noite inteira e, com isso, avançaram depressa. Quando estava quase amanhecendo, Gameknight viu, por cima do ombro, o sol começar a iluminar o horizonte a leste. Tal como a maioria dos usuários e dos NPCs, ele gostou de ver o sol nascer, porque a noite era o domínio dos monstros, embora eles tenham visto poucos na jornada de volta até Pedreiro.

Quando a paisagem começou a se iluminar, Gameknight virou-se para Artífice e sorriu.

— Sempre gostei do nascer do sol — disse ao seu jovem amigo, que agora ia cavalgando à frente do grupo.

— Eu sei. Eu também — retrucou Artífice, sorrindo e virando a cabeça em direção ao sol quadrado. — Meu tataravô Taylor costumava dizer que "as auroras são a saudação de Notch àqueles que sobreviveram à noite. É um renascimento, em que todos os pecados da noite são eliminados pela face amarela luminosa do sol".

Então, porém, seu sorriso virou uma carranca.

Gameknight sentiu a tensão do amigo e olhou para o leste. O sol tinha sua aparência vermelha profunda de sempre no horizonte, mas, à medida que subia no céu, continuava conservando o tom descolorido e manchado. Lançava sobre a paisagem uma cor carmesim profunda, tingindo tudo de um tom rosa-escuro, como se o dia inteiro fosse um constante nascer do sol.

— Está piorando — disse Artífice.

— Malditos artífices de sombras — disse Caçadora. — São eles que estão fazendo isso com Minecraft.

— Mas por quê? — indagou Gameknight, incitando o cavalo a ir um pouco mais depressa.

— Não disseram — retrucou Caçadora. — O verde, Zumbibrine, era quem mais falava, mas, pelo que eu pude perceber, não era ele quem estava no comando, e sim um outro, de olhos brilhantes... ele é quem mandava, embora jamais dissesse uma palavra.

— Acho que dá para supor que esses artífices de sombras estão ajudando os monstros de Minecraft — disse Costureira, sentada na frente de Caçadora. — Afinal de contas, os artífices de luz estão do nosso lado... é razoável imaginar que os monstros estejam contando com a ajuda dos artífices de sombras.

Gameknight concordou e incitou o cavalo a ir mais rápido ainda. Olhando ao redor, viu poucas criaturas vivas naquele bioma, com exceção de cavalos; estes pareciam reproduzir-se naturalmente na savana. Estava sempre com medo de que um monstro saltasse de um buraco ou túnel e os pegasse de surpresa, mas naquele dia sentia-se estranhamente calmo. Provavelmente era por causa do círculo de lobos que os guardava; a matilha seguia obedientemente as ordens de Pastor para protegê-los. Se uma aranha ou creeper aparecessem de repente, os lobos mais que depressa cuidariam deles, e isso permitia que Gameknight relaxasse um pouco enquanto balançava para a frente e para trás sobre a sela.

Enquanto seguia, o balanço do cavalo o ninou suavemente até ele ficar com sono e as pálpebras começarem a pesar. Estava cansado da batalha em que salvara a amiga, e da cavalgada que durara a noite inteira, mas sabia que eles não podiam parar; precisavam alcançar o exército antes que eles chegassem ao local onde estava a segunda chave. Então, à medida que seguiam em frente, ele aos poucos foi entrando naquele lugar situado entre o sono e a vigília... a Terra dos Sonhos.

Uma neblina prateada pareceu levantar-se do chão, dando a impressão de que seu cavalo trotava numa nuvem. A neblina enfunada aos poucos cobriu a grama alta e os arbustos, deixando apenas o topo achatado das árvores de acácia à mostra em meio ao vapor. A cabeça de Gameknight, que estava montado em seu cavalo alto, seguia pouco acima do véu prateado, mas o restante de seu corpo estava frio e úmido. À sua direita e à esquerda, ele viu os companheiros em suas montarias, mas eles tinham uma aparência transparente, como se não estivessem totalmente ali.

Ele estava sozinho na Terra dos Sonhos.

Olhou em volta e procurou sinais de monstros no horizonte, pois não desejava ser surpreendido ali, naquela paisagem prateada. Não havia mais nenhuma criatura em torno... ele estava realmente sozinho. Então, porém, Gameknight pensou ter ouvido algo. Olhou para trás e não viu nada. Mas tinha certeza de ter ouvido alguma coisa...

— Gamekni...

De novo! Só que dessa vez um pouco mais alto e à direita. Puxou as rédeas e manobrou para a direita, procurando de onde vinha aquela voz. Uma paisagem formada de grama alta e árvores estranhas olhou-o de volta. Ele estava sozinho.

— Gameknight...

Estava atrás dele. Girou o corpo e virou-se em direção ao som, a espada de diamante desembainhada.

Nada.

Puxou as rédeas e urgiu o cavalo a voltar para um meio galope, a fim de alcançar os amigos. Devia estar enlouquecendo, porque então pensou que a voz era parecida com a de...

— Gameknight999, você está aí?

Shawny... Parecida com a de Shawny, seu amigo, seu único amigo no mundo físico. Ele ajudara Gameknight a salvar o servidor de Artífice há o que parecia ser mil anos antes. Mas como poderia ser...

— Gameknight999, você está aí!

Concentrando todos os seus poderes de Minecraft, ele focou em seu computador no porão de sua casa. Imaginando suas mãos sobre o teclado, empurrou os pensamentos e a mente em direção às teclas. Cuidadosa e lentamente, imaginou seus dedos pressionando as teclas.

— S...H...A...W..N...Y

— Gameknight, é você? Minha nossa... a gente estava te procurando! Todo mundo andou tão...

Era Shawny. Ouvir a voz dele era maravilhoso, se é que podia se chamar aquilo de ouvir. Era como se o som viesse da neblina prateada e ao mesmo tempo de dentro de sua mente. Quando fechou os olhos, Gameknight achou que também era capaz de enxergar as letras sobre sua cabeça, como se estivesse lendo o texto na tela do próprio computador.

— Shawny, é você mesmo ou estou sonhando?

— Claro que sou eu. Estou tão feliz por você não ter morrido, sabe, depois daquela última batalha e coisa e tal. Onde você está... o que aconteceu?

Gameknight olhou em torno, na neblina prateada que rodopiava ao seu redor, e sorriu. Tinha encontrado Shawny... TINHA ENCONTRADO SHAWNY! Estava tão feliz... e aliviado. Talvez ele pudesse ajudar.

— Você se lembra de como Artífice se sacrificou na batalha com Érebo e os monstros da Superfície? — perguntou Gameknight.

— Claro.

— E se lembra de quando explodi toda aquela dinamite e meio que fui feito em pedacinhos?

— Claro que me lembro disso. Todos os Usuários já ouviram falar disso a essa altura.

— Bem, obviamente a gente não morreu. Nós passamos para o plano seguinte do servidor e ainda estamos lutando para salvar Minecraft.

— Nós? — *indagou Shawny.* — Como assim, nós? Artífice ainda está vivo?

— *Sim, Artífice ainda está vivo, mas agora ele é um garoto... ele renasceu no corpo de um jovem NPC.*

— *Nossa, Minecraft é mesmo capaz de fazer umas coisas estranhas* — *comentou Shawny.*

Gameknight concordou com um grunhido e um sinal de cabeça.

— E agora, o que está acontecendo? — Quis saber Shawny.

— Bem, lutamos contra Érebo e Malacoda no último servidor, mas não conseguimos impedi-los.

— Érebo ainda está vivo? — perguntou Shawny de repente.

— Hã-hã, e seu novo amigo ghast também, Malacoda, que é ainda mais assustador — explicou Gameknight.

— Não há dúvida de que você tem um jeito todo especial com as pessoas! — brincou Shawny, rindo. — E onde você está agora?

— Seguimos Érebo e Malacoda e seu exército de monstros até este servidor, onde fica a Fonte.

— Quer dizer que você está na Fonte? Como é ela? Que aparência tem? Posso ver? Qual é seu IP?

— Calminha aí, Shawny. Isso é complicado. Em primeiro lugar, não sabemos onde fica a Fonte; estamos em busca dela agora. Em segundo lugar, Érebo e Malacoda também estão atrás dela e têm muito mais monstros que nossos NPCs, portanto estamos bem encrencados. Bem que eu poderia aproveitar a ajuda de um estrategista experiente como você. — Gameknight fez uma pausa para olhar em torno. Viu seus amigos transparentes seguindo adiante em suas montarias, os lobos de Pastor completamente escondidos em meio à névoa prateada. Satisfeito por não haver nenhum monstro por perto, ele continuou:

— Me diga uma coisa, onde você está e onde estão os outros usuários?

— Bem, nós estamos na vila de Artífice. Diga a ele que todos de seu povo estão a salvo. E o outro...

— Nós? — perguntou Gameknight. — Como assim, nós?

— Todos os usuários, eles estão aqui comigo.

— O quê? Não entendo. Todos os usuários estão aqui?

— Claro — respondeu Shawny, com uma risada. — Todos os usuários ouviram falar de seu sacrifício. Acredite ou não, Gameknight999 é um herói. — Shawny riu de novo. — Além disso, o servidor de Artífice é o único que continua online. Não conseguimos mais acessar nenhum outro servidor de Minecraft. Então, se alguém quer jogar Minecraft, precisa vir para cá. E tem mais: na verdade não estamos jogando, estamos nos preparando.

— Para o quê? — perguntou Gameknight.

— Para a Guerra — respondeu Shawny. — Vimos todos os servidores de Minecraft desaparecerem. Para nós, essa era a única explicação para o que está acontecendo.

— Você conseguiu angariar a ajuda de todos os outros usuários? — indagou Gameknight. — Sabe, apesar de todas as minhas jogadas do passado, não sou o Minecrafter mais popular daqui.

— Tá brincando? Depois *daquele lance com a dinamite* e de ter mandado todos aqueles monstros pelos ares daquele jeito... você virou um herói! Todo mundo está a fim de *ajudar o grande Gameknight999*.

— Como é?

— Hã-hã. Pode acreditar, todo mundo tá AFINZAÇO de ajudar você. Então estamos aqui na vila de Artífice nos preparando para a Última Batalha, torcendo para podermos participar dela e ajudar a salvar Minecraft.

— Não garanto que eu consiga trazer todos vocês para este servidor aqui — *explicou Gameknight.* — *Mas, se eu conseguir, é o que vou fazer. Com certeza iremos precisar da ajuda de vocês para enfrentar esse exército gigantesco de monstros.*

— O que você quer que a gente faça?

Gameknight pensou a respeito e tentou imaginar a Última Batalha, mas as peças do quebra-cabeça ainda não haviam se arranjado em sua mente. Ele não sabia como seria o campo de batalha, nem como os exércitos estariam posicionados, nem... Havia muita coisa desconhecida, muitos "e se". Ele sabia que seria um problema enfrentar todos aqueles monstros, mas não conseguia imaginar qual seria a saída. Contudo, algo que Artífice lhe dissera surgiu em sua mente e o fez sorrir quando uma das peças do quebra-cabeça se encaixou.

— O que eu preciso é o seguinte...

E então Gameknight revelou a primeira parte de seu planejamento para a Última Batalha por Minecraft.

CAPÍTULO 25
SEJA, SIMPLESMENTE

Gameknight emergiu da Terra dos Sonhos e ouviu risadas. Olhou em torno e viu que Costureira o olhava com um sorriso gigantesco estampado no rosto.

— E aí, voltou a estar entre nós? — perguntou ela.

— O quê? Como assim?

— É que você estava murmurando umas coisas esquisitas — explicou Artífice, trazendo seu cavalo para perto do de Gameknight.

— Murmurando? — perguntou ele, confuso.

— Você estava na Terra dos Sonhos, né? — perguntou Caçadora.

Gameknight assentiu.

— Você viajou pela Terra dos Sonhos ainda acordado — explicou ela, com um tom quase reverente. — Gameknight999, agora você é oficialmente um andarilho dos sonhos, tal como eu sou, minha avó, Curandeira, era, e o avô dela, Lenhador também. É raro ser um andarilho dos sonhos; poucas pessoas sequer sabem da existência dessa habilidade.

— Pelo jeito, perambular pelos sonhos é algo comum em sua família — disse Gameknight. — Costureira também é?

Caçadora deu um tapinha no ombro da irmã e negou.

— Não, é muito raro ter mais de um membro da família com esse dom. Tem sido meu fardo desde que eu era bem pequena, e agora é meu dever olhar pela Terra dos Sonhos. Porque, se você for morto na Terra dos Sonhos, você morre no mundo real. É dever dos andarilhos dos sonhos garantir a segurança dos visitantes ocasionais à Terra dos Sonhos... tal como eu fiz quando você sonhou com Érebo pela primeira vez, na casa de sua família.

— O quê? — perguntou Gameknight.

— Lembra... você sonhou que tinha voltado ao mundo físico e os monstros da Superfície invadiram sua casa — explicou Caçadora. — Você lutou contra Érebo enquanto eu lutava contra os monstros no andar de cima. Foi uma batalha magnífica. Meu arco zumbia quase sem parar enquanto eu ia liquidando zumbis, aranhas e creepers. Mas, quando minhas flechas acabaram, deixei a Terra dos Sonhos e voltei para o mundo dos despertos, onde eu o despertei derrubando-o da cama. Lembra?

Ele concordou. Isso tinha acontecido na primeira noite depois que conheceram Caçadora em sua vila. Gameknight esfregou o pescoço no local onde Érebo tentara estrangulá-lo, embora agora a pele dali já estivesse curada.

— E aí, o que eu faço com essa habilidade de andarilhos dos sonhos?

— Protege os que estão na Terra dos Sonhos... é sua responsabilidade.

Gameknight assentiu mais uma vez, refletindo sobre aquela nova informação. Quando estava prestes a falar alguma coisa, a voz de Pastor ecoou pela savana.

— O exército... o exército! Eles estão aqui!

Gameknight olhou naquela direção e viu Pastor na frente deles. Ele estava cavalgando mais adiante para procurar o exército e agora, agitando os braços compridos e magros por sobre a cabeça, berrava a plenos pulmões enquanto seus lobos uivavam de empolgação. Pastor cavalgou de volta ao grupo e foi até o lado de Gameknight.

— O exército está logo depois do morro... do morro seguinte. Parece que estão... que estão descansando por enquanto. Podemos... podemos alcançá-los.

Gameknight viu que o sol estava se aproximando do horizonte, o rosto quadrado parecia tornar-se cada vez mais vermelho. Desejando estar mais uma vez sob a proteção do exército, ele incitou seu cavalo para um galope.

— Vamos, vamos alcançar o exército antes que escureça! — disse Gameknight ao resto do grupo.

Eles alcançaram o acampamento assim que a borda da face carmesim do sol afundava na linha do horizonte, iluminando a savana com um tom vermelho profundo, que pareceu durar poucos instantes antes de a escuridão envolver toda a paisagem. Foram recebidos com vivas quando entraram a cavalo pelo acampamento, os soldados gritando o nome de Gameknight, como se ele fosse alguma espécie de herói mítico.

— Gameknight999 está aqui! Monstros, tremei...

— O Usuário-que-não-é-um-usuário vai nos conduzir à vitória...

— Nosso líder voltou...

Receber elogios ainda fazia Gameknight se sentir pouco à vontade, falso. O verdadeiro líder ali não era ele, era Pedreiro. O grande NPC era um líder natural, com a confiança e a capacidade de tomada de decisões que faziam os outros soldados se sentirem seguros e protegidos. Gameknight, porém, não passava de um garoto covarde, com medo do que *poderia* acontecer se tomasse a decisão errada ou fizesse a coisa errada. E agora que eles estavam de volta, via que toda aquela gente esperava que ele os protegesse, e sentia o peso assustador da responsabilidade...

— Usuário-que-não-é-um-usuário! — chamou uma voz trovejante.

Virando-se, Gameknight viu Pedreiro vindo na direção deles. Parou o cavalo e desmontou enquanto o resto do grupo fazia o mesmo.

— Vejo que voltou com uma convidada — comentou Pedreiro, com um enorme sorriso. — Seja bem-vinda novamente, Caçadora.

— Não por sua causa, até onde eu sei — retrucou Caçadora.

— Precisávamos nos focar em encontrar a última chave para a Fonte — explicou o NPC grandalhão. — Mas todos estão muito felizes por ver você de volta. Muita gente a admira. Suas habilidades com o arco viraram uma lenda durante sua ausência.

— Tanto faz — cortou ela, depois deu as costas e saiu pisando duro, com Costureira logo atrás.

— Vocês deviam comer alguma coisa antes de a gente partir — explicou Pedreiro.

— Partir para onde? — perguntou Artífice.

— Existe uma fortaleza logo à frente, nas profundezas da terra — explicou Pedreiro. — É para lá que a Rosa de Ferro está nos levando. — Enfiou a mão em seu inventário e sacou de lá a flor metálica. Depois, entregou-a a Gameknight. As pétalas brilhantes iluminaram tudo ao redor, como se eles estivessem bem no meio de uma faiscante supernova. — Você é quem deve carregar isso aqui. Tome.

Gameknight apanhou a flor da mão quadrada de Pedreiro. Assim que fechou os dedos ao redor do caule, sentiu a rosa vibrar como se estivesse viva. Fechou os olhos e sua mente se encheu de um rumor distante, que nem o de ondas sonoras de trovões atravessando a paisagem. Ao guardar a Rosa de Ferro em seu inventário, sentiu que ela o atraía para o norte, em direção à fortaleza escondida nas profundezas subterrâneas.

— Quero ver onde esta chave está nos levando — comentou Gameknight, segurando as rédeas de seu cavalo.

— Eu lhe mostro o caminho — disse Pedreiro.

— Não, quero ir sozinho — respondeu Gameknight, montando em seu cavalo.

Pedreiro lançou-lhe um olhar preocupado, mas depois assentiu e afastou-se de lado.

— Coma alguma coisa, Artífice — disse Gameknight. — Você também, Pastor.

— Eu posso... posso ir com você.

— Não, eu vou sozinho. Além do mais, você precisa cuidar do rebanho e proteger seus animais. Você tem uma responsabilidade, e as pessoas contam com você para isso.

Pastor assentiu e ajoelhou-se para sussurrar alguma coisa para um dos lobos. Depois, correu em direção ao rebanho, seguido pelos companheiros peludos.

— Volto em breve — avisou Gameknight para Pedreiro. — Deixe o exército preparado para a marcha. Não podemos ficar expostos por muito tempo; pode ser um alvo atraente demais para Érebo e Malacoda.

Gameknight aproximou-se do NPC e abaixou a voz.

— Caçadora ouviu os planos deles. Estão planejando nos seguir até a segunda chave e nos atacar assim que tivermos derrotado o que quer que a esteja guardando.

— Então é melhor pegar logo essa chave e chegar depressa à Fonte — retrucou Pedreiro, depois saiu, dando ordens às tropas.

Gameknight deixou o acampamento e seguiu na direção que a Rosa de Ferro indicava. Sentia o puxão poderoso da flor lá dentro de seu inventário; não havia dúvida de para que lado devia ir. De repente, enquanto ele partia, Caçadora foi atrás dele, montada em seu cavalo; além de um bando de lobos, obviamente enviados por Pastor.

Gameknight olhou para os animais e sorriu, depois virou-se e olhou sério para Caçadora.

— Eu queria ir sozinho... para pensar.

— Que pena. Depois que me salvou, não vou deixar você fazer nenhuma besteira, portanto acostume-se com minha companhia. Para onde estamos indo?

— Eu queria ver o que nos espera na segunda chave. Pedreiro disse que ela estava numa fortaleza, por isso quis dar uma olhada.

— Uau, parece uma ótima ideia — disse ela sarcasticamente, revirando os olhos.

Gameknight apenas grunhiu, seguindo na direção que a Rosa de Ferro ordenava, enquanto um grupo de lobos os rodeava. Depois de mais ou menos dez minutos, viram um buraco no chão, iluminado com tochas. Um esquadrão de arqueiros estava por perto; guardas, provavelmente colocados ali por Pedreiro. Todos se empertigaram ao avistar Gameknight e levaram o punho fechado ao peito em uma saudação, mas olharam temerosos para os lobos. Caçadora reparou em seus cumprimentos rápidos e depois olhou para Gameknight e riu.

— Cale a boca — sussurrou o Usuário-que-não-era-um-usuário para a amiga, e em seguida sorriu. — Vim dar uma olhada na fortaleza— disse Gameknight para os arqueiros, enquanto desmontava do cavalo, imitado por Caçadora. — Alguém já entrou aí?

— Não, Usuário-que-não-é-um-usuário — respondeu um dos arqueiros. — Pedreiro demarcou a entrada com tochas e nos deixou aqui montando guarda até sua volta.

Um dos arqueiros olhou para os lobos e riu, depois disse alguma coisa a um colega, e este riu também, olhando para Gameknight.

— O que foi? — perguntou Gameknight ao soldado. — O que vocês estão falando?

— Eu só estava dizendo que Porcolino, pelo jeito, mandou alguns de seus melhores amigos acompanharem você — explicou o arqueiro. — Foi muito atencioso da parte dele. — Os soldados deram risadinhas e fizeram caretas imitando Pastor.

Gameknight rosnou baixinho e tentou ignorar os NPCs, mas ainda assim aquele comentário o deixou furioso. Olhou sério para o soldado, desmontou do cavalo e aproximou-se da entrada. Era apenas uma abertura inocente no chão, com escadas que levavam para baixo. Pousou o pé no primeiro degrau, parou e olhou em torno. Todos os olhares estavam concentrados nele, esperando alguma espécie de ato heroico ou declaração do Usuário-que-não-é-um-usuário. Gameknight adivinhou o que havia ali embaixo na fortaleza e estremeceu.

Desceu a escada e ouviu Caçadora vindo logo atrás dele, seus passos confiantes aliviando um pouco a própria agitação. Eles desceram uns trinta degraus, mais ou menos, até chegarem à fortaleza. Era feita, como a maioria das fortalezas, de pedra, tendo um ou outro bloco coberto de musgo. Tinha o tipo de cheiro que se esperava de algo antigo e raro, como uma espécie de tesouro que houvesse ficado trancado durante séculos. Era um odor que falava de construções antigas, que guardavam segredos igualmente antigos em seus corredores sombrios, mas não era só isso. Gameknight inspirou fundo e tentou entender o que era aquele cheiro, mas o odor o enganava, estava constantemente mudando. Balançou a cabeça para afastar aquela distração e seguiu em frente.

A fortaleza era como um labirinto de passagens, sendo que alguns túneis levavam a becos sem saída, e outros conduziam de volta a si mesmos, formando um *loop* capaz de confundir. Depois de finalmente encontrar um corredor comprido, ele passou por um baú onde estavam alguns pompons, nada de muito importante. Seguindo em frente, eles toparam com algo que parecia celas de prisão. Eram locais fechados com grades de ferro na frente e uma porta conectada a um botão localizado do lado de fora da cela. Gameknight nunca entendeu por que sempre havia prisões dentro das fortalezas, mas era uma certeza com a qual se acostumara.

Sabendo que não haveria nada ali dentro, passou pelas celas e seguiu caminho pelo corredor principal. Tochas pontilhavam as paredes de vez em quando, lançando um círculo de luz que afastava a escuridão, mas não conseguiam iluminar tudo. Alguns cômodos ainda permaneciam envoltos em sombras, e esses Gameknight evitava, limitando-se a colocar um bloco de terra na porta para impedir que alguma coisa que porventura estivesse ali dentro pudesse sair.

Continuando caminho pelos corredores sinuosos, eles logo toparam com uma biblioteca. Era maravilhosa; estantes e mais estantes de livros em todas as paredes, e altas estantes no meio do cômodo também. Indo até uma delas, Gameknight descobriu que agora conseguia ler as letras das lombadas, algo que jamais conseguira fazer quando só jogava aquele jogo por diversão. Antes, os livros estavam escritos com as letras estranhas e misteriosas do Alfabeto Galáctico Padrão, e seus caracteres esquisitos eram ilegíveis. Agora, entretanto, as letras pareciam ter algum significado para ele.

Tirou dois livros da estante e soprou-os para limpar a poeira das capas. Um chamava-se *A Grande Invasão dos Zumbis*, enquanto o outro intitulava-se apenas *A Junção*. Ele sentiu vontade de sentar e ler os dois, para realmente aprender a história de Minecraft, mas sabia que não havia tempo para isso.

— Caçadora, já leu algum livro como esse? — perguntou Gameknight.

Ela fez que não, sem o menor interesse na vasta coleção de conhecimentos que estava concentrada naquelas antigas estantes. Gameknight devolveu os livros à prateleira, e eles atravessaram a biblioteca. Ao saírem dela, entraram num longo e empoeirado corredor. Dos dois lados havia portas de ferro, cada qual levando a uma parte diferente da fortaleza. Seguindo de aposento em aposento, Gameknight sentia a vibração da Rosa de Ferro aumentar cada vez mais. Era como se ela pudesse sentir que a segunda chave estava próxima e mal pudesse esperar para juntar-se a ela. Estavam chegando perto. Gameknight sacou a espada e prosseguiu cautelosamente.

Eventualmente a dupla alcançou a região mais profunda da fortaleza. Dava a impressão de que algo maléfico e antigo estava trancafiado ali dentro por muitíssimo tempo, e foi para lá que a Rosa de Ferro os guiou. Gameknight lançou um olhar furtivo para Caçadora e caminhou por um longo corredor, passando por outro baú ornamentado, até chegar ao último aposento. Assim que entrou, sentiu o coração gelar, pois soube imediatamente o que estava ali.

Havia um lago de lava de três blocos de largura por três blocos de comprimento. O calor da lava trouxe lembranças terríveis daquela última grande batalha com Malacoda e suas criaturas do Nether. Uma escadaria levava a um segundo andar de blocos, posicionados em um círculo a dois blocos de altura da lava. Aqueles blocos, dispostos em grupos de três, tinham uma aparência estranha. O centro de cada um possuía uma abertura vazia e escura, como se aguardasse que algo fosse colocado ali dentro. Com sua cor esverdeada e listas amarelo-claras aqui e ali, pareciam pertencer a outro mundo.

— O que é isso? — perguntou Caçadora.

Gameknight suspirou.

De repente, ouviram o som de algo arranhando e escorregando pelo chão, como se alguma coisa tivesse acabado de deslizar para fora de um lugar apertado. Dos fundos do aposento veio um peixe prateado, cujos movimentos eram rápidos e aleatórios. As espinhas pontudas em suas costas refletiam a luz emitida pela lava, fazendo com que o animal parecesse estar iluminado por alguma espécie de poder mágico. Arrastava atrás de si a cauda comprida e segmentada enquanto atravessava o lugar depressa, provocando um som deslizante que ecoava pelas pedras, fazendo-o procurar por outros.

Gameknight sacou a espada e desceu os degraus. Sabia que precisava matá-lo depressa, pois, quando machucados, os peixes prateados convocavam seus companheiros, fazendo com que mais daquelas pequenas criaturas saíssem de seus esconderijos nos blocos. Isso poderia causar uma enxurrada de monstrinhos que atacariam qualquer NPC ou usuário à vista. E sobreviver ao ataque de um cardume de peixes prateados não era nada fácil. Segurando firme o cabo da espada, Gameknight preparou o golpe, mas, antes que pudesse fazer qualquer coisa, Caçadora já tinha disparado duas flechas rápidas na criaturinha, fazendo-a se iluminar de um tom vermelho-vivo, virar de costas e sumir.

— Belo tiro — disse Gameknight. Acertar um peixe prateado era dificílimo.

Caçadora apenas sorriu enquanto preparava mais uma flecha.

Gameknight olhou para a escada que levava ao piso logo acima do lago de lava e viu de onde a pequena criatura repulsiva havia vindo: dos ovários de um peixe-fêmea. Uma jaula pequena de metal, do tamanho de um único bloco, estava posicionada no alto da escada, e faíscas e cinzas voavam dela enquanto algo irreconhecível rodopiava em seu centro. Indo até lá com a picareta na mão, Gameknight destruiu a fêmea com seis golpes, sendo que o último quando ela estava prestes a dar à luz o peixe prateado seguinte.

Olhou para os degraus lá embaixo e viu um baú no canto da câmara do portal. Foi até lá e abriu aquela antiga caixa de madeira. Uma nuvem de poeira se formou quando as dobradiças enferrujadas rangeram, fazendo Gameknight tossir e desviar o rosto. Mas, ao olhar de novo para o baú, Gameknight viu doze estranhas esferas esverdeadas. Pareciam que uma dúzia de olhos alienígenas o estava fitando.

Enfiou a mão na caixa empoeirada e tirou todas as esferas, depois virou as costas e voltou a subir a escada. Ficou diante dos estranhos blocos.

— O que é isso? — perguntou Caçadora, mas Gameknight não disse nada, apenas suspirou.

Sabia exatamente o que eram, e saber o que os aguardava encheu-o de pavor.

Colocou com todo o cuidado cada uma das esferas esverdeadas nas aberturas dos blocos escuros, e os olhos alienígenas assumiram uma forma quadrada ao se encaixarem ali. Quando a última esfera foi colocada, um portal se ativou e encheu o aposento de uma estranha luz verde. Gameknight olhou para baixo e viu que aquele portal não tinha a aparência arroxeada característica dos portais que levavam ao Nether. Não, aquele era diferente. Estava cheio de estrelas, como se desse para a escuridão profunda dos recessos do espaço sideral.

— Gameknight... O que foi?

Saindo de perto do portal, Gameknight virou-se para olhar Caçadora, com uma expressão de derrota aterrorizada estampada em seu rosto.

Não consigo fazer isso, pensou.

Sentiu a presença do monstro do outro lado do portal e ficou apavorado. Aquele monstro iria atrás dele, desejando atacá-lo, torturá-lo, destruí-lo. Iria atrás de Gameknight como aqueles bullies faziam com ele na escola, os fortes atacando os fracos.

Por que não consigo ser corajoso?

— Está tudo bem? — perguntou Caçadora.

Gameknight suspirou e deu de ombros. Sentia a Rosa de Ferro puxando-o na direção do portal, e aquele pensamento encheu-o de terror.

— Não consigo fazer isso, Caçadora, não sou o líder que eles querem que eu seja... nunca fui.

— Como assim? Você nos conduziu à vitória na fortaleza de Malacoda.

— Era diferente. Este portal leva até uma coisa terrível que quer me pegar.

— Ah, Gameknight, você não tem como saber...

— Mas eu sei. Eu sinto e tenho medo. Estou sempre com medo... os monstros aqui de Minecraft me lembram dos bullies de minha escola... Não consigo me livrar do medo, por mais que eu tente.

Caçadora suspirou e olhou cheia de compreensão para o amigo.

— Todos esses medos aos quais você tanto se aferra escondem seu verdadeiro eu — explicou ela. — Impedem que você seja você mesmo... o verdadeiro Gameknight999... o verdadeiro Usuário-que-não-é--um-usuário. E, até você aprender a lidar com esses medos, jamais poderá ser a pessoa que foi destinada a ser. — Ela guardou o arco encantado em seu inventário e pousou a mão quadrada sobre o ombro dele. — Você não tem ideia do quanto pode ser grandioso, o quanto pode ajudar os outros, quão bom amigo pode ser, porque todo esse medo e essa incerteza fazem você duvidar de si mesmo.

Gameknight suspirou e olhou para o chão, depois assentiu.

— Eu queria ajudar as outras crianças que estavam sendo molestadas... queria ajudar Pastor, mas sempre senti medo. Pensava em como seria terrível se os bullies parassem de perturbar Pastor e, em vez disso, começassem a me incomodar, portanto, mesmo sabendo que aquilo estava errado, eu não dizia nada. Simplesmente me escondia de meus medos.

— Exatamente como está fazendo aqui, em Minecraft. Você está escondendo o verdadeiro líder que poderia ser por causa desse medo. Eu o vejo quando os soldados caçoam de Pastor. Vejo como você desvia os olhos e finge não notar nada, porque tem medo.

Gameknight assentiu, cheio de vergonha na alma. Sentia-se mal pelas outras crianças que poderia ter defendido se não tivesse se escondido nas sombras... e sentia-se mal por Pastor. Seu medo o impedira de ser um bom amigo, e ele sabia que precisava reparar aquilo.

— E se eu não for forte o bastante para levar essa batalha até o fim? — perguntou ele. — E se eu não segurar a onda quando tudo estiver prestes a ser destruído? E se no momento crucial, quando todos estiverem me olhando e esperando que eu seja forte, eu amarele e saia correndo? E se...

Caçadora soltou um grunhido exasperado.

— Gameknight! — gritou, a voz ecoando pelas paredes.

Ele se virou e olhou para a amiga. Ela estava altiva diante dele, o brilhante cabelo ruivo iluminado pela luz do portal. Gameknight pôde ver a confiança e o orgulho em sua postura, sentiu como ela conhecia seu próprio propósito ali em Minecraft e não tinha medo de nada.

Por que não consigo ser forte como ela?

Ele sabia que Caçadora estava vendo a indecisão e o medo em seu rosto quadrado.

— Gameknight, você sabe o que deve fazer, sempre sabe, só não percebe isso antes do tempo. — Ela aproximou-se dele e abaixou a voz. — Faça o que sabe fazer melhor, só isso.

— E o que é? — perguntou Gameknight. — O que eu sei fazer melhor que qualquer pessoa?

— Ser Gameknight999! Você pode ser o melhor Gameknight999 que existe... simplesmente *seja* o solucionador de mistérios... *seja* o guerreiro... *seja* o líder... *seja* o troll. Seja tudo isso e faça tudo isso do melhor jeito que for capaz. Lute com todas as forças e trolle o exército de Malacoda e Érebo como jamais trollou antes. — Ela fez uma pausa para deixar aquelas palavras surtirem efeito, depois abaixou a voz. — *Seja*, simplesmente.

Ela caminhou até o portal e espiou para o vazio do vácuo repleto de estrelas.

— E aí, vai me dizer o que é essa coisa que está lá dentro?

Ele deu um suspiro e tentou aparentar confiança e força, mas não conseguiu.

— Este portal leva ao Fim.

— Fim? O que é isso?

— É uma coisa exclusiva para os usuários... e os endermen... e um dragão, o mais terrível dragão que se pode imaginar. Deve ser lá que está a segunda chave da Fonte, portanto é para lá que temos que ir.

Ela ficou em silêncio por um instante, pensando no que tinha ouvido. Depois, dando de ombros, disse:

— Bem, nunca matei um dragão antes... parece divertido.

Caçadora soltou uma risada e deu um tapinha nas costas de Gameknight. Depois virou as costas e ficou de frente para o portal, agora com o arco encantado na mão, uma flecha preparada. Enquanto estavam ali parados, ouviram Pedreiro e um grupo de soldados chegando do interior da fortaleza, todos prontos para seguir mais uma vez o Usuário-que-não-é-um-usuário na batalha. Mas Gameknight não estava pensando no exército, nem no Fim, nem no dragão: só pensava no conselho de Caçadora, deixando que as palavras da amiga rodopiassem por sua cabeça.

Seja, simplesmente... ora, talvez eu CONSIGA fazer isso!

CAPÍTULO 26
A DECISÃO DE PASTOR

Com a espada de prontidão, Pedreiro entrou com tudo no aposento do portal, acompanhado de Artífice, ambos mais que preparados para a batalha. Gameknight levantou uma das mãos para dizer que não havia perigo, embainhando a própria arma.

— Está tudo bem — informou Gameknight, enquanto um punhado de soldados entrava no aposento atrás dos dois, as armaduras de ferro retinindo ao baterem umas contra as outras quando passaram pela porta. Em meio ao mar de corpos recobertos de metal, ele avistou Pastor, que espiava o aposento lá dos fundos da multidão, com uma expressão de puro pavor no rosto. Costureira vinha com ele.

— Não há nenhum perigo — acrescentou gentilmente Gameknight. — Todos podem guardar suas armas.

Artífice deu um passo à frente e postou-se ao lado de Gameknight. Olhou para a escada que levava ao portal do Fim, cujas paredes estavam banhadas por uma luz verde-amarelada.

— Onde está o restante do exército? — perguntou Gameknight.

— Estão nos esperando lá em cima, na entrada — respondeu o grande NPC, apontando para o teto com um dedo quadrado. — Aguardam seu comando, Usuário-que-não-é-um-usuário. Descemos para cá a fim de ver se você não estava correndo nenhum perigo.

Gameknight assentiu para Pedreiro e sorriu.

Nenhum perigo... que piada... você não faz ideia do perigo terrível que nos espera!

— Que lugar é esse? — perguntou Artífice.

— Acho melhor a gente conversar fora do aposento do portal — disse Lenhabrin. Todos se espantaram ao vê-lo. O artífice de luz entrara tão silenciosamente, abrindo caminho com tanta naturalidade entre os soldados de armadura que era quase como se tivesse se materializado na frente deles. — Venham. No salão de reuniões.

— Salão de reuniões? — perguntou Artífice.

Gameknight deu de ombros.

O artífice de luz deu as costas para todos e abriu caminho por entre os inúmeros soldados amontoados junto à porta. Caminhou cheio de confiança pelos corredores que levavam até o salão de reuniões, sabendo exatamente qual túnel escolher, com um passo tão confiante e determinado quanto se fosse dono do pedaço.

Saíram do aposento do portal e seguiram Lenhabrin pelo labirinto de corredores, voltando até uma grande câmara central. Precisaram andar depressa para conseguir acompanhar o ritmo acelerado do artífice de luz. Depois de finalmente subirem um lance de escadas trincadas, caindo aos pedaços, chegaram ao destino; o salão de reuniões. Gameknight instantaneamente reconheceu a coluna alta localizada no meio do aposento. Estava adornada com tochas dispostas por todos os lados, no cimo, que lançavam uma luz cálida e amarelada pela câmera, afastando as sombras. A luz sempre fazia Gameknight sentir-se mais protegido em Minecraft.

Pedreiro e sua dúzia de guerreiros entraram ali, seguidos por Artífice e Costureira. Eles se espalharam e olharam os corredores que se abriam a partir daquele aposento com as armas a postos, em busca de ameaças. Num dos lados, viu Pastor num canto sombrio, ainda com uma expressão de medo estampada no rosto.

— Que lugar é esse? — indagou Artífice. — Não me lembro de nenhum NPC jamais ter construído um lugar parecido.

— As fortalezas não foram construídas pelos NPCs — explicou Lenhabrin. — Elas pertencem a uma era antiga. Foram construídas antes do tempo das guerras e dos conflitos. Antes mesmo da *Junção*. — Ele pronunciou aquela palavra com reverência, como se todos soubessem o que significava. Alguns dos NPCs se entreolharam, confusos, sem saber do que o estranho artífice de luz estava falando. — Nos tempos antigos, as fortalezas eram um local de instrução e conhecimento. Os NPCs se reuniam para debater ideias, para aprender.

— Então por que existem celas? — argumentou Caçadora. — Não me parece um lugar muito amistoso para fazer umas leiturinhas inofensivas.

Um dos guerreiros soltou uma gargalhada, mas logo foi silenciado pela expressão séria e irritada de Lenhabrin.

— Sim, é verdade que existem celas de prisão aqui — continuou Lenhabrin. — Isso começou mais ou menos na época da *Grande Vergonha*, quando as pessoas começaram a fazer coisas só para si mesmas. Pararam de ajudar os outros. Apareceram os crimes. — Suas frases curtas e picotadas ecoaram pela câmara, como uma metralhadora. — Os criminosos eram trazidos até as fortalezas para ser julgados. Se necessário, eram presos.

— Parece mesmo ser um lugar superlegal — acrescentou Caçadora.

Mais risadas. Mais expressões carrancudas de Lenhabrin.

— Depois da *Grande Vergonha* e da *Junção* — prosseguiu o artífice de luz. — As celas e as fortalezas deixaram de ser necessárias. Como podem ver, passaram a ser negligenciadas.

Gameknight olhou em torno e viu teias de aranha pelos cantos, blocos faltando ali e acolá. Era uma construção que aos poucos caía aos pedaços, literalmente, e que começava a ser tomada pela paisagem de Minecraft. Foi então que ele se deu conta do que era aquele cheiro ali embaixo. Não era um aroma de mistérios antigos e segredos escondidos: era o cheiro do apodrecimento; o cheiro de uma época esquecida. Ao olhar para cima, percebeu que Lenhabrin estava fitando o Usuário-que-não-é-um-usuário.

— Você já esteve numa fortaleza antes, não é?

— Sim — respondeu Gameknight.

— Então sabe o que aguarda mais além do portal.

Gameknight concordou e soltou um suspiro.

— E o que é? — perguntou Artífice. — O que aguarda do outro lado daquele portal esquisito?

— Um dragão! — berrou Caçadora.

Os guerreiros soltaram um murmúrio de espanto.

— Gameknight, é verdade? — perguntou Artífice.

— Sim. Ele é chamado de Dragão Ender e existe unicamente numa terra chamada Fim. Provavelmente é o guardião da segunda chave da Fonte, e eu já bem posso adivinhar o que essa chave deve ser. — Ele fez uma pausa e aguardou para ter certeza de que estavam todos ouvindo com atenção, de que todos os olhares estavam voltados para ele, e depois prosseguiu. — A segunda chave é o ovo do Dragão Ender. Certo, Lenhabrin?

O artífice de luz assentiu.

— Precisamos ir até o Fim e combater o Dragão Ender para apanharmos seu ovo — explicou Gameknight. — Este é o desafio seguinte que devemos enfrentar a fim de chegar até a Fonte.

— Não entendo — disse Artífice, a voz cortando o tenso silêncio ali instalado. — O que é esse tal de *Fim*? Nunca ouvimos falar.

— É um lugar exclusivo dos usuários, não é para os NPCs — explicou Gameknight. — Fui até lá diversas vezes em minhas aventuras como usuário. Às vezes sobrevivia à luta com o Dragão Ender, outras ocasiões não. — Os guerreiros soltaram um murmúrio de espanto. — O Dragão Ender é a criatura mais feroz de Minecraft, e o Fim é o lugar mais estranho que vocês jamais verão. Este desafio testará nossa coragem e determinação. Mas precisamos superar este obstáculo se quisermos chegar até a Fonte e protegê-la de Malacoda e sua horda de monstros.

Gameknight999 olhou em torno e fitou fundo os olhos de cada indivíduo ali presente. Viu expressões de empolgação, esperança, incerteza, confusão... todas as emoções possíveis transpareciam naqueles olhos, mas, acima de tudo, o que ele enxergou foi medo e incerteza.

— Digo a vocês, com toda a honestidade, que estou apavorado por ter que voltar ao Fim. Quando ia até lá como usuário, levava todos os encantamentos possíveis e as melhores armas que roubava dos outros, e contava com a ajuda de todos os programas de computador que podia baixar, mas, mesmo assim, de vez em quando não conseguia derrotar aquele monstro voador. — Num instante, a lembrança daquelas batalhas incontáveis voltou a se desenrolar em sua cabeça. As enormes garras tentando agarrá-lo, a boca feroz cheia de dentes tentando abocanhá-lo... e aqueles olhos... aqueles terríveis olhos cor de púrpura... ele percebeu que estava tremendo e parou para respirar fundo e acalmar-se. — Entretanto, não temos escolha. Precisamos ir até o Fim e enfrentar o Dragão Ender, para o bem ou para o mal. Não sei como derrotaremos essa besta, mas precisamos tentar, senão estaremos perdidos.

— Mas do jeito que você fala parece impossível — gritou alguém do meio da multidão.

— Não, eu não disse que era impossível, disse que tentei muitas vezes, e que às vezes eu conseguia derrotá-lo.

— Quantas vezes você conseguiu derrotar o dragão? — perguntou uma voz aguda.

Gameknight fez uma pausa e olhou para descobrir quem fizera a pergunta. Descobriu que era Costureira, que o fitava com o arco na mão. Ela exibia um ar de determinação inflexível, como se estivesse desafiando o Dragão Ender a ficar na frente dela só para que pudesse fazê-lo em pedacinhos.

— Uma — respondeu ele, envergonhado. — Só consegui derrotar o dragão uma vez sem trapacear.

Aquilo provocou uma avalanche de perguntas, algumas destinadas a Gameknight999, outras a diferentes pessoas. O salão de reuniões praticamente explodiu num caos, pois a confissão de Gameknight minou a força e a coragem dos combatentes.

— E por que precisamos fazer isso? — berrou alguém.

— Você só conseguiu derrotá-lo uma vez! — acusou outro.

— Como vamos conseguir combater esse monstro e sobreviver? — perguntou um terceiro.

— Estamos perdidos...

Gameknight deixou que tagarelassem e esbravejassem, que atirassem acusações sobre ele, que o medo e a incerteza tomassem conta de suas mentes e erodissem sua coragem. Deixou que discutissem e debatessem e, então, ergueu as mãos pedindo silêncio.

— Sei que não tive êxito todas essas vezes e sei por que finalmente consegui derrotar o Dragão.

— E por que foi, Usuário-que-não-é-um-usuário? — perguntou Artífice. — Conte o que aprendeu depois de todas essas batalhas contra o Dragão Ender.

— Eu era derrotado porque ia sozinho para o Fim, sem mais ninguém.

— Por que ia sozinho se sabia do perigo? — perguntou Costureira.

— Porque eu era Gameknight999, o rei dos trolls. E por ser quem eu era, não tinha nenhum amigo e ninguém queria ficar ao meu lado e me ajudar. Tentei derrotar o Dragão Ender sozinho porque eu só tinha a mim mesmo.

— E da vez em que conseguiu derrotá-lo?

— Foi quando finalmente fiz um amigo, Shawny. Ele estava disposto a ficar ao meu lado, apesar de eu o maltratar de vez em quando. — Ele fez uma pausa quando a lembrança do amigo voltou à sua cabeça, e sorriu. — Eu consegui... quero dizer, *a gente* conseguiu derrotar o Dragão Ender porque trabalhamos em equipe e ajudamos um ao outro. Este é o segredo para combater o Dragão Ender. — Ele parou e desembainhou a espada e apontou para o oceano de rostos à frente. — Olhem ao redor... vocês estão sozinhos? Não! Existe alguém disposto a lhes ajudar e proteger? Sim! — Ele aguardou enquanto os NPCs olhavam para quem estava ao seu lado, e, em seguida, atraiu novamente os olhares de todos para si. — Vou lhes dizer uma coisa. Estou com medo, mas precisamos ir ao Fim combater o Dragão Ender. *Precisamos* derrotar essa criatura para salvar Minecraft.

E minha família.

— Não sei como essa batalha irá terminar. — Ele olhou para Caçadora e, então, tornou a olhar para o oceano de rostos. — Mas uma coisa prometo: que serei o melhor Usuário-que-não-é-um-usuário que posso ser, e que usarei absolutamente todas as minhas forças para defender Minecraft. Tenho tanto medo quanto todos vocês, mas precisamos...

— Não... não... não — gaguejou Pastor.

Gameknight virou-se e olhou para o rapaz. Viu que Pastor estava tremendo quase que incontrolavelmente, e que seu cabelo escuro esvoaçava muito de leve.

— Pastor, qual o problema?

— Perigoso... perigoso... — disse ele, com a voz trêmula de pavor. — Preciso... preciso de mais. O portal negro para o Fim é perigoso... perigoso. Mais... mais...

Gameknight foi até o lado do amigo e falou com ele em voz baixa.

— Do que você está falando? Olhe para mim.

Estendeu o braço e trouxe o rosto jovem em sua direção. Pastor parecia apavorado, à beira do pânico, os olhos com uma expressão de louca insanidade.

— Eu sinto — sussurrou Pastor, a voz trêmula de terror. — O dragão... eu... eu sinto... sinto ele... e o que está lá. — Ele colocou as mãos nas laterais da cabeça e depois cobriu os olhos, pressionando com força.

— Está tudo bem, Pastor, estamos a salvo aqui — disse Gameknight, mas Pastor estava em pânico e não conseguia ouvir. Gameknight deixou a espada de lado, segurou a cabeça do garoto com as mãos e virou-a, para poder olhar fundo nos olhos de duas cores de Pastor.

— O dragão... mais... mais — gaguejou Pastor, como se estivesse fora de si.

— Pastor, se acalme. Tudo vai ficar bem, vamos lutar essa batalha juntos. Você pode ficar na retaguarda, onde estará mais protegido — garantiu Gameknight.

Os olhos de Pastor lentamente se focaram nos de Gameknight, e o tremor aos poucos começou a parar.

— Beleza, Porcolino, você não ia ajudar em muita coisa mesmo — disse alguém lá no meio do salão.

Gameknight virou a cabeça e olhou feio para os combatentes, desafiando o dono da voz a repetir aquilo, mas não disse nada. Virou-se novamente para Pastor e falou baixinho, para que apenas o garoto pudesse ouvir.

— Pastor, você pode ficar ao meu lado o tempo inteiro. Vou proteger você. Juntos, poderemos sobreviver à batalha. Você está entendendo?

— O portal negro... portal negro... perigoso — disse Pastor, e sua voz mais parecia com a de uma espécie de oráculo predizendo o futuro. — O dragão é mau... mau. Preciso de mais... mais. Pastor pode ajudar. Pastor sabe o que... sabe o que fazer.

E, antes que Gameknight pudesse dizer qualquer coisa, Pastor virou as costas e saiu em disparada do salão de reuniões, em direção à superfície.

— Pastor... espere!

Gameknight correu atrás do garoto, empurrando os corpos cobertos de armaduras que lotavam o salão, porém sua própria armadura volumosa tornava difícil para ele acompanhar o ritmo do menino ágil.

— Para onde o Usuário-que-não-é-um-usuário está indo? — perguntou alguém.

— Será que ele está fugindo?

— O que está acontecendo?

— Para onde ele está indo?

Gameknight saiu correndo pelos corredores. Sentia a confusão e o medo dos NPCs, mas sentia que precisava alcançar Pastor e entender qual era o problema. Algo dentro dele lhe dizia que era importante; de alguma maneira Pastor era crucial para o sucesso da missão.

Enquanto corria, escutava o som de passos na retaguarda. Muitos. Olhou por cima do ombro e viu Pedreiro e Costureira logo atrás dele, com as armas na mão e uma expressão de confusão e incerteza em seus rostos. Atrás deles vinha o restante dos NPCs, seus vultos pesadões comprimidos uns contra os outros naqueles corredores estreitos.

— Fiquem aí, não me sigam! — berrou, mas ninguém conseguia ouvir o que ele dizia no meio do som trovejante dos ecos daquela imensa quantidade de passos e do clangor das armaduras que enchiam a passagem.

Ignorando seus perseguidores, Gameknight continuou correndo, na esperança de alcançar Pastor, que parecia saber exatamente qual era o caminho para sair da fortaleza, indo de um corredor para o outro sem a menor hesitação. Terminou por conduzir Gameknight de volta ao longo lance de escadas que levava até a superfície. Pastor já estava na metade da escadaria quando Gameknight alcançou o primeiro degrau.

— PASTOR... PARE! — berrou ele.

— Mau... perigoso... mais...

Ele não conseguiu ouvir aquelas últimas palavras por causa do eco dos passos.

— Não posso ir... apanhar...

— Pastor, espere!

Subindo em disparada pelos degraus, ele saiu correndo atrás do jovem NPC até alcançar a entrada da fortaleza. Parou para recuperar o fôlego, e avistou Pastor seguindo em disparada pelo meio da savana, indo em direção ao terreno acidentado da floresta lá longe, o bando de companheiros brancos e peludos correndo com ele.

CAPÍTULO 27
O PORTAL DO FIM

 isso aí, Porcolino! Pode ir embora — gritou um dos arqueiros às costas de Pastor.

Gameknight estremeceu de raiva.

— CALE ESSA BOCA! — berrou Costureira, saindo da escadaria.

Ela disparou como um raio em direção ao combatente que tinha feito aquele comentário, e parou bem na frente dele, olhando feio no fundo de seus olhos. Envergonhado, ele olhou para o chão e recuou alguns passos. Caçadora emergiu da entrada da fortaleza e caminhou até a irmã. Pousou a mão em seu ombro, puxou Costureira para trás e depois foi até Gameknight.

Ele olhou para a garota e tentou sorrir.

— Para onde o menino foi? Por que ele saiu correndo assim? — perguntou Pedreiro, saindo do túnel.

— Não sei — respondeu Gameknight. — Não entendi o que aconteceu. — Então ele suspirou e olhou para a savana, observando o pequeno vulto de Pastor sumir de vista.

— Talvez sua coragem tenha acabado e fugir foi o único caminho que lhe restou — sugeriu Artífice, colocando-se ao lado do amigo e ofegando para recuperar o fôlego.

— Não... ele não fugiu — disse Gameknight, com voz fraca.

— Como assim? — perguntou Pedreiro. — Olhe... ele literalmente saiu correndo. O garoto já era, ele nos abandonou.

Os soldados soltaram uma enxurrada de comentários agressivos, acusações de covardia... de fracasso... de traição. Todos os nomes vis e abusivos que poderiam ser atirados nas costas de Pastor foram trazidos à frente.

— Você está errado — retrucou Gameknight. — Não sei o que ele está fazendo, mas não nos abandonou, não é da natureza dele. Seja lá o que estiver fazendo, é para nos ajudar.

Ninguém escutou o que dizia o Usuário-que-não-é--um-usuário, sua convicção sobre Pastor era fraca, tal como sua voz.

Talvez ele tenha mesmo fugido, pensou ele. *NÃO, ele não faria uma coisa dessas, não abandonaria seus amigos. Mas então por quê? Eu deveria defendê-lo, gritar que é inocente, mas eles o odeiam tanto... estão tão bravos. Como posso fazer com que mudem de ideia? Sou só um garoto, uma única voz... mas preciso tentar, pelo menos tentar. Ele é meu amigo e faria isso por mim.*

— Ele está fazendo o melhor que pode... está sendo o melhor Pastor que pode ser, e precisamos confiar nele — argumentou Gameknight. — Ele não nos deixou na mão quando fomos resgatar Caçadora... não irá nos deixar na mão agora... eu acho... espero. — Ninguém lhe deu ouvidos, sua voz carregava incerteza demais, timidez demais.

— Ele nos abandonou quando a gente mais necessitava dele! — berrou Pedreiro. — Vamos precisar de todos os corpos possíveis para combater aquele dragão, e até mesmo aquele garoto magricela poderia ajudar... Quer saber, para mim chega desse menino.

— Não desista dele assim tão rápido, Pedreiro — aconselhou Artífice. — Pastor ainda poderá nos surpreender. Tenha fé e entenda que o que ele está passando parece muito importante para ele agora. Precisamos ser amigos de verdade e ajudá-lo no que pudermos.

Gameknight olhou para Artífice e assentiu, mas, mesmo assim, tinha dúvidas.

Pastor... o que você está fazendo?

Gameknight virou-se e recuou alguns passos em direção à entrada da fortaleza, depois parou na frente de Pedreiro.

— Diga-nos, Usuário-que-não-é-um-usuário, qual é o plano? — perguntou Pedreiro.

Ele olhou ao redor para a multidão de NPCs perto da entrada da fortaleza. Havia guerreiros fortes de todos os tipos e tamanhos, homens, mulheres, jovens, velhos. Olhando para aquele mar de rostos, ele viu açougueiros, padeiros, fabricantes de tochas. Fazendeiros estavam ao lado de lenhadores, operários perto de fabricantes de barcos, fazendeiros junto de caçadores. Cada exemplo da vida de Minecraft estava bem ali na sua frente, olhando para ele como se pudesse lhes revelar um grande plano que seria capaz de salvar todo mundo e fazer tudo melhorar.

Não sei se sou capaz de fazer isso. Estou tão cansado que mal consigo pensar. O Dragão Ender... ele é tão grande, tão malévolo, tão...

Então ele pensou em algo que, percebeu, sempre soube: a única maneira de realmente superar aquele medo era enfrentando-o. E começaria pelo dragão.

Então o som de murmúrios ao redor aguçou seus ouvidos. Olhando para o exército, Gameknight viu olhos esperançosos fitando-o, sua sobrevivência dependia do Usuário-que-não-é-um-usuário. Entretanto, em cada par de olhos ele viu determinação nas pupilas quadradas e um sentimento de união. Aquilo não era apenas um exército, era uma comunidade; não, uma família, em que cada pessoa estava disposta a ajudar a outra no que fosse necessário.

Ele não estava sozinho, essa era a chave.

Ele poderia enfrentar seu medo desde que não estivesse sozinho, e tivesse outras pessoas ao seu lado; e a confiança destas no jogador ajudaria a aumentar sua própria coragem e força. Fechando os olhos, Gameknight999 imaginou-se enfrentando o Dragão Ender e olhando no fundo de seus malignos olhos púrpura, com o apoio dos seus amigos.

Eu me recuso a desistir, Dragão, pensou consigo mesmo. *Eu me recuso a me render aos meus medos!*

E, surpreendentemente, sentiu-se um pouco mais confiante. Não é que Gameknight não sentisse mais medo, não é isso... ele continuava apavorado com as garras afiadas como navalhas do dragão. Apenas um tolo não sentiria medo daquele monstro. O que acontece é que simplesmente não se sentia mais aprisionado pelo medo. Sua disposição de enfrentar aquele medo, com o apoio dos seus amigos, de alguma forma permitira que Gameknight fosse ele mesmo.

Então as palavras de Caçadora inundaram sua mente como a onda de uma maré, afastando o que ainda restava de incerteza e medo.

Seja, simplesmente... simplesmente seja.

Gameknight respirou fundo para se acalmar, e pensou em todas as vezes em que fora ao Fim. Visualizou as garras do dragão tentando apanhá-lo. Aquele monstro destruía tudo o que havia sido construído ali, detonava toda espécie de bloco a não ser os de rocha, obsidiana e pedra do Fim. E os endermen, os muitos e muitos endermen que habitavam o Fim, atacariam incansavelmente também. Como eles poderiam revidar?

Então uma das peças do quebra-cabeça se encaixou... os cristais ender... sim, talvez desse certo. Por que ele não havia pensado nisso antes?

Mas como desceríamos até... claro, isso com certeza vai funcionar. E que dizer de... sim, isso pode dar certo, mas só se... e então as peças do quebra-cabeça começaram a rodopiar em sua mente e se encaixar em seus lugares...

À medida que o plano se solidificava em sua cabeça, ele foi percebendo que era bastante arriscado. Estariam por um fio, e o menor passo em falso os faria despencar no abismo. Se uma das peças da estratégia falhasse, toda ela viria abaixo... e muitas pessoas morreriam. Mas algo estava faltando... algo que tinha a ver com Pastor. Ele não tinha todas as respostas ainda, nem a certeza de que realmente seria capaz de dar conta daquilo.

Mas ele era Gameknight999... precisava tentar.

Abrindo os olhos, olhou para a comunidade que o rodeava, todos com os olhos cheios de esperança.

— Certo, vamos fazer o seguinte. Primeiro, precisaremos de baldes d'água... um monte. Segundo, precisaremos de...

E Gameknight999 começou a explicar seu plano para a batalha contra o Dragão Ender.

Enquanto os NPCs reuniam tudo de que precisavam na Superfície, Gameknight aguardava impaciente em frente à entrada da fortaleza e ia relembrando todas as outras batalhas que enfrentara no Fim. Em todas aquelas inúmeras viagens que fizera para enfrentar o Dragão Ender, Gameknight não sentira nenhum medo, pois sabia que não sentiria dor; tudo aquilo não passara de um jogo.

Agora era diferente.

Fechando os olhos, Gameknight imaginou as garras gigantescas e afiadas como navalhas do dragão destroçando as armaduras de ferro dos combatentes tal qual papel, e estremeceu. Muitos morreriam, e não havia nada que ele pudesse fazer.

Simplesmente seja.

Ele afastou aquelas ideias do que poderia acontecer e focou apenas no *agora*, como seu pai lhe ensinara.

Muitos dos NPCs àquela altura já tinham voltado com os suprimentos necessários e aguardavam junto à entrada. A maioria sentia medo de aventurar-se na fortaleza estranha e perambulava nervosamente por ali, tensos e com medo, conversando entre si. Ele ouvia vários deles querendo saber por que "Porcolino" tinha fugido.

Odeio esse apelido, pensou Gameknight. *Eu devia ter dito alguma coisa... devia ter dado um jeito de impedir que o chamassem assim, tempos atrás.*

É engraçado como se sentia corajoso e forte depois que aquele que tinha sido zombado e insultado não estava mais lá. Aquilo o lembrava muito da escola, dos bullies que o importunavam, que lhe davam nomes, que tiravam seu boné... todas aquelas coisinhas que, aparentemente, pareciam insignificantes, como um jogo, mas que, quando reunidas, fazem a vítima ter medo de ser vista, como se ela não tivesse tanta importância e fosse uma pessoa de menor valor que os bullies.

Odeio bullies... odeio como eles me fazem sentir a meu respeito.

Mais NPCs chegaram com os suprimentos restantes. Então, estava quase tudo preparado.

Eu devia ter falado alguma coisa... devia ter repreendido os outros pelas zombarias e insultos, assim Pastor não se sentiria tão sozinho.

Mais vozes começaram a encher a Superfície, mais comentários sobre a covardia de Porcolino, que fugira correndo para sua mamãezinha. A raiva aumentou dentro de Gameknight. Ele ouviu Caçadora falar alguma coisa sobre os combatentes, mas sua raiva era tão grande que ele não entendeu o que ela dizia.

Odeio bullies! Olhe só para eles, continuam enchendo o saco, mesmo depois de ele não estar mais aqui!

— O NOME DELE É PASTOR! — gritou Gameknight para todos... para ninguém... para si mesmo. Sua voz ecoou pela paisagem, como se Davi em pessoa estivesse desafiando Golias. Virou-se e enfrentou os NPCs, a raiva explodindo dentro dele como um vulcão irrefreável. — O nome dele é Pastor, e ele é MEU AMIGO! Ele não merece toda essa zombaria. Não fez nada para nenhum de vocês, pelo contrário, só ajudou todo mundo que precisava de ajuda. E digo a todos vocês agora, agora mesmo, que eu aceito Pastor como ele é, ainda que seja diferente de mim. Pastor é meu amigo!

A voz de Gameknight parecia um trovão. Todos os murmúrios e comentários cessaram no mesmo instante enquanto os olhos do exército eram atraídos instantaneamente para o Usuário-que-não-é-um-usuário. Ele se virou e olhou sério para quem estava ao seu lado, depois colocou um bloco de pedra no chão e subiu sobre ele, de modo que agora pudesse olhar carrancudo para todo mundo. Uma expressão de fúria estava estampada no rosto quadrado.

— Ele é meu amigo, e o nome dele é Pastor, não Porcolino. Ele não merece essas zombarias e maus-tratos. Ele sempre foi o primeiro a se oferecer para lutar, o primeiro a se oferecer para ajudar. — Olhou para Caçadora, depois continuou. — Na verdade, se não fosse por Pastor, provavelmente não teríamos conseguido salvar Caçadora. Só conseguimos por causa dele. Todo mundo comemorou quando a gente voltou, nos dando tapinhas nas costas, mas ninguém disse nada para Pastor. Vocês deviam sentir vergonha.

Eu devia sentir vergonha.

— Os monstros de Minecraft importunaram todos vocês, em algum momento. Ainda lembram de como é isso, mas, mesmo assim, são capazes de fazer o mesmo, e com alguém de seu próprio meio. — Gameknight fez uma pausa enquanto corria os olhos pela multidão. — O único motivo pelo qual estamos lutando para salvar Minecraft é porque já estamos fartos de bullies como Érebo e Malacoda. Só porque eles são mais fortes que nós, isso não lhes dá o direito de fazer o que bem entenderem. Não vamos mais tolerar isso nem deixar monstros nos tratarem assim... E contudo vocês todos se eximem enquanto Pastor é zombado e importunado... Eu fiz a mesma coisa. — Gameknight olhou para o chão por um instante, com um ar de vergonha no rosto. — Todos deixamos Pastor sofrer sozinho, e isso não foi certo. Todos tivemos a chance de defendê-lo e deixar claro para ele que somos seus amigos, mas não fizemos nada disso. — Ele deu um suspiro e ergueu os olhos novamente, agora com um olhar de determinação. — Ele é o melhor dentre todos nós e merece ser melhor tratado, mesmo em sua ausência. E, se vocês não são capazes de aceitar isso, então vão embora e não me sigam até o Fim.

O silêncio envolveu a paisagem enquanto ele descia lentamente do bloco. Viu alguns rostos quadrados abaixados, olhando fixo para o chão, enquanto outros se entreolhavam, sem saber o que fazer. Costureira disse alguma coisa, mas ele não ouviu, simplesmente virou as costas e saiu correndo escada abaixo em direção às profundezas sombrias da fortaleza. Não estava nem aí se alguém fosse atrás dele. Embarcaria naquela missão sozinho se preciso fosse, muito embora provavelmente fosse fracassar, porém não podia mais suportar que as pessoas abusassem dos fracos, dos diferentes ou dos inocentes.

Gameknight ouviu o som de seus próprios passos ecoando pela escadaria enquanto descia. Parecia o som de um tambor, de um tambor solitário. Odiava o modo como Pastor havia sido tratado por todo mundo, principalmente por ele mesmo. Aquilo o fazia se lembrar de como ele havia sido tratado na escola. *Aquilo me deixa louco da vida!* E odiava estar ali, em Minecraft, sempre com medo de morrer, de liderar, de fracassar, sempre aterrorizado... sempre se sentindo um covarde.

Outro tambor juntou-se à sinfonia, e depois outro e mais outro. Ele percebeu que as pessoas estavam falando com ele, mas não conseguia ouvir por causa da raiva. Simplesmente continuava seguindo desabaladamente em frente, rumo ao salão do portal. Os passos então se tornaram indistinguíveis à medida que cada vez mais pessoas seguiam Gameknight, os ecos soando como um trovão incessante. Quando ele chegou ao pé da escada e começou a percorrer os corredores amplos, olhou para o lado. Seu corpulento amigo Artífice estava ali, com a espada em punho. Do seu outro lado estavam Caçadora e Costureira, ambas com os arcos encantados a postos, com flechas preparadas. Em seus rostos via-se uma profunda determinação enquanto elas caminhavam pelo corredor. Ele sabia que todos estavam preparados para guerrear ao lado do Usuário-que-não-é-um-usuário, que dariam suas vidas, se preciso fosse, para proteger a ele e Minecraft. Olhando por cima do ombro, Gameknight viu mais pessoas caminhando ao seu lado agora. Soldados grandes e pequenos o seguiam pela fortaleza, de armas em punho e a mesma expressão de profunda determinação que ele vira no rosto de seus amigos. Estavam seguindo seu líder, o Usuário-que-não-é-um-usuário, preparados para fazer tudo o que fosse necessário e pagar o preço que fosse para proteger seus amigos e Minecraft.

Ele não deixaria que o Dragão Ender tripudiasse dele, e, da mesma maneira, não permitiria que Érebo e Malacoda voltassem a fazer isso.

— Eu sou Gameknight999, o Usuário-que-não-é-um-usuário! — berrou bem alto, sem dar a mínima para quem estivesse ouvindo. — E NUNCA MAIS terei medo! — Ouviu as pessoas soltando vivas tão alto que seus ouvidos chegaram a doer. — Não vou fingir que não estou vendo quando as pessoas são maltratadas, e não vou fechar os olhos para as ameaças a Minecraft. — Mais vivas, dessa vez ainda mais altos. — Eu sou o Usuário-que-não-é-um-usuário e vou defender todo mundo, os pequenos, os grandes, os corajosos, os temerosos. Não permitirei que os monstros da noite ameacem seu mundo ou o meu!

Gameknight entrou no salão iluminado do portal. Parou no alto das escadas, virou-se e encarou o exército de frente... seu exército.

— Eu seguirei até o Fim para destruir o Dragão Ender e tomar o Ovo do Dragão. Depois irei até a Fonte. Malacoda e Érebo provavelmente irão nos seguir, e seu exército é numeroso, mas isso não irá me deter. Vou acabar com essa guerra e esses monstros, de uma vez por todas. Pode ser que isso exija que eu dê meu último suspiro e meu último grama de vida, mas eu não estou nem aí. Estou cansado de ter medo deles, cansado de ter medo de defender o que é certo. Tudo isso acabou, e agora é o início de um novo dia. Sigam-me se quiserem, mas saibam que o Fim testará toda a sua coragem e que, quando alcançarmos a Fonte, as coisas depois só irão piorar. Porém, de uma coisa podem ter certeza: nós *vamos* salvar Minecraft.

Então ele se virou em direção ao portal e sacou sua espada encantada.

— Pode vir, Dragão... vamos dançar!

E Gameknight entrou no Portal do Fim e sumiu de vista.

CAPÍTULO 28
MODIFICANDO ÉREBO

 blaze abriu caminho à força pela reunião de monstros até conseguir ficar diante de seu rei, Malacoda.

— Meu senhor, o exército dos NPCs desapareceu — disse a criatura em chamas, um zumbido mecânico acompanhando cada uma de suas palavras.

— O quê?

— Eles sumiram — explicou o monstro. — Nós os vimos movimentando-se por aí, reunindo coisas. Conforme Vossa Majestade instruiu, nós nos escondemos para não sermos vistos, mas, quando saímos dos esconderijos, eles já haviam desaparecido. Porém conseguimos avistar um deles, um garoto, que saiu correndo.

Alguns dos monstros deram risadas ao ouvir isso, muitos dando a entender que o NPC covarde estava com medo do rei do Nether. Malacoda ergueu um tentáculo para silenciar a barulheira.

— Provavelmente entraram naquele túnel que leva à região subterrânea — disse Érebo, com a costumeira voz guinchante. — Estão indo atrás da segunda chave.

— Claro que estão! — confirmou Malacoda. — Justamente como eu esperava.

Érebo deu uma risadinha.

Este tolo não esperava nada.

Malacoda olhou carrancudo para Érebo e depois voltou-se novamente para seu blaze.

— Restou algum NPC na superfície?

— Não, Majestade, todos se foram.

— Então devemos atacar agora! — exclamou Malacoda, a voz retumbante. — Eles não estarão esperando por isso. Vamos aniquilá-los e depois vamos...

— Não! — exclamou Érebo.

Malacoda virou-se e olhou sério para o enderman, e uma esfera de fogo alaranjado começou a desabrochar dentro dos tentáculos do ghast.

— Ahhhh... quero dizer... talvez essa não seja nossa melhor opção... Alteza — apressou-se a dizer Érebo. — É melhor deixar o exército de NPCs derrotar o guardião seguinte para nós. Que eles apanhem a segunda chave e destranquem a Fonte.

— Mas eles estarão esperando justamente isso — retrucou Malacoda.

— Olhe ao redor. Não há jeito de eles conseguirem derrotar este exército. É a maior reunião de monstros que jamais existiu. Somos um exército imbatível que vai cair em cima deles, como uma tempestade violenta. Eles não poderão fazer nada, e dessa vez Gameknight não contará com a ajuda de seus preciosos usuários, porque eles estão encurralados e presos e, em breve, serão destruídos.

Malacoda flutuou para o alto, imerso em pensamentos. Enquanto ele refletia sobre suas opções,

Érebo correu os olhos pelo exército. Todos estavam famintos por guerrear e com desejo de destruir aqueles NPCs, porém, o mais importante: desejavam destruir a Fonte. Este exército formado por monstros da Superfície e do Nether ansiava por se livrar dos confins de Minecraft; queriam a liberdade do mundo físico. Olhando aquele mar de criaturas, os olhos de Érebo pousaram sobre os artífices de sombras. Eles estavam todos reunidos discutindo alguma coisa, e seus murmúrios eram ininteligíveis por causa dos gemidos altos dos zumbis, do estalar das aranhas e dos zumbidos mecânicos dos blazes. Érebo teleportou-se para uma nova posição em meio a um amontoado de cubos de magma e viu que o estranho artífice de sombras de olhos brilhantes estava bem no meio daquele grupo. Fazia alguma coisa, mas Érebo não pôde ver o que era. Parecia a criação de algo sombrio, mas o corpo verde de Zumbibrine bloqueava a maior parte de sua visão. Enquanto observava, Érebo começou a sentir um formigamento esquisito em todo o seu corpo, como se algo dentro dele estivesse sendo ampliado, mas não conseguia descobrir exatamente o quê. Então percebeu que partículas púrpura do teleporte começaram a se formar ao seu redor... mas ele não havia conjurado seus poderes... o que estaria acontecendo? Olhou para trás, para os artífices de sombras, e viu que possuía de olhos brilhantes de repente parara o que estava fazendo. No mesmo instante, o formigamento cessou e a neblina do teleporte desapareceu. Ele estava prestes a se virar quando o artífice de sombras subitamente levantou-se e o olhou diretamente, os olhos incandescentes.

— O herói de um dos lados é o vilão do outro — declarou o estranho artífice de sombras, com voz rascante.

— O quê? — perguntou Érebo, mas era tarde demais, o misterioso artífice de sombras já tinha desaparecido.

Ele simplesmente sumiu em completo silêncio, sem nenhuma partícula de teleporte, nenhum pop, como se seu HP houvesse simplesmente sido consumido. O artífice de sombras de olhos brilhantes apenas deixou de estar ali. Érebo correu os olhos ao redor, mas não viu a criatura em lugar algum... Virando-se para trás, percebeu que os outros artífices de sombras olhavam para ele com estranhos sorrisos maléficos nos rostos quadrados. Zumbibrine assentiu para Érebo, como se os dois compartilhassem alguma espécie de segredo, depois virou-se e caminhou novamente até Malacoda. Ao olhar para aquela monstruosidade flutuante, Érebo notou que o tolo começava a dar ordens.

Melhor voltar lá para ter certeza de que esse idiota não vai fazer nenhuma besteira.

Convocou seus poderes de teleporte e, subitamente, materializou-se na frente do rei do Nether. Nem notara as partículas de teleporte se formarem, se é que elas chegaram a... interessante.

Malacoda olhou para o enderman.

— Decidi que esperaremos até os NPCs adquirirem a segunda chave — anunciou Malacoda, com voz gutural. — E então iremos destruí-los nos degraus da própria Fonte.

— Que plano mais brilhante, Majestade — zombou Érebo.

Malacoda olhou-o carrancudo, irritado e desdenhoso.

Logo, logo me livrarei desse tolo, pensou Érebo, enquanto cuidadosamente conjurava seus poderes de teleporte. Dessa vez, porém, sentiu que tinha mais poder na habilidade, como se ela de alguma maneira houvesse sido magnificada. Sentiu a diferença e soube que aquilo mudava tudo de figura.

Sim, com certeza logo me livrarei desse idiota, e então serei o rei de todos os monstros... e Minecraft e o mundo físico em breve serão meus.

Então Érebo deu sua risada apavorante de enderman e sorriu para Malacoda.

CAPÍTULO 29
O FIM

Gameknight999 materializou-se em uma estranha paisagem formada de blocos amarelo-claros e altos pilares negros. Paisagem, entretanto, não era a palavra mais certa para descrever aquilo: ele sabia que, na verdade, o lugar não passava de uma gigantesca ilha formada pelos blocos de pedra bege do Fim, e que tudo aquilo flutuava num vazio escuro que se estendia em todas as direções; sem traços característicos... sem estrela alguma, apenas o vazio.

Olhando para baixo, Gameknight percebeu que havia se materializado em uma plataforma de obsidiana com cinco blocos de comprimento por cinco de largura. Felizmente para ele, na verdade aquela plataforma se situava na ilha e não flutuando pelo espaço sideral; um bom descanso das dificuldades por enquanto.

Foi até a beirada da plataforma e inspecionou os arredores. Um morro de uns dez ou doze blocos de altura estava bem à frente, limitando sua visão daquela área. Espiando para o espaço longínquo atrás do morro, Gameknight viu o topo dos pilares de obsidiana, cujos cumes ardiam com uma chama. Saltou da plataforma e caiu o equivalente a dois blocos de altura sobre uma pedra, a espada de prontidão. Vendo que não havia nenhuma ameaça por perto, guardou a arma e foi rapidamente até uma suave elevação. Correu os olhos pelo Fim e avistou os vultos escuros dos endermen que pontilhavam a ilha amarelo-clara, criaturas sombrias que se teleportavam de um lugar para o outro enquanto vagavam a esmo. Devia haver pelo menos uns cem daqueles monstros apavorantes na ilha flutuante, alguns reunidos em grupos coesos e outros espalhados por todas as partes, enquanto seus primos negros menores, os endermites, continuamente corriam para todos os lados. Observando a paisagem, ouviu os outros materializando-se atrás dele, o exército lentamente saindo da fortaleza subterrânea e adentrando aquela terra estranha e amedrontadora. Sentiu uma presença ao seu lado, virou-se e viu que era Artífice.

— Seja bem-vindo ao Fim — disse Gameknight, dando um tapinha no ombro do amigo.

Artífice olhou para a paisagem e estremeceu.

— Olhe só quantos endermen... Eles estão por toda parte.

Gameknight deu as costas ao amigo e olhou para o Fim. Do alto do morro, era possível avistar aquela terra sem nenhuma obstrução. De fato, havia endermen por toda parte, mas o que chamou a atenção de Gameknight foram as torres sombrias. Pilares altos e negros de obsidiana irrompiam pelos ares como sentinelas em torres, protegendo a região. Por experiência própria, Gameknight sabia que devia haver cerca de vinte delas, embora da posição em que estava só pudesse avistar seis. Sobre cada uma havia um cristal púrpura flutuando dentro de um círculo de fogo, fumaça e cinzas que se erguia em direção ao céu escuro e vazio. As chamas que lambiam os cristais púrpura eram lindas, e fizeram Gameknight lembrar-se das velas de seu último bolo de aniversário de Minecraft. Ele sorriu. Aqueles cristais púrpura eram os cristais ender e o segredo da força do Dragão Ender.

Seriam seu primeiro alvo.

Virando-se, Gameknight desceu o morro e ficou diante de seu exército.

— Meus amigos, o Dragão ainda não nos viu, mas logo verá — disse ele. — Não é possível fazer frente a esse demônio, não importa o quanto vocês pensem que são fortes. Se tentarem peitá-lo e lutar contra ele, até poderão causar-lhe algum estrago, mas então a fera simplesmente voará até um dos cristais ender, que ficam no topo desses pilares de obsidiana, e seus ferimentos se curarão. Nosso primeiro desafio, portanto, não é lutar contra o Dragão... é destruir esses cristais.

— Arqueiros, formem um círculo ao redor dos pilares e atirem nos cristais. Uma única flecha é capaz de explodi-los. Eles devem ser destruídos o mais rápido possível. Infantaria, dê cobertura aos arqueiros. Cavem um fosso de três blocos de largura e o preencham com água. Arqueiros, fiquem de pé na água: isso vai proteger vocês dos endermen. Lembrem: se virem o dragão vindo até vocês... fujam depressa. Não tentem combatê-lo, a menos que tenham abandonado todas as esperanças e desejem o fim dos seus dias. Agora, vamos.

Sacou a espada, virou-se na direção do pilar mais próximo e saiu correndo.

— POR MINECRAFT! — gritou ele.

— POR MINECRAFT! — berrou o enorme exército, enquanto o seguia rumo à batalha para conquistar o Fim.

Eles flutuaram pela paisagem, como uma enchente irrefreável. Todos os endermen que estavam por perto pararam de vagar a esmo e se viraram na direção dos invasores, os olhos cintilando intensamente à luz fraca do Fim. Algumas daquelas criaturas sombrias começaram a se aproximar do exército, atraídas por sua curiosidade diabólica.

O primeiro grupo de arqueiros alcançou o pilar mais próximo e começou a disparar contra ele. Era difícil calcular a distância correta dos disparos: de início as flechas caíram no nada, pelas laterais do pilar de obsidiana.

— Mais alto, mirem mais alto! — berrou Gameknight, enquanto corria depressa até a torre seguinte.

— Arqueiros, espalhem-se e alcancem todos os cristais ender, rápido. Guerreiros, protejam-nos!

E então uma das flechas atingiu os cristais ender. Os ecos de uma explosão ressoaram pelo Fim enquanto o bloco púrpura explodia. O exército de NPCs soltou vivas, mas foi logo interrompido por um urro de raiva que atravessou a área... agora o dragão sabia que estavam ali.

— Lá vem ele! — gritou alguém.

Gameknight olhou para cima e viu movimentos indistintos no céu. Era difícil enxergar com clareza, pois o corpo da fera estava obscurecido pela fumaça e pelas cinzas que subiram depois da explosão dos cristais. Então ele viu... Viu aqueles terríveis olhos púrpura cintilando de ódio.

Com um rugido poderoso, o dragão subiu pelos ares, os terríveis olhos fitavam os invasores abaixo. Quando ele passou voando, Gameknight avistou sua longa cauda cheia de espinhos serpenteando atrás do seu corpo alado, como uma gigantesca cobra negra. Os espinhos cinzentos que cobriam toda a extensão da cauda cintilavam na luz fraca do Fim, e suas pontas afiadas como navalhas brilharam muito de leve. Ele sabia que o mero toque naqueles espinhos poderia significar a morte, e estremeceu.

Então o enorme monstro estacou e deu uma volta imensa, as asas bem abertas. Gameknight viu as pontas em garra daquelas asas: sabia que ofereciam perigo também. Então, o monstro empertigou o corpo e voltou a sobrevoar o exército. Dessa vez, Gameknight999 conseguiu olhar direto nos olhos odiosos da fera, que rugiu, escancarando a boca cheia de presas. Ele viu um brilho púrpura sair do interior do corpo do monstro; o estranho fogo cor de lavanda que cintilava por trás dos olhos também ardia dentro daquele corpo. De repente, o monstro fechou a boca, e suas presas colidiram umas com as outras, como um gigantesco visor de aço.

Enquanto voava por ali, o monstro não tirava os olhos de Gameknight999. Sua cabeça reptiliana permanecia focada no Usuário-que-não-é-um-usuário, os chifres cinzentos faiscando com a promessa de uma morte afiada.

A criatura horrenda soltou outro rugido poderoso e saiu voando rumo à escuridão, provavelmente preparando-se para sua primeira investida.

Gameknight estremeceu de medo, depois desviou os olhos do local para onde a fera havia voado. Reuniu toda a coragem e saiu correndo em direção ao pilar seguinte. Viu que Caçadora e Costureira atiravam suas flechas encantadas no próximo cristal ender. As setas pontiagudas atravessaram os ares como mísseis em chamas, mas caíram pelas laterais do pilar. Elas reajustaram a pontaria e atiraram mais uma vez. Os projéteis cintilantes arquearam no alto e atingiram o cristal, fazendo com que o topo do pilar explodisse em chamas. O som da explosão ecoou pelo Fim: mais um cristal tinha sido destruído.

Virando-se, Gameknight viu outro grupo de arqueiros formando um cerco em torno de outra torre enquanto um círculo de infantaria os protegia. Lenhabrin estava ali, colocando blocos de terra no chão, seguido de perto por Gramabrin, que, ao passar, deixava atrás de si uma grama emaranhada. Eles estavam protegendo um dos flancos do grupo, enquanto a infantaria protegia o outro. Foi então que um enderman soltou uma risadinha atrás de um dos soldados: o guerreiro girou o corpo e brandiu sua espada, atingindo o enderman no peito.

— Oh, não! — Gameknight ouviu o NPC dizer.

Aquilo enfureceu a sombria criatura, fazendo seus olhos emitirem um intenso brilho esbranquiçado. Então ela recuou para longe do NPC e berrou um guincho altíssimo. O som agudo atravessou o fim como uma lâmina atravessa a carne, fazendo vários NPCs deixarem cair as armas para cobrir os ouvidos. Os endermen que estavam espalhados pelo Fim começaram a estremecer, os olhos ardendo de um brilho branco intenso de ódio; estavam ficando irados. O enderman virou-se novamente para o NPC e o atacou com os punhos fechados, socando o NPC sem parar até que somente a pilha de seu inventário denunciasse que ele um dia estivera ali.

— Começou — murmurou Gameknight consigo mesmo, enquanto observava a horda de endermen teleportando-se em direção ao exército. — Os endermen estão atacando! PREPAREM-SE!

— Gameknight, abaixe-se! — berrou Caçadora.

Ele abaixou-se justamente quando quatro garras afiadíssimas como navalhas quase atingiram sua cabeça. Rolou de lado, levantou-se e saiu correndo em direção a um grupo de arqueiros que estava sendo atacado por endermen. Olhou para o céu e viu as flechas de Caçadora voando até o dragão e atingindo o flanco da fera. O monstro, entretanto, ignorou o ataque e voou até um dos cristais ender mais próximos. Quando estava perto o suficiente, o cristal soltou um raio cintilante de energia púrpura e curou os ferimentos do dragão imediatamente. Então, o monstro virou-se graciosamente pelos ares e mergulhou em direção a um grupo de arqueiros.

— FUJAM! — berrou Gameknight, mas estava longe demais para ser ouvido.

O dragão caiu em cima dos soldados desavisados e com as garras bem abertas destruiu suas armaduras tal qual papel, reduzindo o número dos guerreiros pela metade em questão de segundos. Enquanto o monstro se afastava, endermen se teleportaram para perto dos arqueiros sobreviventes e os atacaram com uma ferocidade que Gameknight nunca vira antes. Os monstros socaram os arqueiros com os punhos negros, destruindo todos os sobreviventes. Gameknight assistiu àquele massacre e se sentiu responsável por cada uma daquelas mortes.

Eles vieram até aqui por minha causa, mas não fui capaz de protegê-los... eu não sou nada.

Então, porém, uma voz ecoou em sua cabeça, fortalecendo Gameknight... *Simplesmente seja.*

Não, eu não vou sentir pena de mim mesmo, sou Gameknight999, o Usuário-que-não-é-um-usuário, e me recuso a desistir.

— Infantaria, ponha água em torno dos arqueiros! — berrou. — Protejam os arqueiros!

Um enderman apareceu bem ao lado de Gameknight. Girando o corpo, ele atacou a criatura com toda a força. Desferiu dois golpes poderosos antes que ela pudesse se teleportar para longe. Girou em círculo e viu para onde ela havia ido: foi atrás do monstro e o atacou. Quando estava a uma braçada de distância, abaixou-se para se desviar dos punhos negros que foram para cima dele, e tornou a atacá-lo com a espada, sem parar, até ele se teleportar novamente para longe. Descobriu para onde tinha ido e novamente arremeteu contra seu adversário sombrio, desferindo golpes quando ele passou, depois atacou o monstro sem parar até seu HP ser consumido, deixando apenas uma esfera cor de púrpura no chão.

— Infantaria, ataque os endermen que estão fugindo — gritou Gameknight. — Não fiquem aí parados...

ataquem e fujam, ataquem e fujam. Arqueiros, continuem disparando contra os cristais ender!

Ouviu uma risadinha à esquerda e, girando o corpo, arremeteu contra outro enderman, mas, ao se aproximar, viu o dragão voando até ele pela direita. Quando a fera chegou perto, ele se abaixou e saiu rolando para se desviar das garras escuras e cintilantes.

Mais explosões ressoaram ao redor quando os arqueiros, protegidos pela água, começaram a destruir cada vez mais cristais ender. Gameknight olhou para o céu e viu que o dragão estava mais e mais enfurecido, os olhos cor de púrpura cintilando com maior intensidade. Ele mergulhou sobre um grupo de guerreiros que atacava um grupo de endermen. As criaturas se teleportaram para longe, fugindo da batalha, assim que as garras do dragão destroçaram as fileiras de NPCs. Os guerreiros não tiveram a menor chance, suas armaduras de ferro não eram fortes o bastante. Suspirando, Gameknight sentiu-se triste, mas sabia que não tinha tempo para uma pausa em homenagem aos mortos. Naquele instante, precisava fazer o que sabia fazer melhor... trollar.

Saiu correndo em direção a um grupo de endermen que tentava alcançar um esquadrão de arqueiros, e atacou suas costas negras enquanto corria. Quando eles se viraram para enfrentar seu atacante, Gameknight fez uma curva e os atacou pelo outro lado, justamente no momento em que mais cristais ender explodiam. Todos os endermen viraram-se em direção ao Usuário-que-não-é-um-usuário e lentamente avançaram, enquanto ele recuava.

— Ataquem todos pelas costas! — berrou Gameknight para os arqueiros.

De repente, uma chuva de flechas caiu em cima das criaturas sombrias. Quando elas se viraram para enfrentar aquele novo ataque, Gameknight999 arremeteu, fazendo grandes arcos de destruição com sua cintilante lâmina de diamante. Mais endermen desapareceram, deixando para trás apenas partículas púrpura. Os monstros que sobreviveram àquele ataque se teleportaram para longe, tentando fugir das espadas e das flechas, e bateram em retirada daquela pequena área da batalha.

Os arqueiros soltaram vivas, mas foram subitamente silenciados quando o Dragão Ender veio para cima deles e destruiu todos com as garras poderosas.

— Nããããão! — berrou Gameknight, abaixando-se para se desviar de uma asa sombria.

O dragão continuou a espalhar a destruição entre os que estavam no chão, arrasando de esquadrões de infantaria enquanto os arqueiros disparavam flechas na fera voadora. Mas, a cada conjunto de disparos, o monstro voava mais alto e encontrava um cristal ender. Eles tinham poucas chances contra o dragão enquanto aqueles cristais não fossem completamente destruídos. Virando-se, ele subitamente se deparou com Caçadora e Costureira ao seu lado.

— Restam apenas dois cristais, mas estão altos demais; nossas flechas não conseguem alcançá-los — explicou Caçadora.

— Onde?

Caçadora apontou seu arco encantado na direção do outro lado da ilha flutuante de pedra do Fim.

Avistou os dois altos e largos pilares de obsidiana ao longe, os cumes emitindo uma iridescência púrpura. Gameknight saiu correndo até lá e, enquanto corria, guardou a espada e sacou sua pá.

— Protejam-me — pediu falando por cima do ombro, enquanto começava a escavar a pálida pedra do Fim.

Cavando o mais depressa que podia, reuniu uns vinte blocos daquela pedra amarelo-clara. Elas saíam com a facilidade da neve, embora pesassem em seu inventário. Ele guardou a pá e continuou a correr em direção aos dois últimos cristais.

— Costureira, leve os arqueiros para o outro lado do Fim e ataquem o dragão quando ele se aproximar. Vocês precisam mantê-lo ocupado por algum tempo, distraí-lo. — *No meio do caos, existe a oportunidade,* pensou Gameknight; era uma das frases que ficavam na parede da sala do Sr. Planck. — Usem muita água para proteger os arqueiros dos endermen. Caçadora, você vem comigo.

Costureira virou-se e saiu correndo para o outro lado, gritando a plenos pulmões. Em questão de segundos, ele ouviu Pedreiro berrando ordens, o NPC grandalhão assumindo o comando do resto do exército.

— Qual é o plano? — perguntou Caçadora.

Gameknight olhou para os dois imensos pilares de obsidiana dos quais eles se aproximavam agora, e refletiu sobre a situação, tentando juntar as peças do quebra-cabeça. Os dois pilares estavam lado a lado, quase se tocando. Um era mais alto que o outro; era por aquele que ele deveria começar... mas como?

Então se lembrou da primeira aranha com quem precisou lutar depois de ser atraído para dentro de Minecraft, e aquilo lhe deu uma ideia.

— Quero que você faça o seguinte — disse, e então explicou o plano para ela.

Quando eles alcançaram a base do pilar de obsidiana, Caçadora continuou correndo enquanto Gameknight começava a construir seu próprio pilar, só que de pedra do Fim. Ele saltava a cada bloco que colocava, subindo cada vez mais pelos ares.

Se o dragão me atacar aqui, estou morto, pensou consigo mesmo. *Ninguém consegue sobreviver a uma queda desta altura.*

— Espero que você esteja preparada, Caçadora — gritou ele para o nada.

Correu os olhos pelo céu e avistou uma flecha cintilante de Costureira cortando os ares, em direção a um alvo que ele não conseguiu ver. Devia ser o dragão.

Precisava agir depressa.

Colocando os blocos mais rápido ainda, ele continuou subindo enquanto o topo daquele pilar impossivelmente alto começava a se aproximar. O brilho do cristal ender em chamas foi ficando cada vez mais intenso à medida que ele se aproximava do topo, iluminando o alto do pilar de obsidiana com um brilho misterioso. Ele estava quase lá, mas precisava ser rápido. Colocando os blocos o mais depressa possível, Gameknight continuou subindo até que... a pedra do Fim acabou.

Oh, não!

O Dragão era capaz de destruir qualquer tipo de bloco que tocasse, exceto os de obsidiana, rocha e pedra do Fim. Usar qualquer outro material era ariscado, mas ele não tinha escolha. Enfiou a mão em seu inventário e sacou uma pilha de pedra comum. Então, continuou a subir. Se o dragão o apanhasse agora, talvez Gameknight conseguisse sobreviver às garras afiadas investindo contra sua armadura de diamante, mas a fera destruiria completamente a pedra que ele usava então. E isso provavelmente significaria uma queda mortal. Ele precisava ser rápido.

As mãos de Gameknight não passavam de uma mancha enquanto ele ia colocando um bloco cinzento atrás do outro, saltando pelos ares com habilidade. Quase... só mais cinco blocos. *Espero que eles consigam distrair aquele dragão o suficiente.* Três blocos. Ele começou a ir cada vez mais depressa, pulando... pulando... pulando.

Então chegou ao topo. Olhou pela beirada do pilar e estremeceu ao perceber a altura em que se encontrava. Aquele pilar provavelmente tinha trinta blocos de altura, se não mais. Seria impossível sobreviver a uma queda dali; ele precisava tomar cuidado.

Então ele ficou espantado diante do que viu em seguida. À sua frente estava o cristal ender; um cubo púrpura, banhado em chamas, pairando sobre um bloco de rocha. Ao redor do cristal havia uma estrutura que parecia de metal e era impossivelmente complexa. Ou melhor: eram duas estruturas, girando em torno do cristal, como se a lei da gravidade não as afetasse. Gameknight viu uma escrita complexa nas faces do cristal, símbolos estranhos, difíceis de ler, mas que ele já havia visto antes; provavelmente letras do alfabeto galáctico padrão... uma estranha referência que Notch inserira no jogo. Olhando aquele objeto, Gameknight apreciou sua beleza; era uma pena o que precisava fazer.

Segurou firme a espada e destroçou o cristal ender, que explodiu em meio a calor e fumaça. Aquilo o fez recuar um pouco, e seu protetor peitoral e as perneiras de diamante estalaram, mas aguentaram firme o impacto da explosão. No mesmo instante, ele ouviu o dragão soltar um rugido, do outro lado do Fim. Lá embaixo, ele ouviu Caçadora berrar alguma coisa, mas estava longe demais para entender o que ela dizia.

Foi até a beirada do pilar e olhou para a coluna ao lado. Esta tinha uns quatro ou cinco blocos a menos de altura que aquela onde ele estava agora, e provavelmente uns seis blocos de largura. Ele sacou seus blocos de pedra e ficou pensando em como poderia construir uma ponte que fosse de um pilar ao outro, mas então ouviu um grito lá do chão.

— D...

Não pôde entender o que Caçadora estava dizendo, mas, por instinto, abaixou-se depressa, no instante em que quatro garras afiadíssimas afundaram-se em sua armadura de diamante. Sentiu uma dor irradiar-se pelo braço. Rolando de lado, olhou para cima e viu o dragão fazendo um enorme arco no céu, preparando-se para investir novamente contra ele, os olhos púrpura ardendo de ódio, as presas brancas cintilando intensamente dentro da terrível boca do monstro. Pronto, ali estava, o momento que antecede a morte. Reunindo o máximo de coragem possível, ele encarou com um ar de determinação a fera que se aproximava.

Entretanto, no último minuto, uma flecha flamejante cortou os ares e atingiu o peito do dragão, depois outra flecha, e mais outra. O monstro parou em pleno ar e virou-se, fugindo de Caçadora e seus disparos mortais.

Ele vai precisar se curar, pensou Gameknight.

Ficou de pé e olhou para o último cristal ender. Foi até o outro lado do pilar, saiu correndo até a beirada e saltou, com toda a força que tinha. Enquanto voava pelos ares, avistou o pequeno vulto de Caçadora lá embaixo, o cabelo ruivo ao redor de seus ombros enquanto ela olhava para ele sem acreditar no que estava vendo. Ele aterrissou com forte impacto, machucando-se um pouco mais, porém isso não importava agora. Sacou a espada e foi em direção ao último cristal ender. Esperou.

— Quebre logo isso... rápido, ele está vindo! — berrou Caçadora lá de baixo.

Gameknight esperou.

— Quebre logo antes que o cristal cure o dragão!

Ele esperou enquanto o medo começava a subir pela espinha.

Ao longe, Gameknight ouviu o rugido da fera e virou-se para encarar o monstro terrível.

— DEPRESSA... QUEBRE O CRISTAL! — berrou Caçadora.

Porém, Gameknight continuou esperando.

O monstro veio voando baixo pela paisagem do Fim, mantendo uma boa distância do arco de Caçadora. Quando se aproximou, o cristal ender lançou um raio de luz iridescente em sua direção.

Era a chance de Gameknight.

Segurando a espada com firmeza, ele desferiu um golpe com força no cristal, que explodiu como o anterior, cobrindo-o numa chuva de fumaça e calor, porém daquela vez ele ouviu o dragão soltar um rugido de dor. O cristal, ao explodir, machucara também o dragão.

Virando-se, Gameknight correu os olhos em busca do monstro e viu dois brilhos cor de púrpura voltados para ele. A fera soltou um rugido e acelerou em sua direção, com as garras escuras espaçadas, a bocarra aberta, pronta para devorar o inimigo. Gameknight havia se machucado um pouco mais com aquela última explosão; não tinha certeza se conseguiria sobreviver àquelas garras.

Dando um passo para trás, ele foi em direção à beirada do pilar. Não havia para onde fugir. Desembainhou a espada e ficou sobre a borda, os pés sentindo o vazio que estava tão perigosamente próximo. Virando-se, encarou o monstro de frente, o terror enchendo-lhe a alma.

— Espero que você esteja pronta, Caçadora — disse ele em voz alta para ninguém.

O dragão rugiu ao se virar, depois encostou as asas nas laterais do corpo e mergulhou diretamente sobre sua presa. Vinha velozmente como um míssil sombrio, como uma tempestade irrefreável... como a morte. E, quando ele esticou suas garras afiadas para apanhá-lo, Gameknight999 deu um passo para trás e caiu pela borda do gigantesco pilar.

CAPÍTULO 30
A DESOLAÇÃO DO DRAGÃO ENDER

O tempo pareceu desacelerar enquanto Gameknight caía. Ele viu Caçadora olhando para ele com uma expressão de choque e terror. Virando a cabeça, ele avistou Costureira e Artífice correndo para ajudá-lo. E, enquanto o vento batia em seu rosto, pensou na irmã e no cartão de aniversário que ela fizera para ele, algumas semanas atrás. Havia um desenho infantil que o mostrava segurando a mão da irmã enquanto os dois caminhavam por campos ondulantes cor-de-rosa, pontilhados de gigantescas flores roxas e azuis. Ela adorava desenhar e pintar; um dia ele tinha certeza de que seria uma grande artista... se tivesse a chance para isso.

Todos tinham uma maneira própria de imprimir sua marca na vida. No caso de alguns dos professores de Gameknight, como o Sr. Planck, provavelmente era através do impacto que exerciam nos alunos. No caso dos pais dele, através do legado que deixaram aos filhos. Mas, no caso dos bullies que importunavam os menores e mais fracos... que marca podiam deixar? As únicas pessoas que se lembrariam deles eram suas vítimas, e elas se lembrariam de seus torturadores como pessoas patéticas e fracas, como covardes que tinham medo demais de serem eles mesmos.

Gameknight fora aquele bully em Minecraft, tempos atrás. Mas, agora, desejava mudar a marca que deixaria. Queria ser lembrado como uma pessoa que fez o que era certo, não o que era mais fácil ou conveniente. Queria ser lembrado como a pessoa que enfrentou os monstros, as criaturas que deixavam todo mundo com medo da noite. Todos aqueles pensamentos passaram por sua cabeça enquanto ele caía. Ele nem se deu o trabalho de olhar para baixo para ver o que o aguardava, porque não fazia a menor diferença. Ou ele sobreviveria àquela queda ou não. Só esperava ter feito o suficiente para mudar a marca que deixaria, pensou em seus novos amigos e desejou que ficassem bem.

Então, de repente, ouviu um chapinhar gigantesco e viu que estava em uma poça, com água até os joelhos.

Eu sobrevivi... EU SOBREVIVI!, pensou.

Caçadora havia seguido o plano e feito uma poça exatamente onde ele precisava. Gameknight olhou ao redor e percebeu que havia pouquíssima água... apenas o suficiente para amortecer sua queda. Olhou para o alto do pilar de onde caíra e percebeu quanta sorte tivera, o quão perto passou da morte. Estremeceu muito de leve quando aquela compreensão o atingiu com toda a força.

Eu caí daquela altura e por pouco não aterrisso fora dessa poça. Que sorte. Lembrou-se do que seu pai certa vez lhe disse: "Às vezes, sorte significa apenas o resultado de um planejamento cuidadoso e de trabalho duro". Bem, seja como for, Gameknight sentiu-se grato por seja lá o que o fez aterrissar bem em cima daquela poça.

— Nossa, quase que não encho essa poça em tempo! — exclamou Caçadora, segurando um balde vazio. — Que bom que prestei atenção no plano. — Ela sorriu e deu um tapinha nas costas dele.

Ele estremeceu de dor enquanto saía da água. Foi então que Costureira e Artífice chegaram ali, ambos exaustos pela corrida. Com o arco a postos, Costureira correu os olhos pelos céus, em busca do Dragão Ender.

— Ele está por aqui — disse ela. — Eu sinto.

— Venham, precisamos reunir o resto do exército — disse Gameknight, enquanto sacava a espada. — Agora é nossa chance. O dragão não conseguirá mais recarregar seu HP e está vulnerável. Vamos!

Gameknight começou a correr em direção ao centro do Fim, sem esperar a resposta dos amigos. A distância, avistou Pedreiro correndo até ele, seguido pelo exército em peso. Quando chegou mais perto, ouviu o dragão rugir. Sacou a pá, parou de correr e rapidamente se pôs a cavar, algo que normalmente não faria em Minecraft, mas as circunstâncias exigiam. Cavou quatro blocos e abaixou-se ao máximo. Olhou para cima e viu quatro garras afiadas passarem por cima da pedra do Fim e quase decepar sua cabeça; o dragão calculara mal a profundidade do buraco.

Saindo depressa dali, Gameknight continuou a correr em direção ao exército, novamente empunhando a espada. Em questão de segundos, foi recebido com vivas. Os soldados o rodearam, Pedreiro ao seu lado.

— Estamos felizes por você ainda estar vivo, Usuário-que-não-é-um-usuário — disse Pedreiro, olhando para cima em busca do monstro voador.

— Eu também estou bem feliz por ainda estar vivo — retrucou ele, provocando uma onda de risadas dos que estavam por perto.

— Qual é o plano? — perguntou o grande NPC.

— Formem grupos depressa; arqueiros no meio, infantaria em torno. Os arqueiros são os únicos que podem fazer o Dragão Ender parar, precisam ser protegidos do ataque dos endermen... e do dragão. Agora, quando nós...

— Lá vem ele! — berrou Caçadora.

O dragão mergulhou pelos ares em direção ao exército.

— ESPALHEM-SE! — berrou Gameknight.

Imediatamente os soldados correram para todas as direções, espalhando-se. As garras do Dragão Ender agarraram alguns, rasgando suas armaduras como se elas nem estivessem ali, transformando o HP em nada. Em questão de segundos, pilhas de itens flutuavam sobre o chão onde antes estavam os NPCs.

Mais mortos por minha causa!, pensou Gameknight.

— Agrupem-se... AGORA! — berrou o Usuário-que-não-é-um-usuário.

Os guerreiros formaram ilhas de ferro, com a infantaria na dianteira, a fim de afastar os inúmeros endermen que se aproximavam, enquanto os arqueiros, no meio, disparavam suas flechas pontudas mortais no dragão quando este passava. O pesadelo voador procurava os cristais ender, que não mais existiam.

Gameknight atravessou o campo de batalha correndo, atacando os endermen em todas as oportunidades que encontrava. À direita, viu Costureira e Caçadora correndo em direção ao dragão, acompanhadas de Pedreiro e Artífice. Virou-se e saiu correndo até seus amigos, golpeando endermen ao passar. Quando chegou perto dos amigos, ouviu os arcos de Costureira e Caçadora zunindo uma melodia quase constante enquanto atacavam o dragão esvoaçante e depois voltavam os disparos para os endermen que se aproximavam. Pedreiro corria na frente do grupo, sua espada possante desenhando arcos de destruição por entre os monstros sombrios, com Artífice ao seu lado.

Da outra extremidade da paisagem pálida, Gameknight viu o dragão atacar um grupo de arqueiros e guerreiros. A fera voadora emitiu um brilho vermelho quando destruiu os NPCs. Aqueles habitantes das vilas simplesmente desapareceram depois do ataque, que deixou para trás apenas pilhas de itens e olhares estupefatos dos que haviam sobrevivido por um triz.

Este dragão está nos destruindo, pensou Gameknight, enquanto assistia àquela carnificina. *Chega... CHEGA.*

— Hora de atacar! — berrou ele.

Correu até os soldados restantes e fez com que formassem duas colunas com um amplo espaço entre elas.

— Todo mundo se abaixe e espere! — gritou Gameknight. Depois virou-se para Costureira e Caçadora, que o haviam seguido. — Vou atrair o dragão para cá, Caçadora. Prepare-se. Quando eu o golpear, ele vai parar de voar por um instante, e é então que os arqueiros devem entrar em cena e atirar o máximo de flechas possível, o mais rápido possível. Entendeu?

Antes mesmo que ela pudesse responder, Gameknight saiu correndo. Sabia que o monstro ainda o estava perseguindo, que estava escondido por perto.

— Cadê você, dragão? — berrou. — Venha me pegar!

Correndo pelo Fim, Gameknight inspecionou o céu escuro, procurando aqueles olhos ardentes. Sabia que estavam ali em algum lugar... e então notou um brilho púrpura. A distância, Gameknight pensou ter visto algo que lhe trouxe uma lembrança de um sonho... não, de um sonho não; da Terra dos Sonhos. Era a criatura odiosa com olhos brilhantes; que não era nem NPC nem usuário... que era alguma outra coisa. Aquela criatura estava parada, simplesmente observando, os olhos ardentes de ódio.

O que seria ela?

Ouviu um rugido alto nos ares. Afastando os olhos daqueles malévolos orbes cintilantes, Gameknight lentamente recuou em direção aos arqueiros, observando o dragão se aproximar. Precisava calcular o tempo daquele plano com toda a precisão. Quando estava exatamente entre as duas colunas de guerreiros, parou de correr e fincou o pé.

— Não tenho medo de você! — berrou para a fera voadora. — E não vou mais deixar você ferir meus amigos. O limite é esse aqui! — Ele desenhou uma linha na pedra do Fim. — E VOCÊ NÃO PODE ULTRAPASSÁ-LO!

O Dragão Ender soltou um rugido poderosíssimo e veio com tudo para cima do Usuário-que-não-é-um-usuário. Então, de repente, Gameknight atacou. Saltou bem alto, brandindo a espada cintilante e cravou-a nas asas do monstro, abrindo um corte profundo. Surpreendido pela ferocidade do ataque de Gameknight, por um instante o monstro apenas ficou pairando, imóvel no ar.

— AGORA!

De repente cem arqueiros se levantaram e encheram o céu escuro de flechas. As pontas afiadas cravaram-se na carne do dragão, fazendo a fera urrar de dor. Batendo as asas com todas as forças, o dragão subiu pelos ares para ficar longe do alcance do ataque.

— Preparem-se, ele vai voltar! — gritou Pedreiro, orientando a infantaria para atacar os endermen e proteger os arqueiros.

— Já vi onde ele está! — berrou Costureira. — Ele está bem ali!

Gameknight olhou na direção que a jovem apontava, e viu o par de olhos púrpura observando-o com cautela discreta.

— Acho que ele está com medo — disse Caçadora. — Está afastado, longe do nosso alcance.

— Isso não é nada bom, precisamos destruir essa coisa — retrucou Gameknight.

Subiu em um pequeno morro, virou-se e enfrentou o dragão. Viu os olhos cintilantes olhando-o em meio à escuridão enquanto a fera dava voltas, procurando os cristais ender que não mais existiam.

—Volte, eu estou bem aqui! — berrou Gameknight. — Destruí seus cristais ender, todos eles. O que você vai fazer agora, hein, sua minhoca voadora?

O dragão pareceu hesitar um instante, pairando nos ares enquanto escutava as provocações de Gameknight999, depois virou o longo pescoço coberto de escamas e olhou para ele, o olhar parecia intensos lasers púrpura. Quando viu aqueles olhos malévolos fixos nele, Gameknight atirou a espada ao chão.

— O que foi... está com medo de mim?

Então tirou o elmo e o atirou no chão. Em seguida tirou o protetor peitoral de diamante e também o jogou no chão, como se o dragão não pudesse fazer absolutamente nada contra ele.

— VENHA CÁ, SUA CRIATURA IMPRESTÁVEL! — berrou o Usuário-que-não-é-um-usuário a plenos pulmões. Abriu bem os braços, como se desejasse dar um abraço caloroso no dragão, e fechou os olhos. — VAMOS DANÇAR!

O dragão soltou um rugido que fez o material de que o Fim era feito tremer. O monstro voador virou-se e disparou até Gameknight, mas, quando estava sob alcance, Caçadora e Costureira apareceram ao seu lado e dispararam seus projéteis encantados contra ele. *Zimmm... zimmm... zimmmm.* Os arcos cantavam enquanto as flechas atingiam o alvo. E então mais flechas começaram a atravessar os ares quando mais arqueiros se aproximaram: Padeiros, Tecelões, Escavadores, Corredores, Fazendeiros... toda uma comunidade de pessoas se adiantou para tomar suas vidas de volta. E, quando aquela onda de flechas caiu em cima do Dragão Ender, ele soltou mais um rugido.

Dessa vez não era aquele rugido de ódio que ele vinha soltando desde que os NPCs invadiram sua terra: agora era melancólico e lamentoso, como se o dragão soubesse o que estava prestes a acontecer e estivesse tomado de tristeza. Então o monstro começou a emitir um brilho púrpura e branco. Raios de luz saíam de seu corpo empalado, preenchendo o Fim com provavelmente a luz mais brilhante já vista por ali. Os endermen se afastaram enquanto o dragão emitia um brilho cada vez mais intenso. Os raios de luz estenderam-se em todas as direções, perfurando o céu vazio, e então subitamente o dragão explodiu e desapareceu.

O Dragão Ender estava morto.

CAPÍTULO 31
A SEGUNDA CHAVE

O exército comemorou, exultante.

Com a morte do dragão, todos os endermen pareceram achar que bastava daquela batalha. Teleportando-se para o outro lado do Fim, sumiram em meio a uma névoa púrpura. Os guerreiros suspiraram de alívio, guardaram as armas e voltaram a comemorar mais uma vez. Berraram a plenos pulmões, exultando Gameknight999, o Usuário-que-não--é-um-usuário, Minecraft. Os NPCs estavam fora de si de tanta alegria pela vitória. Gameknight, porém, não comemorou. Em vez disso, olhou em torno, pelo campo de batalha, e viu centenas de pilhas de itens espalhados por toda aquela paisagem amarelo-clara, bem como esferas arroxeadas, que haviam sido deixados pelo inimigo: eram os indicadores das mortes ocorridas. Ao olhar para os sobreviventes, percebeu que perderam no mínimo metade dos soldados, se não mais.

Aquela batalha lhes custara muito.

Olhando para o céu escuro, Gameknight levantou a mão, os dedos bem abertos. Os NPCs viram aquilo e no mesmo instante pararam de comemorar. Erguendo as mãos da mesma maneira, todos saudaram os mortos, apertando os punhos com força acima da cabeça ao se lembrarem das pessoas queridas que já não mais respiravam. Tinha sido uma grande vitória, mas ao mesmo tempo um dia triste.

Abaixando a mão, Gameknight enxugou uma lágrima do rosto. Correu os olhos pelo mar de rostos à frente. Abaixou-se, apanhou a armadura e a espada e, em seguida, virou-se para encarar Caçadora e Costureira.

— Obrigado por ficarem ao meu lado — agradeceu.

— E o que mais a gente podia fazer? — retrucou Caçadora. — A gente não ia deixar você se divertir sozinho.

— Caçadora! — repreendeu Costureira.

Sua irmã mais velha simplesmente deu de ombros e sorriu.

Embaixo do dragão explodido agora havia outro portal, uma agulha de pedra com três blocos de altura, rodeada por mais blocos daquela mesma pedra escura e impenetrável. A construção flutuava a uma altura de seis blocos e soltava pequenas baforadas de cinzas e fumaça, como se estivesse em chamas. Sobre a agulha havia um ovo negro, com pequeninas facetas púrpura salpicadas em sua superfície.

Caçadora soltou um murmúrio encantado.

— Que lindo — disse Costureira, olhando para a segunda chave da Fonte.

Um dos soldados sacou uma pilha de pedra comum e construiu uma escada até aquela estrutura misteriosa. Então, aproximou-se da beirada do portal e esticou a mão para apanhar o ovo.

— Pare! — gritou Gameknight.

O soldado parou onde estava.

— Precisamos ter muito cuidado. O Ovo do Dragão se teleportará para longe assim que for tocado. Devemos fazer isso do jeito certo.

Subindo os degraus, Gameknight foi até a beira do portal, colocando-se ao lado do guerreiro. O portal tinha a mesma aparência faiscante que o Portal do Fim que havia na fortaleza. Um oceano de estrelas fitou-o, algumas azuis, outras cinzentas, outras brancas. Quando se aproximou dos limites do portal, ele viu as estrelas mudando de posição, como se estivesse diante de alguma espécie de projeção tridimensional.

Olhando para o Ovo, entendeu que eles deveriam fazer aquilo com muito cuidado, senão toda aquela batalha teria que ser travada novamente, e ele não tinha certeza se o exército aguentaria isso. Gameknight já estivera ali várias vezes antes e tentara roubar o Ovo, mas só o vira sumir e reaparecer em algum outro lugar do Fim. Então lembrou-se de um vídeo que assistira de alguém que tentara usar um êmbolo para apanhar o Ovo. Olhou para o pedestal onde o Ovo estava e pensou em todas as peças do quebra-cabeça. Depois, olhou para o portal que se abria aos seus pés, as estrelas cintilando um convite de boas-vindas.

Se o Ovo cair nesse portal, tudo estará perdido para nós, pensou.

— Cubra a entrada do portal com pedras — ordenou para o soldado.

O NPC olhou confuso para ele.

— AGORA!

Aquilo fez o habitante de vilarejo entrar em ação. Ele abaixou o arco, sacou uma pilha de pedras comuns e começou cuidadosamente a cobrir a entrada do portal.

Eles só tinham uma chance e precisavam agir depressa. Gameknight imaginou que Malacoda e Érebo logo chegariam ali, e o rei dos endermen talvez fosse capaz de se teleportar para junto do Ovo e apanhá-lo, caso eles fracassassem. Eles precisavam fazer aquilo direito — e rápido.

Colocando pedras da própria pilha, ele ajudou o guerreiro, selando a entrada do portal estrelado. Enquanto isso, Artífice abriu caminho por entre a multidão e subiu os degraus. Quando Gameknight terminou a tarefa, o portal estava completamente coberto com blocos cinzentos de pedra, e as baforadas de fumaça que soltava agora estavam presas em suas profundezas. Gameknight caminhou por aquela nova superfície e abriu espaço para o amigo.

— O que está fazendo? — perguntou Artífice.

— Precisamos apanhar o Ovo do Dragão Ender com todo o cuidado. Não podemos tocá-lo, a menos que caia.

Indo até a beirada do portal, Gameknight olhou para os soldados lá embaixo. Pedreiro estava ao lado de Caçadora, seus olhos verdes brilhantes o encaravam.

— Preciso de um pouco de pó de redstone e de um lingote de ferro. Alguém aí tem...

Antes mesmo que ele pudesse terminar a frase, aqueles itens foram atirados para ele.

— Artífice, você está com sua bancada de trabalho?

— Claro, que espécie de artífice eu seria sem uma bancada de trabalho?

— Ótimo — disse Gameknight. — Preciso que fabrique um êmbolo, depressa.

Ele olhou para o local onde o exército havia se materializado ao entrar no Fim, esperando ver um gigantesco exército de monstros aparecer a qualquer instante.

— Certo, pronto! — disse Artífice, entregando-lhe o êmbolo.

— Preciso que coloquem alguns blocos de pedra bem aqui, ao lado do Ovo.

O soldado foi para o lado de Gameknight e colocou dois blocos de pedra um sobre o outro, ao lado da agulha de rocha.

— Basta — ordenou Gameknight.

Movendo-se para o outro lado, ele posicionou o êmbolo de modo que sua face apontasse em direção ao Ovo.

— Tocha de redstone! — berrou ele.

Artífice entregou uma para Gameknight.

— Coloque-a sobre o êmbolo.

Artífice aproximou-se do êmbolo e prendeu a tocha de redstone em sua lateral. No mesmo instante, o êmbolo foi acionado, e sua superfície plana de repente saltou para fora, derrubando o Ovo do Dragão de seu pedestal de rocha. O Ovo caiu bem nas mãos de Gameknight. Lá embaixo os soldados soltaram urras, loucos de alegria. Gameknight olhou para seus rostos e viu uma expressão que não via havia muito tempo: esperança.

— Certo; agora vamos descobrir o portal e ir até a Fonte — ordenou.

Eles abriram a muralha de pedra e ficaram surpresos ao perceber que o portal mudara de um céu estrelado para uma escuridão completa. Gameknight olhou para seu interior e avistou algo nas profundezas. Parecia alguma espécie de farol. Ele mal conseguia ver o foco de luz que se estendia em direção ao céu escuro. Quando seus olhos se acostumaram às trevas, ele viu que os arredores estavam começando a ser iluminados pelo farol. E havia outros faróis, menores, ao lado daquele grandioso, mas não estavam acesos, não emitiam luz alguma... nada. O que significava isso? Gameknight de repente entendeu que era aquilo que eles tinham vindo proteger: ele estava diante da Fonte.

De repente, uma risada aguda preencheu o espaço ao redor. Gameknight olhou para cima e viu Malacoda materializar-se ali, juntamente a Érebo.

Eles haviam chegado.

— Depressa, todo mundo no portal! — disse Gameknight. Então saltou para dentro e lentamente sumiu de vista. A última coisa que avistou no Fim foram os olhos vermelhos ardentes de seu inimigo, Érebo, e um sorriso apavorante e cheio de dentes naquele rosto sinistro.

CAPÍTULO 32
A BATALHA DOS REIS

Érebo e Malacoda estavam sobre a pequena elevação feita de pedra do Fim, que dava de frente para a plataforma de obsidiana. Olharam para o Fim e viram o exército de NPCs ao redor de uma ilha de rocha, em cujo centro assomava uma alta agulha.

— Provavelmente aquilo é o portal para a Fonte — disse Érebo, com voz guinchante.

Avistou aquele irritante Usuário-que-não-é-um-usuário parado na ilha. Ele os olhou por um instante e, em seguida, sumiu no interior do portal.

— Vamos atacá-los agora! — disse Malacoda, com vigor. Virou-se e olhou de novo para a plataforma de obsidiana, com curiosidade. — Onde está meu exército?

— Como assim? Está com saudades de seus preciosos monstros? — zombou Érebo, com uma risada.

— Meus withers estão do outro lado do portal, contendo todo mundo até eu dar ordens de liberá-los.

— Então diga para virem depressa, eu ordeno! Ainda podemos apanhar o Usuário-que-não-é-um-usuário — disse Malacoda.

— Seu tolo! Ainda acha que é você que está no comando?

Malacoda virou-se rapidamente para encarar Érebo.

— Seus dias acabaram, Malacoda. Agora chegou a vez dos endermen.

Érebo convocou seus poderes de teleporte e fez uma nuvem de partículas púrpura rodopiarem ao seu redor.

— Você não pode se teleportar, eu o proíbo! — trovejou Malacoda. — Quando nos encontramos pela primeira vez, não se esqueça de que eu o impedi de se teleportar e fugir de mim, e é exatamente isso que farei agora! — As extremidades dos tentáculos de Malacoda cintilaram muito de leve. — Ajoelhe-se na minha frente, eu, seu rei, senão será destruído!

Érebo apenas olhou para o ghast e sorriu. Malacoda soltou um urro de raiva e formou uma bola de fogo incandescente em seus tentáculos ondulantes.

— Já estou cansado de você, enderman!

A mortal esfera ardente foi lançada na direção de Érebo, mas, no último minuto, o rei dos endermen se teleportou para longe e reapareceu bem ao lado do rei do Nether.

— Você já não controla mais meus poderes de teleporte, seu idiota — guinchou Érebo. — Eu passei por uma atualização e não preciso mais suportar sua tolice!

Então ele soltou um ruído agudo que fez Malacoda estremecer. O grito ecoou por todo o Fim, fazendo todos os endermen pararem e virarem-se na direção de seu rei. Num instante, todas as criaturas que estavam espalhadas pela paisagem amarelo-clara materializaram-se bem ao lado de Érebo que, agitando seus braços compridos, fez com que três delas fossem até Malacoda e o imobilizassem no chão. O rei do Nether lutou para escapar dos endermen, no entanto mais deles apareceram e prenderam o ghast entre seus braços, com força. Então eles o apanharam e o levaram até perto da beirada da ilha flutuante, onde a pedra do Fim parava e começava o imenso vácuo escuro. Érebo olhou por cima da beirada da ilha flutuante, para a escuridão. Parecia infinita. Ele sabia que se alguém caísse o bastante, eventualmente chegaria ao fim do universo de Minecraft, e, naquele ponto, todas as entidades morriam. Era para lá que ele mandaria o rei do Nether.

— Atirem-no! — guinchou Érebo. — Para que ele não volte nunca mais.

Os endermen se teleportaram para o espaço aberto contendo o rei do Nether em seu abraço gosmento. Malacoda tentou pairar, porém mais endermen se empilharam sobre o ghast, fazendo o peso sobre ele aumentar cada vez mais. Por fim, começaram a cair quando mais dos monstros sombrios juntaram-se àquela massa de corpos.

— Vocês não podem fazer isso... eu sou o rei do Nether! — berrou Malacoda.

— Não estamos mais no Nether, seu tolo! — guinchou Érebo. — Adeus, Malacoda, desfrute do esquecimento.

O enderman soltou sua gargalhada maníaca enquanto o ghast, berrando, caía lentamente no vácuo. Enquanto ele caía, Érebo viu os olhos vermelhos incandescentes do ghast, a boca aberta berrando de raiva e terror. E, enquanto observava, os dois pontinhos vermelhos luminosos foram ficando mais fracos... mais fracos... mais fracos, até sumirem de vista.

O rei do Nether já era.

Os endermen que caíram com o ghast subitamente se materializaram, a pele escura ardente do contato com os confins do universo, mas, mesmo assim, foram capazes de se teleportar de volta e sobreviver.

— E assim termina o reinado de Malacoda — declarou Érebo, e em seguida gargalhou a mais alta gargalhada de enderman jamais ouvida em Minecraft.

— Meus planos estão quase completos. — Ele virou-se para um dos endermen escuros que estava por perto. — Volte e diga aos meus generais withers para mandar todos para cá. É hora dos monstros de Minecraft realizarem seu destino.

A criatura sumiu em meio a uma neblina de partículas púrpura, e, então, instantaneamente, um grupo de withers de três cabeças materializou-se na plataforma de obsidiana, seguidos por uma enchente gigantesca de monstros, o bastante para destruir qualquer exército que aparecesse pela frente.

Érebo sorriu ao observar *seu* exército atravessar o Portal do Fim e flutuar pela paisagem local. Então, contudo, seus olhos recaíram sobre o artífice de sombras. Seus olhos brancos iridescentes deixaram Érebo inquieto. Havia alguma coisa que ele não gostava naquela criatura. Não era a maldade que sempre parecia circundá-la... não, isso ele gostava. Era outra coisa. No fundo, ele tinha a sensação de que aquela criatura sombria, o líder de todos os artífices de sombras, tinha algum outro plano em mente, e Érebo não conseguia descobrir ao certo o quê. E, por isso, não confiava naquele ser, que não desejava nem sequer dizer o próprio nome... um sinal de que ele definitivamente não podia confiar nele.

O que ele disse mesmo?, pensou Érebo, e então as palavras guinchantes flutuaram em sua memória. "*O herói de um dos lados é o vilão do outro.*"

— O que você produz? — perguntou Érebo em voz baixa, para ninguém em especial, enquanto observava a criatura suspeita.

Preciso ficar de olho nesse aí, e também nos outros artífices de sombras, pensou. *Não confio em nenhum deles.*

Mas, primeiro, precisava destruir Minecraft e aquele irritante Usuário-que-não-era-um-usuário.

— Monstros... para a Fonte! — berrou Érebo, caminhando em direção ao portal de rocha onde Gameknight e os guerreiros em defesa de Minecraft tinham acabado de entrar. — Até que enfim vou pôr as mãos em você, Usuário-que-não-é-um-usuário — disse o rei dos Endermen, com voz aguda. — E agora você não tem mais esses usuários irritantes para ajudá-lo.

Então Érebo soltou outra de suas gargalhadas de gelar a espinha, que ecoou pelo próprio DNA de Minecraft.

CAPÍTULO 33
A FONTE

Gameknight999 materializou-se em outra terra estranha. O céu tinha a mesma aparência que tivera no Fim, uma abóbada nublada e escura que encobria as estrelas e fazia com que ele se sentisse preso em alguma espécie de vazio. Mas, em vez de encontrar a pedra do Fim amarelo-clara que formava o Fim, ali tudo era feito de rocha. Não havia nenhuma torre de obsidiana, nem cristais ender, nem dragões... apenas um mar indistinto de rocha. Os blocos escuros se estendiam em todas as direções e sumiam ao longe, onde se encontravam com o céu escuro e sem estrelas. As trevas daquela terra eram opressoras, e ele tinha a impressão de que sugavam toda a sua coragem.

Virando-se para inspecionar a paisagem, Gameknight viu um raio estreito de luz subindo até o céu; a Fonte. E naquele mar de pedra escura e céus escuros, a Fonte mais parecia um farol de esperança. Ele a viu despontando para o alto a partir de uma enorme montanha cujo pico poderoso estava escondido pela distância.

— Para lá... e depressa! — gritou Gameknight, já seguindo em direção ao facho de luz.

Correndo por aquela paisagem indistinta o mais rápido que podia, ele rumou direto até a luz brilhante. Era aquilo que eles buscavam proteger, e precisavam alcançá-lo e preparar-se antes que Malacoda e seus monstros chegassem.

Era difícil julgar qual o tamanho da montanha devido à ausência de árvores ou construções que servissem de comparação, mas, à medida que vencia a distância até lá, Gameknight ficava cada vez mais impressionado com sua imponência. Devia ter no mínimo trezentos blocos de largura na base e uns duzentos no topo. O tamanho daquela montanha apequenaria facilmente a fortaleza de Malacoda no Nether. Era a maior coisa que Gameknight já tinha visto em Minecraft.

Parando um instante para recuperar o fôlego, inspecionou o monte de rocha procurando uma maneira de escalá-lo. As laterais eram quase verticais. Em muitos trechos era necessário saltar dois ou três blocos. E, por serem de rocha, não havia como escavar degraus neles.

Então, à esquerda, ele notou uma forma ao lado do sopé da montanha. Dava a impressão de que tinham construído um gigantesco triângulo de rocha, seu topo desaparecendo na lateral da montanha. Gameknight correu até ele e percebeu que era um conjunto de degraus que levava até o cume.

— AQUI! — berrou ele, ao pé dos degraus atrás de si.

Virando-se, saiu correndo até a gigantesca escada e olhou por cima do ombro. Viu o exército inteiro espalhar-se numa longa fileira formada de homens, mulheres e crianças, todos vindo em sua direção. Todos tinham uma expressão ao mesmo tempo maravilhada e determinada nos rostos, como se aquele fosse o lugar mais impressionante do mundo... e o mais terrível também.

Eles sabiam o que estava prestes a acontecer ali e isso os enchia de terror.

Quando Gameknight finalmente chegou ao pé das escadas, parou. Elas levavam para o alto, formando uma inclinação enorme que, na metade do caminho, começava a entrar pela montanha e, ao fazer isso, formava paredes de ambos os lados, chapadões verticais que ninguém seria capaz de escalar, a não ser talvez as aranhas gigantes. Gameknight viu que a escada devia ter no mínimo uns trinta blocos de largura, era larga demais para eles defenderem. Precisavam de um lugar onde pudessem ficar protegidos: ele sabia que os NPCs estavam em absoluta desvantagem numérica.

— Precisamos encontrar um lugar de onde poderemos proteger a Fonte — berrou Gameknight para seus amigos. — Depressa, para o alto da montanha. — Gameknight saiu correndo, tentando alcançar o raio de luz que era lançado para o alto a partir do cume. À medida que ia subindo, o facho gigantesco ia ficando cada ve_ mais visível. Ele percebeu que não era apenas um único foco de luz que se dirigia para o alto, e sim muitos deles, todos formando o que, de longe, parecia ser uma única coluna brilhante de luz, que se estendia até o céu indistinto.

— Estamos quase lá — berrou ele, correndo ainda mais depressa.

Quando finalmente alcançou o topo, Gameknight ficou boquiaberto com o que viu. Não era um único facho de luz magistral — na verdade, eram nove fachos, um ao lado do outro, os centros de diamante todos iluminados. Aquele grupo de fachos situava-se no alto de uma pirâmide de blocos de diamante com três camadas de altura.

Pastor adoraria ver isso, pensou ele, e em seguida suspirou.

Era quase impossível olhar para a luz dos faróis. Gameknight precisou proteger os olhos e, quando bloqueou a luz intensa, ficou surpreso ao perceber, atrás da Fonte, um campo de faróis que parecia não ter mais fim. Rodeando com cuidado a enorme pirâmide de diamante, ele olhou para além do cume da montanha. Na verdade, não era exatamente uma montanha, mas um platô gigantesco, completamente plano e coberto de faróis separados com um espaço de quatro blocos entre si. Porém, o mais estranho era que todos eles estavam apagados, com exceção de um. A escuridão dos faróis parecia melancólica, como se um mundo de vidas tivesse sido perdido por cada um.

Ele voltou a olhar para o exército, que agora se aproximava do topo da montanha, porém a magnitude daquele platô fez com que ele percebesse quão poucos eles eram. Quando começaram aquela jornada, parecia haver tantos NPCs dispostos a lutar contra a sombra do mal que estava se espalhando por Minecraft! Mas agora, olhando para os que restaram, pareciam muito poucos.

Eles haviam perdido tanta gente.

Então ele se lembrou de todas as batalhas que tinham enfrentado: a vila de Artífice contra os monstros da Superfície de Érebo, os usuários na câmara de lava, a batalha fracassada no Nether, onde Artífice se salvou e Caçadora foi capturada, a batalha pela Rosa de Ferro e, por fim, a batalha pelo Ovo do Dragão Ender.

Todas aquelas batalhas os tinham levado até ali, até a Batalha Final por Minecraft, a batalha pela Fonte. Todas aquelas batalhas anteriores haviam destruído vidas e arrancado pessoas amadas de suas famílias. O exército foi sendo devastado até só restarem mais ou menos cem soldados. Quantos monstros teriam que enfrentar? Seriam capazes disso?

Ouviu sons às costas e virou-se rapidamente. Artífice estava na frente da alta pirâmide de blocos de diamante, boquiaberto, com uma expressão de espanto e reverência.

— É lindo — disse, arregalando os olhos azuis.

Então chegou Caçadora: ela também ficou espantada com o que viu. Todos podiam sentir o poder daquele raio de luz e entenderam que aquilo era *mesmo* a Fonte, o coração de Minecraft. Se os monstros chegassem ali e a destruíssem, Minecraft deixaria de existir. Aproximando-se da Fonte, Gameknight subiu um nível, ficando de pé sobre um dos blocos de diamante. Levou a mão aos olhos para protegê-los daquele inacreditável brilho e tentou olhar para o raio de luz: viu algo flutuando ali, movimentando-se em longas linhas retas. E, então, percebeu o que era: eram 1s e 0s movendo-se na Fonte; o código de programação espalhando-se para todos os outros servidores.

— Cuidado — disse Lenhabrin. — Isso aí é puro fluxo de dados. Ninguém em Minecraft pode tocá-lo e sobreviver. Ele desmembrará você e o enviará como bits individuais para todos os servidores aos quais está conectado. — Ele se aproximou do Usuário-que-

-não-é-um-usuário e apanhou um bloco de madeira. Dando um sorriso torto para Gameknight, Lenhabrin atirou o bloco de madeira no raio de luz. No mesmo instante, o bloco se pulverizou em 1s e 0s que se espalharam para todos os lados. — Nada sobrevive ao fluxo de dados. Tocar esse raio é cometer suicídio.

— E os outros faróis? — perguntou Gameknight.

— Foram extintos pelos monstros de Minecraft — respondeu Lenhabrin, a voz entrecortada.

Olhando toda a extensão dos faróis, ele avistou um que ainda estava aceso.

— E aquele ali?

— Aquele é o servidor que você salvou — respondeu Lenhabrin.

O servidor de Artífice!

Gameknight assentiu e se afastou da Fonte, trombando com Caçadora. Virando-se, ficou espantado com a forma como o cabelo ruivo brilhava incandescente naquela luz branca. Estava lindo, e, por um instante, todas as preocupações que consumiam sua alma, os medos que estavam prontos a devorá-lo, a responsabilidade por todas aquelas vidas, tanto em Minecraft como no mundo físico... todas essas preocupações pareceram desaparecer momentaneamente quando ele fitou no fundo dos olhos de Caçadora. E então Pedreiro abriu caminho pela multidão de soldados, que agora estava no alto da montanha, e sua voz retumbante ecoou pelo platô.

— Usuário-que-não-é-um-usuário, quais as suas ordens? — perguntou o NPC grandalhão.

Gameknight olhou para o platô, que em breve se tornaria um campo de batalha, em busca de uma resposta. Podia sentir as peças do quebra-cabeça caindo em sua cabeça, mas não conseguia vê-las. Então uma delas se encaixou, uma das peças da solução que permitiria que eles sobrevivessem àquela batalha e salvassem Minecraft, mas Gameknight não conseguiu entender muito bem. Fechou os olhos e se concentrou naquela peça, mas tudo o que viu foi um pequeno raio de luz. Então uma voz etérea ecoou nas profundezas escuras de sua mente. Era uma voz conhecida, confortadora, confiante.

G... A... M... E... K...

Ele não conseguia entender direito o que ela estava dizendo. Concentrou ainda mais sua atenção naquela voz.

G... A... M... E... K... N... I... G...

De repente, um dos NPCs soltou um grito. Gameknight abriu os olhos e rumou em sua direção. Um dos soldados estava apontando para o portal, situado na planície de rocha. Virando-se naquela direção, Gameknight viu a plataforma de obsidiana, onde eles haviam se materializado, emitindo um brilho cor de púrpura intenso à medida que cada vez mais monstros iam fluindo até a paisagem rochosa. Ouviu um grunhido à esquerda e se virou: viu que era Pedreiro, ao seu lado, com a espada em punho, quem estava soltando uma espécie de grunhido irritado.

Os monstros saíam do portal e seguiam direto até o topo da montanha, em direção à Fonte. Era como assistir a um fluxo incessante de blazes, zumbis, aranhas, ghasts, cubos de magma, slimes... todos os tipos de monstros de Minecraft chegavam naquela ilha. O fluxo de monstros parecia não terminar nunca.

— Eles estão vindo — comentou Pedreiro, com uma voz determinada. — Deve haver uns quinhentos monstros, talvez mil, logo atrás de Érebo. — Com a mão quadrada, ele acariciou sua barba bem aparada, correndo os olhos pelos rostos de seus soldados. — Receio que não vai ter jeito de parar essa horda. — Sua voz ficou triste, como se ele estivesse falando da morte de um amigo. — Minecraft está condenado.

Gameknight deu um suspiro.

— Não se desespere, Usuário-que-não-é-um-usuário — disse Artífice, a voz madura ressoando pelo cume da montanha. — Você fez tudo o que era possível fazer. Não é vergonha fracassar depois de dar o seu melhor.

— Como assim? — interrompeu Caçadora, com um tom bastante irritado. — Se a gente perder, perdemos. Não existe nenhum motivo de orgulho. Se perdermos essa batalha, então tudo está perdido... todas as vidas nesse monte de planos de servidores, tudo! Só vou aceitar nossa derrota depois que todos nós estivermos mortos.

Ela encaixou uma flecha no arco e foi até o alto da elevação, colocando-se entre o campo de faróis e a horda que se aproximava. Pedreiro foi até ela, a espada de diamante brilhando intensamente. Os soldados sobreviventes ali no platô foram então para trás de seu comandante, cada qual pegando espada ou arco, prontos para a própria Batalha Final.

Gameknight virou-se e olhou para Artífice. O garoto de olhos velhos olhou para ele, com uma expressão de tristeza.

— Sinto muito por não termos podido fazer mais — disse Artífice em voz baixa, para que apenas Gameknight pudesse ouvir. — Você já viu a horda lá embaixo. Sabe que dessa vez não poderemos derrotar Érebo e seus monstros da noite. Mal temos cem soldados. Eles não vão conseguir frear essa maré de destruição.

Artífice virou-se para olhar o imenso facho de luz, a Fonte, e em seguida suspirou:

— Acho que não há mais nada o que fazer, a não ser lutar e morrer — disse ele, sacando a própria espada.

Gameknight olhou para aquela cena com uma tristeza incalculável. Será mesmo que ele os levara até ali só para fracassar? Que não havia mais nada a fazer? Ele não conseguiria suportar assistir à destruição dos amigos... de Minecraft.

Tudo aquilo pareceu uma espécie de *déjà vu*, como se ele já tivesse visto isso antes. Então, de repente, ele se lembrou: teve aquele sonho semanas atrás. Tinha visto aquele acontecimento na Terra dos Sonhos, e vira como tudo terminava... sua covardia... seu fracasso.

Agora podia ouvir o gemido dos monstros se aproximando, os estalos das aranhas, os zumbidos dos blazes, os uivos dos ghasts.

NÃO! Ele não deixaria tudo acabar assim. Ele era o Usuário-que-não-é-um-usuário e não tinha ido até ali para ser derrotado!

Fechou os olhos e mais uma vez se concentrou nas peças do quebra-cabeça. E a voz distante e etérea voltou, só que agora era mais clara, ele quase conseguia reconhecer de quem era.

GAMEKNIGHT999, VOCÊ ESTÁ AÍ?

De repente, reconheceu a voz: era Shawny. Então as peças do quebra-cabeça se encaixaram.

Gameknight andou depressa até o único facho solitário que ainda lançava sua luz para o céu, e postou-se ao lado do servidor de Artífice.

— Ainda existe uma coisa a fazer — disse Gameknight para todos os NPCs.

O Usuário-que-não-é-um-usuário embainhou a espada e foi para bem perto do facho, cuja luz incandescente brilhava a centímetros de seu rosto. Sentiu a onda inacreditável de energia que ele emanava, como se todo o calor do Nether tivesse sido comprimido naquele raio cintilante. Pequenas gotículas quadradas de suor instantaneamente se formaram em seu rosto.

Ele estava com medo. A energia terrível daquele raio de luz fez todo o seu ser chacoalhar quando a serpente de medo que repousava dentro de sua alma lentamente despertou.

— Gameknight, o que você está fazendo? — berrou Artífice.

— Isso é suicídio... é covardia! — gritou Caçadora.
— Não desista, lute com a gente... comigo! — Havia uma tristeza peculiar na voz dela, os olhos implorando para que ele desistisse daquele caminho.

— Ainda existe uma coisa que preciso fazer — declarou Gameknight999 em voz alta.

Olhando para seus amigos, ele viu que ninguém acreditava no que estava vendo. Todos tinham ouvido o que Lenhabrin dissera que aconteceria a quem tocasse a coluna de luz, que nada era capaz de sobreviver àquilo, mas Gameknight sabia, apesar da sensação monumental de medo e pânico que tomava conta de sua mente, que ele precisava ir adiante. Quando ele se aproximou do raio brilhante de morte incandescente, Pedreiro afastou-se dos outros NPCs e foi ficar ao seu lado, com um sorriso curioso de quem entendeu tudo.

— Não, você também não — gritou Caçadora, sem acreditar.

— Você vai entender na hora certa — retrucou Pedreiro, a voz triste.

Postando-se do outro lado da luz, Pedreiro segurou sua espada com as mãos, a ponta abaixada, e cravou-a no chão. Ela soltou um som parecido com o de um trovão ao perfurar a rocha e afundar-se bem fundo no bloco escuro, fazendo toda a paisagem estremecer. Segurando o cabo da espada com uma das mãos, ele estendeu a outra para o Usuário-que-não-é-um-usuário, os olhos verdes cravados nos de Gameknight.

— Você precisa acreditar em si mesmo com todas as forças se quiser fazer algo verdadeiramente inacreditável — disse Pedreiro em voz baixa, quase num sussurro. — Para criar alguma coisa do nada, a partir apenas de uma ideia em sua cabeça, é preciso força e coragem, mas, o que é mais importante, é preciso ter uma crença inabalável de que você é capaz de conquistar qualquer coisa, não importa o quanto seja difícil. — Ele fez uma pausa e olhou para os soldados, que ainda não acreditavam no que estavam vendo. Virou-se novamente para Gameknight, inclinou-se para baixo e disse, numa voz ainda mais baixa: — E, quando estiver no limite e sentir que não aguenta mais, você precisa se agarrar à coragem com todas as forças. Precisa abraçar seu próprio ser e RECUSAR-SE a desistir, porque só existe fracasso na desistência. — O grande NPC deu um tapinha no ombro de Gameknight999. — Agora, vamos fazer uma ponte.

Pedreiro endireitou bem o corpo e segurou firmemente o cabo da espada, depois disse com uma voz surpreendentemente suave e confortadora:

— Por Minecraft.

— Por Minecraft — respondeu o Usuário-que-não-é-um-usuário, segurando a mão de Pedreiro, e, em seguida, deu um passo para dentro do raio de luz incandescente.

No mesmo instante, tudo ficou intensamente iluminado assim que a dor explodiu por todo o seu corpo. Era como se todos os seus nervos estivessem em chamas e seu corpo estivesse sendo consumido por pura energia. Ele viu os 1s e os 0s passarem na sua frente no raio de luz enquanto seu próprio corpo começava a se dissolver, porém uma coisa que Pedreiro lhe disse ainda ecoava em sua cabeça:

Acreditar... eu preciso acreditar que sou capaz de fazer isso!

Reunindo toda a sua coragem, ele afastou para o lado a serpente de medo que envolvia sua alma e fincou o pé, recusando-se a ceder. Sentir a mão de Pedreiro apertar a sua lhe dera mais força; por algum motivo, sentiu que aquela ligação era crucial e que ele não poderia soltar a mão do amigo, senão tudo estaria perdido. Segurando-a com força, Gameknight999 abraçou o próprio peito e agarrou-se ao próprio corpo... à sua coragem... à sua alma, e recusou-se a desistir. Parte dele tentou dissolver-se em bits, em minúsculos 1s e 0s, mas sua força de vontade era grande demais. Ele precisava recusar-se a fracassar.

Então uma imagem da irmã surgiu em sua mente: ela estava sentada na cama, brincando com seus bichinhos de pelúcia, indefesa, e ele se recusou a desistir dela. Pensou em seus amigos no alto da montanha, em Artífice, em Caçadora e Costureira, e recusou-se a desistir deles. Pensou em todas as vidas em Minecraft, no novo Artífice, Escavador, em Pescador, e recusou-se a desistir deles. Pensou em todas as pessoas nos dois mundos que contavam com ele naquele exato momento, e recusou-se a desistir delas. Reuniu todas as suas partes, com todas as suas forças, e segurou o raio de luz com cada pedacinho de coragem, e de raiva, e de esperança... e aguentou firme.

E então começou a ouvir vozes, centenas de vozes. Elas estavam gritando seu nome, dando vivas a Gameknight999. Rostos formados de blocos começaram a flutuar pelo raio de luz, e, em seguida, corpos quadrados, à medida que centenas e centenas de indivíduos atravessavam Gameknight.

Ele havia formado uma ponte. Ou melhor: ele *era* a ponte.

Aguentando firme com todas as forças, ele deixou aquelas formas fluírem por ele até sentir que os últimos fiapos de sua força começavam a desaparecer. Então ele aguentou firme mais um pouco, até o último NPC passar. Por fim, quando já não conseguia mais suportar, Gameknight soltou-se do raio de luz e caiu na escuridão.

CAPÍTULO 34
AMIGOS

Gameknight caiu no chão, tonto. Ouviu um peculiar som de estouro, que vinha de toda parte, e, em seguida, os vivas do exército de NPCs. Olhou para o outro lado do platô e viu centenas de usuários materializando-se em existência, os nomes flutuando sobre suas cabeças, os filamentos de servidores erguendo-se bem alto no céu. Olhou para o que estava mais perto dele e descobriu que era o amigo, Shawny, que o olhava, a skin negra de ninja cintilando vivamente sob a luz da Fonte.

— Oi, Gameknight — disse Shawny, em tom brincalhão. — E aí, tá fazendo alguma coisa de interessante nestes últimos tempos?

Ele deu um tapinha firme no ombro de Gameknight, o que fez o amigo sorrir pela primeira vez no que parecia uma eternidade. O amigo estendeu a mão e o ajudou a se levantar.

Olhando ao redor pelo platô, ele viu usuários conhecidos... tais como sua antiga equipe de construção, a Equipe Apocalipse: Nanozine, UltraFire9000, Gustobot2000, David769101 e ScottishRHere... quer dizer, antes de ele trollar alguns deles. Também viu Phaser_98 e King_Creeperkiller. Eles viram Gameknight e começaram a pular de alegria. Um pouco mais perto, ele notou que um usuário chamado Wormican também estava dando pulos de alegria; era uma das únicas maneiras que um usuário tinha para demonstrar emoção com seus personagens de Minecraft.

— Shawny, a situação é a seguinte — começou Gameknight, depressa. — Tem um exército de monstros que...

— Acho que estou vendo eles daqui.

Shawny apontou para a horda que se aproximava. Eles haviam parado na metade da trilha inclinada, aparentemente espantados com a aparição repentina do exército de usuários. Gameknight olhou para a trilha larga e avistou uma multidão de zumbis na dianteira da coluna; eram bucha de canhão, provavelmente considerados dispensáveis. Depois dos zumbis, vinha um mar de aranhas gigantes, as garras afiadas como navalhas clicando em *staccato* na rocha, suas mandíbulas batendo ansiosamente, parecendo um milhão de castanholas sendo tocadas ao mesmo tempo. Aquele barulho ecoava pelas rochas. As laterais da trilha inclinada estavam repletas de blazes, os corpos flamejantes bem encostados junto às paredes, iluminando os lados do exército com uma chama inflamada, bolas de fogo prontas para serem lançadas. Atrás deles marchavam mais monstros do Nether, misturados com outros da Superfície. Era, realmente, o maior aglomerado de monstros jamais visto em Minecraft.

Enquanto Gameknight999 olhava para aquele exército monstruoso, começou a ouvir certa comoção no platô. Ao olhar para aquela direção, viu usuários correndo para todos os cantos, construindo estruturas dos dois lados da escada.

— Construam-nas aqui, aqui e ali, do jeito que treinamos — berrava uma voz.

Gameknight seguiu o som daquela voz e viu Shawny caminhando de um lado para o outro, dando ordens para os usuários e também para os NPCs.

— Precisamos de uma parede com aberturas pelas quais atirar, além de plataformas aqui e ali — explicava Shawny a um grupo de combatentes. — Rápido agora, os monstros não vão ficar confusos por muito tempo. — Então ele deu as costas e foi até as extremidades da trilha. — Artilharia... quero a artilharia ao longo da beirada disso aqui, e arqueiros bem atrás dela. Vamos... rápido, rápido, rápido!

Pedreiro aproximou-se de Gameknight.

— Tá tudo bem com você? — perguntou o NPC grandalhão.

— Sim, mas não tenho certeza se eu teria sobrevivido caso não tivesse segurado firme sua mão. De alguma maneira você me fez continuar ancorado aqui em Minecraft. Obrigado.

Pedreiro assentiu com a cabeça quadrada, um sorriso zombeteiro no rosto.

— Mas... tem uma coisa que eu não entendo — continuou Gameknight, olhando para os brilhantes olhos verdes de Pedreiro. — Por que sua mão não se dissolveu em milhares de bits...? Estava dentro do facho de luz comigo; devia ter se decomposto como aquele bloco que Lenhabrin atirou na Fonte.

Pedreiro encolheu os ombros e olhou para ele com um sorriso malicioso.

— Minecraft faz o que quer, às vezes.
— GAMEKNIGHT! — berrou Shawny.

Ele correu até o amigo.

— O que foi?
— Alguma coisa está acontecendo lá embaixo com os monstros.

Gameknight olhou por cima da parede de pedra que se estendia ao longo da ampla escadaria. Viu os monstros olhando para os usuários, sem saber direito o que fazer. Então, porém, um vulto escuro materializou-se na retaguarda do exército, uma criatura alta que estava tingida de vermelho-escuro, apenas um tom mais claro que o preto. Seus olhos cintilavam num vermelho muito intenso, como se estivessem iluminados por dentro com um milhão de velas acesas. A expressão em seu rosto era de tal maldade odiosa que quem estava no platô quase sentia dor ao olhá-la.

Era Érebo.

O rei dos endermen deu uma risadinha de desdém ao olhar para os defensores, e correu os olhos pelos seus rostos até encontrar o de Gameknight. Então seus olhos brilharam ainda mais, fitando o Usuário-que-não-é-um-usuário.

Gameknight estremeceu.

— Ei, será que esse aí é mesmo quem eu acho que é? — perguntou Shawny, do outro lado do platô. Ele posicionava os arqueiros NPCs, para que o exército deles tivesse poder de fogo ininterrupto.

Gameknight assentiu.

— Parece que vocês dois agora andam se acertando — ironizou Shawny, sarcasticamente. — Parabéns.

— Riu, depois continuou posicionando os defensores.

— Eles estão vindo! — berrou um dos usuários.

Provavelmente foi Disko42, o mestre da redstone, pensou Gameknight.

Ele virou-se para olhar novamente a horda de monstros, e viu Érebo se teleportar através de seu exército, batendo nos monstros que não estavam andando para a frente. Ele parecia um relâmpago negro, indo de um lugar a outro, com uma velocidade impossível. Soltando ameaças numa voz agudíssima, incitava o exército para cima pelas escadas, em direção aos usuários e NPCs.

Quando se aproximaram, Gameknight percebeu a ausência de Malacoda. Ainda havia ghasts entre os monstros, mas o enorme rei do Nether, pelo visto, não estava ali. Além disso, não havia mais nenhum enderman fora Érebo. Alguma coisa devia ter acontecido com o exército de monstros.

Isso é bom, Gameknight, pensou ele. *Quanto menos monstros, melhor.*

Quando a horda se aproximou, os arqueiros NPCs começaram a atirar da lateral dos rochedos escarpados. Ondas de flechas caíram sobre os zumbis que vinham arrastando-se, as mãos em garra estendidas à frente do corpo, os gemidos tomando conta do ar. Muitos caíram sob aquela saraivada de flechas, mas um número maior continuou avançando. Porém, nesse momento, os blazes começaram um contra-ataque com voleios de três tiros rápidos. Uma onda chamejante de esferas incandescentes cruzou o céu e caiu sobre os arqueiros que não tinham sido velozes o bastante para afastar-se da beirada após atirar. Gritos de dor eram ouvidos enquanto as chamas consumiam seu HP.

— USUÁRIOS... SAQUEM SEUS ARCOS! — berrou Shawny.

Todos os usuários sacaram os arcos ao mesmo tempo, e o topo da montanha encheu-se de repente de uma luz azul-cobalto. Cada um dos arcos cintilava, numa iridescência feita de encantamentos. Era evidente que os usuários andaram bem ocupados enquanto esperavam Gameknight guiá-los até a Fonte.

— FOGO!

O céu acendeu-se quando centenas de flechas chamejantes voaram pelos ares e caíram em cima da horda de monstros. As farpas afiadas causaram estragos entre eles. Então o enorme aglomerado de esqueletos devolveu o ataque: suas flechas caíram direto nos defensores — trezentas flechas esqueléticas rasgaram armaduras e carne exposta.

Érebo de repente soltou um grito agudo de estourar os tímpanos, e os monstros avançaram juntos, ao mesmo tempo. Aranhas e blazes passaram na frente dos vagarosos zumbis e começaram a subir as escadas.

— Atirem à vontade! — berrou Shawny. — Canhões de TNT, fogo!

Como se estivessem sincronizados, grupos de canhões de TNT detonaram suas cargas, atirando cubos listrados pretos e vermelhos no meio do ofensivo exército de monstros. Os blocos brilhantes caíram entre aquelas criaturas e explodiram. Apesar de abrirem buracos devastadores na horda monstruosa, logo estes eram rapidamente preenchidos por novos monstros que chegavam. Apesar disso, as explosões consecutivas continuaram, a TNT fez o estrago que podia... Havia, porém, monstros demais, e estes estavam chegando cada vez mais perto do alto da escadaria.

— Primeira companhia, desembainhar as espadas!

Centenas de usuários deixaram os arcos de lado e desembainharam espadas encantadas. Tomaram conta das laterais da escadaria, sabendo que as aranhas tentariam escalar a parede vertical quando tivessem a chance. Mais bolas de fogo atravessaram os ares e esmagaram usuários e NPCs, algumas delas atiradas pelos blazes, mas outras vindas de cima, dos ghasts.

— ARQUEIROS NPCs! — berrou Pedreiro. — DESTRUAM OS GHASTS!

E, exatamente como Gameknight os ensinara quando lutaram contra Malacoda no Nether, grupos de seis arqueiros começaram a atirar nos ghasts; cada esquadrão mirando o mesmo monstro. Eles ainda estavam longe demais, mas, apesar disso, muitas flechas acertaram o alvo. Lentamente, começaram a fazer os ghasts recuarem: os monstros flutuantes preferiram sair do alcance dos disparos a ser perfurados por meia dúzia de flechas. Tudo bem, porque, se eles estavam fora do alcance, também estavam longe demais para atirar suas bolas de fogo. Depois que os ghasts recuaram, os arqueiros concentraram seus disparos nos blazes, mas havia tantas daquelas criaturas ferozes que suas flechas quase não faziam efeito.

Agora era possível ouvir os estalos das aranhas: seus múltiplos olhos vermelhos apareceram por cima do paredão. Gameknight sacou a espada de diamante e deu um pulo para a frente. Ficando ombro a ombro com os usuários, ele atacou os monstros, a afiada lâmina de diamante talhando os corpos das aranhas com ferocidade. Ao lado dele estava Kuwagata489, alguém que ele tinha certeza de ter trapaceado em alguma batalha anterior. Mas isso era passado. Agora, Gameknight era uma máquina mortífera, cortando toda aranha que ousava ameaçar algum usuário ou NPC, sempre que possível mantendo um olho nas costas de Kuwagata489. Enquanto lutava, viu PaulSeerSr atirar suas flechas nos blazes que se aproximavam. Ao lado dele, estavam HoneyDon't e Zefus, que acrescentavam as próprias flechas à equipe de defesa, enquanto Lamadia e InTheLittleBush os protegia com as espadas cintilantes. Os guerreiros arrasavam os monstros e disparavam seus arcos, mas a horda era simplesmente grande demais e aos poucos os defensores foram obrigados a recuar.

— Todo mundo para as paredes! — berrou Shawny.

Os arqueiros guardaram seus arcos e desembainharam as espadas. Os NPCs ficaram ao lado dos usuários enquanto lutavam contra os monstros de oito patas. Mas, enquanto combatiam as aranhas, os zumbis e os creepers avançavam. Os creepers arremetiam contra a gigantesca parede construída no meio da escadaria. Os guerreiros atiravam por entre os buracos da parede, tentando fazer os manchados monstros verdes recuarem, mas estes estavam em um número grande demais. Os creepers sibilaram e incharam, depois detonaram a parede de pedra, fazendo-a em pedacinhos.

Gameknight ouviu o rugido de vitória dos monstros quando as primeiras fileiras de zumbis alcançaram o platô. Um dos usuários saltou bem na frente deles e brandiu a espada em grandes arcos. Seu nome, Imparfa, cintilava com força contra o tom verde-escuro dos zumbis, mas ele estava em completa desvantagem numérica e ia sofrendo com os golpes. Gameknight percebeu que ele não duraria muito, pois piscava em vermelho a cada vez que grupos de garras arrasavam sua armadura. Mas então Pedreiro foi ajudá-lo, e sua própria espada poderosa se pôs a estraçalhar os corpos dos zumbis com precisão experiente. Correndo ao longo da linha de batalha, Gameknight saltou para o meio da luta, girando a espada de diamante e desferindo golpes nos vários monstros. Ao seu lado, ouvia o arco de Caçadora zunindo uma melodia praticamente constante, *ziiiim, ziiiim, ziiiim*, a corda um borrão em movimento.

— RECUEM, RECUEM! — gritou Shawny, subindo as escadas. Ficou em cima do platô, ao lado de Gameknight.

— Precisamos de um milagre, Gameknight — disse ele ao amigo. — Eles são muitos.

— Eu sei, mas e se a gente...

Parou de falar quando o chão tremeu, como se tivesse sido golpeado pelo martelo de um gigante. E então o chão tremeu mais uma vez, e outra ainda. Olhando para o sopé da escada, Gameknight avistou um grupo de gigantes prateados caminhando pela planície rochosa, os pesados pés fazendo tudo trovejar a cada passo. Ao redor dos gigantes metálicos havia animais brancos peludos, centenas deles, cada qual com uma coleira vermelha no pescoço. E, na frente daquele novo grupo, Gameknight viu o vulto franzino de Pastor, que vinha com um ar de determinação irada no rosto.

— PASTOR! — berrou Gameknight, agitando a espada para o alto. — ISSO AÍ!

Ignorando o chamado, Pastor orientou sua monumental alcateia de lobos a atacar os monstros. Em seguida, orientou o mesmo para seus enormes golens de ferro. Os gigantes metálicos lançaram os braços para cima enquanto caminhavam no meio dos monstros, atirando diversos corpos aleatoriamente para o alto. Os lobos atacavam em massa, mordendo e rasgando, com seus dentes brancos afiados, os corpos da retaguarda da horda de monstros.

Os inimigos ficaram sem saber o que fazer. O ataque à retaguarda era devastador. Muitos monstros recuaram para proteger os que ali estavam, facilitando o ataque dos defensores na vanguarda.

— A hora é essa! — berrou Gameknight. — Ataquem... POR MINECRAFT!

— POR MINECRAFT! — berraram os defensores, arremetendo contra o exército de monstros.

Os gemidos e gritos aterrorizados dos monstros encheram o ar enquanto os defensores os atacavam dos dois lados. Os NPCs e os usuários se juntaram, bem próximos, para poderem atacar as criaturas com suas espadas. Gameknight viu-se na frente desse ataque. Uma aranha pulou à direita, atacando Slamacalf. A espada de Gameknight talhou o corpo inchado do monstro e o fez saltar para trás, de modo que Slamacalf pudesse acabar com ele. Então Gameknight foi puxado para trás assim que uma bola de fogo passava bem perto de sua cabeça. Virou-se e viu Costureira às suas costas, ainda com a mão pousada no ombro dele.

— Obrigada — disse Gameknight.

— Não tem de... — Antes mesmo que ela pudesse terminar a frase, encaixou uma nova flecha no arco e disparou contra um homem-porco zumbi, acabando com o HP do monstro. Ela se levantou e correu até a frente da batalha, o arco encantado zunindo a canção da guerra.

Gameknight se pôs de pé e, naquele momento, pôde ver como transcorria a batalha. Os monstros estavam ensanduichados entre duas forças que atacavam. Os golens de ferro abriam grandes trilhas de destruição em meio ao inimigo enquanto as bolas de fogo e as setas dos esqueletos quicavam em sua pele de ferro sem causar o menor estrago. Os gigantes de metal avançavam através da massa de corpos dos monstros, uma força irrefreável que subia as escadas em direção a alguma coisa... em direção a Gameknight999. Os lobos mordiam braços e pernas, e eram velozes demais para que os monstros conseguissem atingi-los.

— Acho que é capaz de a gente vencer isso aqui — disse uma voz à esquerda de Gameknight.

Virando-se, ele viu SkyKid ali, os óculos escuros escondendo a intensidade avassaladora do brilho de seus olhos.

— Não diga isso ainda, pode dar azar e...

De repente, a pele de Gameknight começou a se arrepiar quando ele ouviu uma risada retumbante ecoando pelo campo de batalha. Era Érebo, mas, de alguma forma, a risada dele estava diferente, mais confiante. O rei dos endermen riu mais alto que Gameknight já o tinha ouvido rir, e o jogador ficou arrepiado de medo pela maldade e alegria maníaca contidas naquele riso guinchante.

Ele recuou da batalha e olhou para a base dos degraus monumentais. Uma neblina púrpura havia encoberto o pé da escada e se estendia pela planície de rocha, serpenteando com algo que se mexia ali dentro. Ele não conseguiu ver o que era, pois a neblina era espessa demais, mas, quando as partículas de teleporte começaram a se dissipar, algo lentamente passou a tornar-se visível em meio à névoa. De início, pareciam pequeninos pontos brancos, mas, assim que a neblina evaporou completamente, os pontinhos aos poucos se transformaram em olhos brancos cintilantes; de endermen... de centenas deles. Num instante, a planície viu-se coberta de incontáveis monstros altos e sombrios, cada qual com uma aparência raivosa e preparado para lutar. De alguma maneira, Érebo conseguira trazer todos os endermen dos últimos servidores, bem como todos os que estavam no Fim, e aqueles monstros estavam loucos para entrar na batalha.

Eles estavam perdidos.

CAPÍTULO 35
A ÚLTIMA BATALHA POR MINECRAFT

Gameknight guardou a espada e lentamente subiu as escadas, afastando-se da batalha. Quando chegou no alto, virou-se e olhou para o inútil combate.

— O que você está fazendo? — perguntou Caçadora, correndo na direção dele.

— Acabou... não está vendo? Fracassamos.

— Enquanto ainda conseguirmos respirar, existe uma chance. Agora volte para a batalha.

Gameknight apenas suspirou e olhou para o chão. Os endermen acabariam destruindo os golens de ferro, dando aos monstros o tempo necessário para superar as defesas dos NPCs e usuários e destruir a Fonte. Então eles invadiriam o mundo físico... o mundo dele. Provavelmente sairiam justo em seu portão, exatamente como em seu sonho.

Ele lembrou da irmã mais nova.

Eu falhei com você, irmãzinha... Foi mal.

— Os monstros estão se reunindo ao redor de Érebo e suas criaturas sombrias. — A voz de Costureira interrompeu a sessão de autopiedade de Gameknight.

— Os endermen estão incentivando os outros, fazendo com que lutem mais. Precisamos dar um jeito de impedir isso.

As palavras de Costureira fizeram Gameknight novamente pensar. As peças do quebra-cabeça começaram a se juntar dentro de sua mente; havia uma solução ali, em algum lugar.

Os monstros vão lutar porque têm esperança, pensou Gameknight. *E eles têm esperança por causa de seu líder.*

Gameknight se lembrou de como todos os NPCs estavam antes da Batalha pelo Nether. Todos ficaram do seu lado porque acreditaram nele, porque sua presença lhes deu esperança. Era isso que ele tinha que tirar dos monstros, a esperança.

Mas como?

As peças do quebra-cabeça começaram a se juntar com mais força ainda, enchendo sua cabeça de um trovejar. Havia uma solução ali. Ele só precisava enxergá-la. E, ao olhar para o rosto coberto de suor de Costureira, as peças se encaixaram.

— Já sei o que precisamos fazer — disse Gameknight. — Caçadora, Costureira, venham comigo.

Ele se virou e correu pelo platô, surgindo no meio do mar de fachos apagados. Depois de encontrar um lugar longe das frentes de batalha, ele parou e olhou para as amigas.

— O que você está fazendo? A batalha é lá — reclamou Caçadora.

— Não, não é não — retrucou Gameknight. — A batalha não é contra os monstros, é contra Érebo. Posso acabar com a força desse exército e destroçar sua vontade de lutar, mas vocês precisam fazer exatamente o que eu disser.

Então Gameknight999 explicou seu plano. Enquanto descrevia o que planejava fazer, o medo atravessava sua alma. Imagens do que poderia acontecer espocaram em sua cabeça, mas, em vez de se concentrar nos *e se*, ele se concentrou no *agora*. Ainda assim, continuava cheio de incerteza e hesitação. Então, algo que Artífice lhe dissera há muito tempo lhe veio à mente.

Não é o feito que faz o herói; é como ele supera o seu medo. A voz de Artífice ecoou em sua cabeça, fazendo com que Gameknight se sentisse... mais forte, de alguma maneira.

Vou superar meus medos.

Olhou para o rosto quadrado de Caçadora e viu preocupação em seus olhos. Ele sabia o quanto aquilo era arriscado, mas era a única esperança que eles tinham.

Então, o Usuário-que-não-é-um-usuário deitou-se no chão e dormiu.

Uma neblina prateada flutuava pelo campo de batalha, envolvendo os combatentes com seu delicado abraço. Gameknight sentou e viu Caçadora e Costureira paradas na sua frente, as duas com os arcos encantados na mão, as setas preparadas. Tinham uma aparência transparente, como se não estivessem completamente ali; não faziam parte da Terra dos Sonhos. Ele se levantou e foi até o alto da escadaria. Olhou para baixo, para a terrível batalha que se desenrolava ali. Os monstros e defensores tinham a mesma aparência transparente de suas duas amigas enquanto lutavam na escadaria íngreme.

Gameknight desceu os degraus e passou pelos zumbis e aranhas sem ser afetado, dirigindo-se até seu alvo. Ele o avistou ao longe: a criatura exibia um sorriso maligno e apavorante no rosto. Um arrepio desceu pela espinha de Gameknight quando ele pensou em sua tarefa, mas ele sabia que não tinha outra escolha; precisava fazer aquilo para proteger os amigos e a família.

Reuniu coragem e caminhou em direção ao inimigo. Desceu cuidadosamente os degraus e abriu caminho ao redor dos monstros e defensores, serpenteando através do campo de batalha. Quando não existia uma trilha, ele simplesmente passava através deles, sua forma sólida atravessando os corpos transparentes, como se fossem feitos de fumaça; ele estava na Terra dos Sonhos, e tudo era possível. Depois de atravessar um grupo de aranhas gigantes, cautelosamente aproximou-se de sua presa. De repente, Érebo virou-se na direção do Usuário-que-não-é-um-usuário. Quando Gameknight chegou mais perto, o rei dos endermen mexeu a cabeça como se estivesse sentindo a presença do andarilho dos sonhos, os olhos vermelhos ardentes focados em Gameknight.

Aquilo o fez estremecer.

Finalmente, quando estava a dez blocos de distância, ele parou e ficou de frente para o monstro sombrio. A névoa prateada flutuava ao redor do corpo transparente de Érebo, envolvendo-se em suas pernas compridas, dando a impressão de que ele estava flutuando. O brilho avermelhado e maligno de seus olhos tingia a neblina de um leve tom de vermelho, como se as nuvens que giravam estivessem escondendo as chamas de uma fogueira em brasas.

Então, de repente, o enderman se solidificou. Estava completamente presente na Terra dos Sonhos, olhando de maneira vil para Gameknight999.

— Ah, Usuário-que-não-é-um-usuário, até que enfim você reuniu coragem para me enfrentar — disse Érebo com voz aguda. — Excelente. — Ele soltou uma risada de arrepiar a espinha, fazendo Gameknight tremer. — Vou adorar acabar com você com minhas próprias mãos.

— Isso veremos, enderman — retrucou Gameknight. — Veremos.

Ele pegou lentamente a espada encantada de diamante e estendeu-a à frente. Isso só fez Érebo rir. Então ele fez uma coisa que obrigou o enderman a parar com as gargalhadas. Gameknight atirou a espada no chão, depois sacou o machado e o atirou também no chão, depois fez o mesmo com sua pá... descartou tudo o que pudesse ser usado como arma. De pé diante de Érebo, o Usuário-que-não-é--um-usuário projetou o queixo para a frente e olhou carrancudo, desafiadoramente, para o rei dos endermen. Era bem sabido em Minecraft que encarar diretamente um enderman era o mesmo que chamá-lo para a briga, mas Gameknight não estava nem aí. Estava farto de sentir medo de Érebo e dos monstros da Superfície.

Odeio isso. Já chega de ser a vítima, *pensou*. Só quero ser eu mesmo.

Era hora de enfrentar seu pesadelo e empurrá-lo de volta para as sombras.

— Não tenho mais medo de você, Érebo — disse Gameknight, olhando para o monstro. — Não vou recuar e não vou fugir.

— Então será seu fim — guinchou o enderman.

— Ah, é? — disse o jogador, com um olhar desafiador e confiante. — Vamos dançar.

Érebo avançou para cima de Gameknight, mas o Usuário-que-não-é-um-usuário fincou pé e não se mexeu. Sua espada flutuava sobre o chão a seus pés, mas ele não fez nenhum movimento para apanhá-la. Em vez disso, simplesmente olhou sério para o enderman que se aproximava, com uma expressão de desdém confiante. Érebo o alcançou com quatro longas passadas e o atacou. Punhos escuros socaram Gameknight, mas ele não fez nada para se defender. Sentia sua armadura de diamante começar a ceder com o ataque, mas, mesmo assim, fincou pé. O medo encheu sua mente enquanto os punhos escuros o socavam, mas ele precisava suportar... pelos amigos.

Acredito que sou capaz de fazer isso, *pensou.* Sou forte o suficiente.

Seu elmo se espatifou e sumiu, incapaz de aguentar a ira de Érebo. A criatura sombria mirou seus golpes nas pernas de Gameknight, e suas pernas compridas e escuras começaram a causar estrago nas perneiras de diamante do Usuário-que-não-é--um-usuário. Gameknight as ouviu estalar e tremer enquanto as sombras do medo começaram a tomar conta dele. Então, as perneiras se espatifaram.

Acredito que sou capaz de fazer isso, *pensou*. Sou forte o suficiente. Sou corajoso o bastante.

Érebo continuou a espancá-lo, seu ataque incansável dirigido a todo o corpo de Gameknight. Os punhos e pés escuros eram um borrão para o Usuário-que-não-é-um-usuário, e a velocidade daqueles golpes impossível de acompanhar. A serpente do medo que se escondera no fundo de Gameknight começou a envolver sua alma, suas presas afiadas preparando-se para dar o bote na coragem do garoto. TLAC... suas botas de diamante se espatifaram, deixando Gameknight praticamente indefeso.

A serpente do medo atacou, mordendo a coragem de Gameknight, fazendo com que ele duvidasse de seu valor, fazendo com que questionasse se era bom o bastante. Mas não: ele não iria ceder.

Acredito que sou capaz de fazer isso, *pensou ele*. Sou forte o suficiente. Sou corajoso o suficiente. SOU GAMEKNIGHT999!

Gameknight olhou para o chão, para sua armadura de diamante espatifada, depois olhou sério para cima para o monstro, desafiando-o a continuar. Érebo parou a chuva de pancada e recuou para olhar sua vítima.

— O que você está fazendo? — berrou Érebo.

— Você não pode me derrotar — disse Gameknight. — Porque eu finalmente me dei conta do que minha verdadeira força é e isso é uma coisa que você jamais vai entender.

— O que... o que você sabe que eu não sei? — guinchou o rei dos endermen. — Sei tudo sobre Minecraft e a Terra dos Sonhos. Sei tudo que há para saber sobre as Profecias e o Nether e o Fim. Entendo cada faceta de Minecraft.

— Mas não consegue entender de onde vem a verdadeira força.

— E de onde vem a sua força mítica, Perdedor-que-é-um-perdedor? — vociferou Érebo em resposta.

— Você fere os outros para se sentir melhor, para sentir que está no controle, mas isso só faz com que você se separe dos verdadeiros amigos e dos relacionamentos verdadeiros. Você se aproveita dos que são menores que você, dos fracos, dos medrosos, e isso demonstra sua covardia. Quem está à sua volta não o respeita, porque enxerga essa sua covardia. Eles não gostam de você. Acham você ridículo e fraco, mas têm medo demais para falar qualquer coisa. Sentem-se felizes por você não ter escolhido importuná-los... ainda. Você não é nada. Está sozinho em sua vidinha ridícula e nem sequer sabe disso. — Gameknight fez uma pausa para deixar que suas palavras enfurecessem Érebo ainda mais, depois prosseguiu. — Minha força... vem dos amigos que fiz ajudando os outros. Isso é uma coisa que você jamais vai entender, porque não passa de um bully, um bully solitário e ridículo, e por isso sinto pena de você.

— Você sente pena de mim... ÉREBO, O REI DOS ENDERMEN? — berrou o monstro.

A criatura sombria então soltou um grito agudo e atacou novamente o Usuário-que-não-é-um-usuário com uma chuva de socos e pontapés... e, mais uma vez, Gameknight resistiu. Quanto mais ele não fazia nada, mais irritado ficava Érebo, até ele se descontrolar.

TLAC... o protetor peitoral de diamante se estilhaçou.

Os golpes agora estavam atingindo a carne de Gameknight. A dor irradiava-se pelo seu corpo, mas, mesmo assim, ele ficou firme. E, quando seu HP foi diminuindo, ele começou a rir, deixando Érebo enlouquecido. E no momento em que seu atacante estava completamente tomado pela raiva, Gameknight deu um pulo para a frente e envolveu o monstro com força entre seus braços, segurando o corpo escuro e pegajoso contra o seu. Estendeu o pensamento até a Terra dos Sonhos, imaginou que seus braços ficavam cada vez mais compridos, que envolviam o rei dos endermen como serpentes de aço. Os braços de Gameknight tornaram a envolver Érebo mais uma vez, prendendo os braços compridos do monstro nas laterais do corpo dele, até a criatura ficar presa, incapaz de fugir. E, para surpresa de Érebo, incapaz de se teleportar também.

— Caçadora... AGORA... ÁGUA! — gritou ele, sua voz ecoando por toda a Terra dos Sonhos.

Caçadora de repente surgiu flutuando acima do enderman, segurando um balde d'água. Ela despejou o líquido frio em cima dos dois, depois deixou o balde de lado e despejou a água de outro. Érebo começou a piscar em vermelho quando a água atingiu sua pele. O líquido fazia com que filamentos de fumaça se levantassem do seu corpo negro; a água era uma das poucas coisas capazes de ferir os endermen. De repente, Costureira apareceu do lado de Caçadora e despejou também um balde d'água sobre o monstro, com um enorme sorriso no rosto, enquanto Érebo piscava cada vez mais freneticamente. Érebo lutava para se soltar, tentando livrar-se dos braços de Gameknight, mas não conseguia. O Usuário-que-não-é--um-usuário o segurava com força e deixava a água fluir sobre os dois. Ele viu o pânico nos olhos de Érebo quando seu HP começou a cair cada vez mais.

— Você sabia que eu estou destinado a vencer e você a perder, Érebo? — perguntou Gameknight, aproximando-se do rosto aterrorizado do monstro. — Porque eu aprendi a acreditar em mim mesmo e em meus amigos. Farei tudo para ajudá-los, e eles farão qualquer coisa para me ajudar. — Splash, novo balde d'água... flash... flash... flash... — Só precisei esperar até você estar tão tomado de raiva e ódio que se esquecesse que isso aqui não passa de um sonho... mas, como você bem sabe, se você morrer na Terra dos Sonhos, morre também em Minecraft. — Splash... flash... flash... flash. — E hoje é seu dia de morrer. Não vou mais deixar que machuque meus amigos. — O olhar de ódio de Érebo subitamente se transformou em medo, depois em pânico. O monstro escuro lutou para escapar de Gameknight, depois começou a choramingar e implorar, mas o Usuário--que-não-é-um-usuário o segurava com toda a força.

— Érebo... game over.

E, com isso, o enderman piscou mais uma vez e então desapareceu, deixando cair uma esfera azulada no chão.

Érebo, o rei dos endermen, estava morto.

CAPÍTULO 36
VOLTANDO PARA CASA

Gameknight sentou-se, com Caçadora e Costureira ao seu lado. Levantou-se, saiu correndo até o alto da escadaria e olhou para a batalha lá embaixo. Os endermen tinham visto a derrota de seu líder, e a coragem agora os estava abandonando.

Preciso fazer os monstros pararem.

Enfiou a mão em seu inventário e encontrou ali aquela esfera azulada esquisita. Tinha uma aparência estranha, como se fosse alguma espécie de pérola azul, mas com alguma coisa no centro. Olhando mais de perto, Gameknight descobriu algo semelhante a um olho vermelho-sangue que o encarava.

Era a pérola do Fim de Érebo.

Ergueu-a acima da cabeça e caminhou pelo campo de batalha. Os monstros viram a pérola na mão do Usuário-que-não-é-um-usuário e no mesmo instante pararam de lutar, procurando freneticamente seu líder. Um olhar de pânico espalhou-se nos rostos dos monstros enquanto Gameknight999 seguia em direção às frentes de batalha. Os endermen foram os primeiros a bater em retirada. De início apenas alguns poucos desapareceram numa névoa de partículas de teleporte, mas então cada vez mais deles começaram a se teleportar para longe dali. Aquelas criaturas sombrias sumiram em meio a uma neblina púrpura e reapareceram perto do portal, no outro extremo da planície de rocha. Os homens-porcos zumbis e seus primos da Superfície, todos seguiram os endermen, abrindo caminho pelos usuários e NPCs enquanto corriam até o portal que os tiraria dali.

Então Gameknight sentiu um grupo de combatentes às suas costas. Os NPCs e usuários desciam lentamente os degraus, preparados para defender instantaneamente o Usuário-que-não-é-um-usuário. Uma aranha avançou sobre ele, mas as flechas de Caçadora e Costureira cravaram-se no corpo felpudo antes que ela pudesse se aproximar o suficiente. Aquilo convenceu os outros monstros de oito patas a bater em retirada, e eles deram meia-volta, descendo às pressas os degraus. Logo, logo, todos os monstros estavam batendo em retirada também, seguindo o mais rápido que podiam até o portal, afastando-se daquele que destruíra seu líder. Gameknight olhou para trás e sorriu para seus seguidores, muitos dos quais já começavam a soltar vivas. Os monstros da Superfície e do Nether bateram em retirada, não desejando mais lutar contra o Usuário-que-não-é-um-usuário.

Então, contudo, um retumbante trovão se fez ouvir, e as escadas tremeram. Gameknight virou-se e viu-se de repente frente a frente com o rei dos golens, cujos olhos escuros encaravam Gameknight999 carrancudos. Ele enfiou a mão em seu inventário, tirou de lá a Rosa de Ferro e entregou-a ao gigante de metal, achando que seria esmagado por seus enormes punhos de ferro. Porém, em vez de atacá-lo, o rei dos golens apanhou a rosa, virou as costas e voltou até o portal.

Enquanto observava as criaturas metálicas se afastarem, Gameknight viu Pastor se aproximar, protegido pelos lobos sobreviventes da matilha. Correu em sua direção, e, com um salto para a frente, deu um enorme abraço em seu amigo.

— Estou tão feliz por ver você bem! — exclamou Gameknight. Olhou para a alcateia e deu um tapinha no ombro do adolescente franzino. — Você nos salvou com seus lobos e os golens. Nunca teríamos sobrevivido se não fosse por você.

Pastor corou, e sua cabeça quadrada assumiu um intenso tom rosado.

— Como eu disse lá na fortaleza — continuou Gameknight, agora dirigindo-se a todos os combatentes. — Ele é meu amigo, e o nome dele é Pastor!

Os guerreiros soltaram vivas e foram dar tapinhas no ombro do garoto, acariciando os lobos.

— Pensei que você tivesse fugido, Pastor. Desculpe.

— Tudo bem. Eu só estava fazendo o que precisava fazer, para ajudar você e também Minecraft — explicou o rapaz. — Quando voltei à fortaleza, encontrei o rei dos golens e seus seguidores ali. Ele gostou de mim por causa de meus lobos e concordou em me ajudar a destruir os monstros.

— Pastor, só você para convencer o rei dos golens a nos ajudar — disse Artífice, aproximando-se do garoto. — Se você não fosse quem é, estaríamos perdidos. Acho que posso falar em nome de todos aqui:

não queremos que você seja outra coisa que não o Pastor, porque você é o melhor Pastor que poderia existir.

Um urra se espalhou pelo exército, e os NPCs começaram a entoar o nome de Pastor.

Artífice então foi até Gameknight.

— Percebeu uma coisa? — perguntou ele ao amigo.

— Não. O quê?

— Ele não está mais gaguejando — disse o jovem NPC de olhos velhos e sábios. — Acho que Pastor não encontrou apenas essa maravilhosa matilha de lobos, mas também encontrou a si mesmo.

Gameknight se virou e olhou para o garoto. Foi recebido com um gigantesco sorriso no rosto quadrado.

— Decidi ser quem eu sou; Pastor, o protetor dos animais, e serei o melhor Pastor que posso ser. As pessoas terão que aceitar isso, porque não vou mudar só para me encaixar em um modelo. Posso me encaixar sendo eu mesmo.

— Você é mais sábio que o normal, para alguém de sua idade, Pastor — disse Costureira, adiantando-se para abraçar o rapaz. — Acho que pode nos ensinar muito, a todos nós.

Pastor sorriu.

Gameknight sorriu e passou um dos braços ao redor do garoto. Os lobos uivaram quando Pastor virou e abraçou o amigo.

— Vamos, vamos até a Fonte — disse Lenhabrin, abrindo caminho até Gameknight. Depois subiu rápido a escada.

O exército seguiu o estranho artífice de luz degraus acima, acelerando o passo para acompanhar o ritmo de Lenhabrin. Quando alcançou o topo, Gameknight viu o artífice de luz diante da Fonte, os olhos maravilhados fitando o alto e seguindo o facho de luz cintilante até o céu. Gameknight aproximou-se de Lenhabrin e olhou para ele.

— Como todos esses NPCs vão conseguir voltar para casa? — perguntou Gameknight.

Lenhabrin desviou os olhos da Fonte e encarou Gameknight.

— Vão navegar pelos fachos de luz de seus servidores até seus servidores de origem. — Ele apontou para o campo repleto de fachos apagados. — Você precisa iluminá-los.

— O quê? — perguntou Caçadora.

— O Usuário-que-não-é-um-usuário precisa iluminar esses fachos, para que todos nós possamos voltar para casa — explicou Lenhabrin.

— E como vou fazer isso? — perguntou Gameknight.

— Colocando o Ovo do Dragão na Fonte e segurando-o firme — respondeu Lenhabrin. — Minecraft fará o resto.

Caçadora aproximou-se de Gameknight e olhou para ele.

— Você tem força o bastante depois daquela batalha contra Érebo? — perguntou ela. — Vai conseguir fazer isso?

Gameknight encarou os olhos castanhos profundos da amiga e tentou lhe dar um sorriso confortador... mas não se saiu muito bem.

— Preciso sobreviver. Olhe em torno, não há comida nem água. Esses NPCs não vão conseguir sobreviver aqui; eles precisam voltar para seus servidores, para suas casas. Preciso fazer isso.

Deu as costas à amiga, subiu nos blocos de diamante e ficou parado na frente do facho ofuscante de luz. Tirou do inventário o Ovo do Dragão, estendeu-o à frente e lentamente caminhou até a Fonte. Sua pele começou a formigar, mas então aquela sensação se transformou em outra, parecida com agulhas que cutucavam suavemente seu corpo, e depois em outra ainda — em uma sensação de fogo. Era como se ele estivesse em chamas, ardendo por fora e por dentro ao mesmo tempo.

— Sou capaz de fazer isso — disse ele em voz alta, reunindo todas as forças que ainda tinha.

Deu mais um passo à frente e estendeu os braços para dentro da coluna brilhante de luz. O brilho era tão intenso que ele não conseguia enxergar nada, mas pôde *sentir* onde deveria posicionar o ovo. Entrando mais um pouco na Fonte, colocou o ovo bem no meio do facho central.

De repente, fez-se um grande clarão, e ele foi atirado para trás. O Ovo do Dragão escapou de suas mãos. Voando pelos ares, Gameknight caiu em cima de um grupo de usuários, e a força do seu impacto derrubou Pips, Shin e SgtSprinkles. Todo o corpo dele formigava, como se tivesse acabado de ser eletrocutado. Olhou para baixo, esperando ver seus braços queimados, mas eles estavam imaculados e quadrados.

Duas mãos enormes o colocaram de pé. Ao olhar para cima, foi saudado pelos brilhantes olhos verdes de Pedreiro, que tinha um enorme sorriso no rosto.

— Dê uma olhada no que você fez — disse o NPC grandalhão.

Gameknight olhou para a Fonte e viu o Ovo do Dragão Ender flutuando sobre ela. Raios de luz se refletiam na superfície facetada do ovo, centenas deles, espalhando-se por todo o platô. Cada raio se dirigia a um dos fachos apagados. Quando atingia o cubo escuro, este subitamente explodia em meio a um clarão, como se tivesse sido ligado por um interruptor. Agora, ao olhar por cima do alto da montanha, em vez de ver um mar de blocos apagados, Gameknight via cada um dos fachos acesos, voltado para o alto. Aquilo o fez lembrar-se dos milharais perto da escola, os pés de milho estendendo-se orgulhosos logo antes da colheita. Aquilo o fez lembrar-se de casa.

Gameknight deu um suspiro.

— Todos os planos dos servidores estão reconectados com a Fonte — disse o artífice de luz, com uma expressão de orgulho e felicidade. Virando-se, ele olhou para Gameknight e sorriu, os olhos emitindo um suave brilho castanho, como se tivessem sido acesos por alguma luz interior. — O Usuário-que-não-é-um-usuário cumpriu a Profecia. Minecraft está salvo!

Um grande urra espalhou-se pelo topo da montanha. Os guerreiros e usuários ergueram suas espadas e arcos para o alto. Gameknight sorriu ao mirar aquele mar de rostos felizes, mas então viu uma pilha de armas e itens caídos no chão, o inventário de alguma pobre alma perdida. Ali tinha sido o lugar onde algum NPC pagara o preço final e morrera protegendo Minecraft. Gameknight enxugou uma lágrima do olho e lentamente ergueu uma das mãos, com os dedos bem separados, depois olhou para os sobreviventes daquela terrível batalha, o rosto determinado. Aos poucos os vivas pararam, à medida que mais mãos se erguiam com os dedos quadrados separados como as pétalas de uma flor quadrada. Todos levantaram as mãos e depois as fecharam com força, os olhos voltados para o chão, pensando nos seus amigos e familiares, esposos e filhos, vizinhos e desconhecidos... todas as pessoas que haviam morrido naquela guerra horrorosa. Fecharam as mãos com tanta força que os nós dos dedos doíam. Gameknight ergueu os olhos do chão e lentamente abaixou a mão, encerrando a saudação solene para os mortos.

Então, de repente, um círculo de luz roxa materializou-se no alto da montanha; um portal se formava. O campo de luz arroxeada estalou e silvou, chamando a atenção de todos. Então, NPCs começaram a sair daquele portal. Não, não eram NPCs, e sim artífices de sombras, os cabelos e olhos escuros denunciavam o que eram. Gameknight percebeu que um deles, colorido como um zumbi, saltou de lá de dentro, seguido por outro que tinha pequenos pelos negros espalhados pelas pernas e braços. Artífices de sombras de todos os tipos correram do portal em direção ao mar de fachos de luz que agora estava aceso sobre a montanha. Cada um deles agarrou um dos fachos e sumiu em meio a uma névoa de 1s e 0s, a nuvem de números deslizando facho acima e sumindo no mecanismo de Minecraft.

Ninguém se mexeu. Todos os guerreiros estavam chocados com o que haviam acabado de presenciar. Vinte segundos mais tarde, artífices de luz saíram correndo do portal, claramente perseguindo os artífices que haviam acabado de desaparecer. Pararam no limite do campo de luz, entreolharam-se, depois apanharam o facho mais próximo e também desapareceram.

Então, ouviu-se um chiado em um dos cantos do platô quando um novo portal começou a se formar. Quando o círculo arroxeado ganhou forma, um artífice de sombras de aparência maligna deu um passo à frente. Olhou para o agora iluminado planalto com uma expressão de ódio, depois encarou, irado, Gameknight999, os olhos emitindo um brilho branco intenso. Dando três passos para a frente, ele segurou o facho de luz que levava ao servidor de Artífice e sumiu. Todos os guerreiros ficaram chocados ao ver aquele artífice de sombras cujos olhos cintilantes foram a última coisa a desaparecer enquanto ele navegava o facho até o servidor de Artífice, e todos caíam em completo silêncio.

— A guerra que vem sendo travada há uma eternidade ainda continua — declarou Lenhabrin. — Os artífices de sombras fugiram para vários planos de servidores, mas os artífices de luz irão encontrá-los. Vamos apanhar todos eles, um dia. — Então ele virou-se para Gameknight e disse em voz baixa: — Esses NPCs são capazes de navegar os fachos de luz para voltar a seus servidores exatamente como os artífices de sombras acabaram de fazer. Agora que Minecraft sofreu uma limpeza, é seguro usá-los.

— Mas e eu... como volto para casa? — perguntou Gameknight.

— Pergunte a ele — respondeu Lenhabrin, apontando para Pedreiro.

Gameknight quis perguntar o que ele queria dizer com isso, mas o artífice de luz mergulhou no raio de luz que levava ao servidor de Artífice, indo atrás do artífice de sombras de aparência maligna e olhos brilhantes. Artífice então subiu em um dos blocos de diamante que levavam até a Fonte e levantou as mãos para chamar a atenção de todos.

— Não sei muito bem o que acabou de acontecer, mas pelo visto já podemos voltar para casa.

Um grito de alegria espalhou-se entre o exército, e os usuários deram tapinhas nas costas dos NPCs. Artífice desceu do bloco de diamante, foi até seu facho de luz e ficou ali parado, bem próximo dele, depois sorriu.

— Estou ouvindo a música de meu servidor. Com toda a certeza é o plano de meu servidor. Caminhem pelo campo até encontrarem seus próprios servidores.

Os NPCs espalharam-se pelo campo de luz, deixando os usuários onde estavam. Shawny caminhou até Gameknight e o parabenizou. Um usuário mais jovem, Imparfa, estava ao seu lado. Gameknight olhou para todos os usuários que tinham vindo em seu socorro, e viu nomes familiares, Minecrafters e YouTubers famosos: alguns dos melhores jogadores vieram ajudar na batalha. Ficou emocionado, e uma lágrima lentamente escorreu de um dos seus olhos. Talvez, no final das contas, ele tivesse amigos.

— Obrigado por terem vindo — disse Gameknight aos usuários, a voz embargada de emoção. Depois, deu uma risadinha. Os usuários riram, mas não *do* Usuário-que-não-é-um-usuário, e sim *com* ele. — Minecraft estaria perdido sem vocês. Vocês salvaram Minecraft.

— Não! — gritou alguém do grupo ao fundo. Todos no mesmo instante ficaram em silêncio enquanto o discordante se adiantava. Gameknight viu o nome sobre a cabeça dele; era o famoso AntPoison. — Não — repetiu ele. — Nós não salvamos Minecraft... você, Gameknight999, é que salvou Minecraft, e, ao fazer isso, salvou todos nós um pouco também.

Ele se aproximou ainda mais, ficou bem na frente do Usuário-que-não-é-um-usuário e embainhou a espada.

— Você costumava se intitular o rei dos trolls. Bem, não é mais. — Virou-se para encarar os outros usuários e depois gritou a plenos pulmões: — Eu digo que Gameknight999 não é mais o Troll de Minecraft, mas sim o Salvador de Minecraft. — Então, desembainhou sua espada de diamante e ergueu-a bem alto, gritando vivas com toda a força, acompanhado pelos outros usuários.

— POR MINECRAFT!!!! — berraram todos, e então aos poucos, um a um, eles se desconectaram do servidor e voltaram ao mundo físico, restando apenas Shawny ao lado de Gameknight.

Gameknight sorriu para o amigo, depois virou-se para olhar o campo de fachos iluminados. Viu que os NPCs haviam encontrado seus servidores e estavam mergulhando nos fachos de luz, os corpos se dissolvendo em 1s e 0s enquanto navegavam de volta para casa. A maioria dos combatentes eram do último servidor, portanto amontoavam-se ao redor de um único bloco. Poucos NPCs restaram agora ao lado de Gameknight999.

— O que o Usuário-que-não-é-um-usuário vai fazer? — indagou Artífice, ao lado do facho de seu servidor.

— Não sei. Ainda não pensei nisso, mas vou pensar, pode ter certeza. Depois voltarei para visitá-lo, Artífice, meu amigo.

O jovem NPC sorriu, segurando o facho de luz, e desapareceu em meio a uma nuvem de 1s e 0s, navegando de volta até seu servidor. Gameknight olhou em torno e viu que restavam apenas uns poucos NPCs, Caçadora e Costureira, Pedreiro, Pastor.

— O que você vai fazer, Caçadora? — perguntou Gameknight.

Ela afastou os cachos ruivos do rosto e virou-se para ele.

— Costureira e eu conversamos sobre isso e achamos que vamos recomeçar a vida no servidor de Artífice — respondeu ela, sorrindo. — Além disso, acho que ele precisa de alguém para cuidar dele.

Ela deu um passo à frente e sapecou um abraço de quebrar os ossos em Gameknight. Então ele sentiu os braços pequenos de Costureira envolverem sua cintura também. As duas irmãs hesitaram em soltá-lo. Gameknight ajudou, desvencilhando-se primeiro daquele abraço, depois deu um passo atrás.

— Vou acompanhá-las também — disse Pastor, com um sorriso gigantesco. — Acho que meu lugar agora é ao lado de meus novos amigos. Adeus, Usuário-que-não-é-um-usuário. Vejo você em breve, eu sei.

— É melhor vocês três irem logo, antes que outro exército de monstros resolva me matar — disse Gameknight, sorrindo.

Aquilo fez as irmãs darem risada e o sorriso de Pastor aumentar ainda mais.

— Até mais, Gameknight999, o Usuário-que-não-é-um-usuário. Espero ver você de novo, em Minecraft — despediu-se Caçadora, enxugando uma lágrima do rosto.

Assentindo, Gameknight sorriu, embora lágrimas cúbicas agora rolassem por seu rosto. Costureira acenou para ele, depois segurou a mão da irmã, e as duas entraram no facho de luz, dissolvendo-se em bits de computador. Foram seguidas por Pastor e seus lobos.

Gameknight virou-se e viu que ainda restavam Shawny e Pedreiro.

— Bem, acho que vou nessa — disse Shawny. — Espero te ver logo mais, certo?

Gameknight encolheu os ombros e depois observou Shawny desaparecer. Suspirou e virou-se para Pedreiro.

— O que você vai fazer depois de todo esse caos? — perguntou ao NPC grandalhão.

— No meio do caos, existe sempre oportunidade — declarou Pedreiro.

Conheço essa frase... é de A arte da guerra, *de Sun Tzu.*

— Você não é um NPC... não pode ser. Já ouvi essa frase antes, é de Sun Tzu. Meu professor, o Sr. Planck, pendurou-a numa das paredes de sua sala. Todas aquelas frases sábias que você andou dizendo eram de *A arte da guerra*. Quem é você?

Pedreiro sorriu.

— QUEM É VOCÊ?!

Pedreiro fechou os olhos por um instante e ficou imóvel, como se estivesse longe do teclado, depois seu skin se modificou: de um grande e forte pedreiro, passou a ser o de um NPC menor e careca, com um bigodinho e uma barba. Numa das mãos, ele trazia um chapéu escuro que parecia um Fedora, um chapéu típico usado por apenas um único usuário. Depois Gameknight percebeu as letras flutuando acima da cabeça dele, o filamento de servidor esticado para o alto. O nome tinha apenas cinco letras, mas formavam o nome do maior Minecrafter de todos os tempos: N... O... T... C... H.

CAPÍTULO 37
VIAJANDO PELA FONTE

— Você é ele... Quero dizer, você é... Quero dizer... você é Notch — gaguejou Gameknight.

— Sim, eu sei disso.

— Mas, se você é ele, por que simplesmente não interrompeu a guerra e salvou todo mundo? — perguntou Gameknight, e, em seguida, começou a ficar bravo. — Por que todos esses NPCs tiveram que morrer! Por que você simplesmente não impediu tudo isso...? Afinal de contas, foi você quem criou isso aqui.

— Bem, sabe o que é, alguma coisa aconteceu com Minecraft há algum tempo. Um vírus entrou no sistema.

— Um vírus? — perguntou Gameknight. — Que tipo de vírus?

— Um vírus de inteligência artificial.

— O que isso significa?

Notch acariciou o bigode escuro. Em seguida, virou-se e olhou para o platô, que agora brilhava com mil raios de luz.

— Sabe, Minecraft está baseada em seu próprio programa de inteligência artificial. Isso é o que ele usa para criar a paisagem, as aldeias, os animais e...

— Os aldeões — interrompeu Gameknight.

— Correto — respondeu Notch. — Mas, antes de Minecraft ser lançado, outro segmento de inteligência artificial invadiu o programa.

— O vírus?

— Isso mesmo, o vírus. Ele fundiu-se com meu código de IA e criou algo inesperado... uma falha no programa. Quando meu código de IA tentou compensar o erro, tudo ficou louco e começamos a perder o controle do sistema.

— Por que você simplesmente não deletou o programa e fez um *reboot*? — perguntou Gameknight.

— Porque eu percebi que pequenos trechos do programa tornaram-se autoconscientes e sencientes.

— O quê? Não entendo.

Notch acariciou o bigode novamente, depois deu um passo em direção a Gameknight e, em seguida, falou em voz baixa.

— Tornaram-se vivos.

— Os aldeões?

Notch assentiu.

— Assim, eu não poderia desligar o sistema... Não tive coragem. Inserimos trechos de programação e atualizações para tentar conter o vírus, mas ele não parava de escapar, causando estragos por onde passava. Tentei inserir meu próprio programa de antivírus de IA em Minecraft, mas isso só fez as coisas piorarem. Depois de algum tempo, percebi que eu não poderia controlar totalmente o sistema... tudo o que eu podia fazer era tentar ajudar no que eu pudesse, e causar o mínimo de dano possível.

— Mas por que você não contou aos aldeões quem você era? — perguntou Gameknight.

— Eu fiz isso uma vez, há muito tempo, mas todos eles meio que se apavoraram, ajoelharam-se e me trataram como um deus. Os aldeões não conseguem funcionar quando descobrem que eu sou eu, seu Criador. Então, em vez disso, ando no meio deles como se eu fosse apenas mais um... uma pessoa de alguma vila distante.

— Quer dizer, Pedreiro.

Notch assentiu novamente.

— Você sabe que Minecraft não teria sido salva se não fosse por você — disse Notch, com voz solene. — Eu venho observando você por um longo tempo dentro do jogo, e estava muito chateado com o que vi no passado.

Gameknight abaixou a cabeça e assentiu.

— Eu sei... Fiz coisas terríveis com os outros.

— É, fez mesmo, mas veja como você cresceu. Agora coloca os outros antes de si mesmo. Você ajudou gente que nem sequer conhecia, e encheu de esperança todos os NPCs de Minecraft.

Gameknight levantou a cabeça e olhou para os olhos verdes de Notch.

— Os NPCs de Minecraft precisavam de Pedreiro para conduzi-los até a Fonte, mas precisavam da bravura, criatividade e inesperada capacidade de resolução de problemas de Gameknight999. Você lhes deu esperanças e fez com que acreditassem que podem ser mais fortes do que imaginavam. Gameknight999, o Usuário-que-não-é-um-usuário, tornou ainda mais vivos os NPCs de Minecraft.

Gameknight sorriu e olhou para baixo novamente, envergonhado.

Notch deu um tapinha no ombro dele, e, pela primeira vez, Gameknight realmente sentiu que merecia os elogios.

Talvez eu não seja apenas um garoto... talvez eu possa ser algo mais, pensou, então olhou de novo para Notch.

— Bem, então agora eu conheço sua história — disse Gameknight —, quem você realmente é e o que significou isso tudo, mas e agora...? E eu? Como você vai me ajudar?

— Está aí uma pergunta interessante — respondeu Notch, daquela vez coçando sua barba bem aparada com os dedos grossos. — Mas a verdadeira questão é... você sabe quem você é?

— O quê?

— Posso simplesmente me desconectar e voltar para minha casa na Suécia, mas você... você agora faz parte do jogo. Olhe, ainda não existe nenhum filamento de servidor sobre sua cabeça.

Gameknight olhou para o alto da cabeça de Notch e viu a tênue linha iluminada que se estendia dela até o céu. Mas não viu nada acima da própria cabeça... nenhum filamento de servidor.

— Você faz parte do código que comanda Minecraft agora, Gameknight999. Você pode voltar a qualquer servidor aqui, mas vai continuar preso em Minecraft.

Gameknight olhou para todos os fachos de luz brilhantes sobre o topo da montanha e balançou a cabeça.

— Eu quero voltar para casa.

— Então vou perguntar de novo: você sabe quem você é?

— Claro, sou Gameknight999 e quero voltar para casa, para meus pais e minha irmã mais nova meio chata, de quem sinto tanta saudade. Só quero voltar para casa.

Notch caminhou até Gameknight e pousou uma das mãos em seu ombro.

— Tem certeza de que quer voltar?

— CLARO QUE SIM!

— Você precisa ter certeza absoluta, porque eu não sei o que vai acontecer quando você entrar no facho da Fonte. O código de programação de Minecraft mudou tanto que agora não o entendo mais. Ele criou coisas que eu nunca tive a intenção de criar.

— Como assim? O que você quer dizer com isso? — indagou Gameknight.

— Tipo os artífices de sombras e os artífices de luz... Não fui eu quem os criou... foi o código de Minecraft. Os segmentos de IA dentro de Minecraft assumiram uma vida própria e estão fazendo coisas imprevisíveis. Eu não sei o que a IA vai fazer quando você entrar na Fonte. Para chegar em casa, você terá que se segurar firme quando estiver no feixe de luz. Suspeito que esse processo irá testar cada grama de coragem e confiança que você tem em si mesmo. Se você tiver a menor dúvida, acho que não vai sobreviver. — Ele fez uma pausa para deixar aquelas palavras assentarem e e então continuou: — Sinto muito por tudo isso ter acontecido com você, mas é o que é.

Ele olhou para Gameknight com um sorriso curioso e, em seguida, citou Sun Tzu pela última vez.

— Conhece teu inimigo e conhecerás a ti mesmo.

E em seguida Notch, o criador de Minecraft, desapareceu, deixando Gameknight sozinho.

Ele olhou para o platô repleto dos fachos de luz dos servidores e depois virou-se para fitar a Fonte.

— Conhece teu inimigo e conhecerás a ti mesmo, essa provavelmente é a frase mais famosa de Sun Tzu ... mas o que ele quis dizer com isso?

Gameknight rodeou a Fonte e em seguida subiu um degrau. O calor da Fonte fez com que cubinhos de suor se formassem instantaneamente em sua testa, e sua monocelha impediu que caíssem sobre os olhos. Ele sentia o medo e a incerteza aumentarem dentro de si. Quando colocou o Ovo do Dragão no facho, só seus braços entraram na Fonte, mas agora ele precisava entrar com o corpo inteiro.

Subiu em outro bloco de diamante, aproximando-se ainda mais do feixe de luz incandescente.

Conhece teu inimigo. Ele pensou a respeito... seu inimigo era Érebo, mas não, não era apenas Érebo, era alguém que sempre o fez sentir-se mal em relação a si mesmo. Seu inimigo era todo mundo que fez Gameknight duvidar de seu valor como pessoa.

— Mas eu costumava duvidar de meu próprio valor... Costumava ser meu próprio inimigo.

Conhece teu inimigo e conhecerás a ti mesmo.

— Eu não vou duvidar de mim mesmo — disse ele, dando mais um passo em direção à Fonte, o feixe incandescente secando instantaneamente as gotas de

suor que se formavam em seu rosto. — Eu sei quem eu sou, e sou a melhor pessoa que eu posso ser.
Conhece teu inimigo e conhecerás a ti mesmo.
Ele subiu mais um degrau.
— Não vou me preocupar com os "e se". Não vou ter medo de tentar. — Ele subiu o último degrau e ficou bem diante da Fonte. — Eu sou Gameknight999 e quero voltar para casa!
Ele fechou os olhos e entrou no facho de luz. Imediatamente viu-se tomado de dor, quando cada um de seus nervos ficou em chamas. Mas, em vez de recuar, abraçou o próprio corpo e aguentou firme.
Eu posso fazer isso... Acredito que sou capaz de fazer isso e sobreviver. Sou Gameknight999.
Ele sentia que estava começando a dissolver-se em 1s e 0s enquanto a Fonte convertia o seu código em outra coisa. Abraçando-se com mais força ainda, ele deixou a Fonte convertê-lo cada vez mais rápido. Uma pequeníssima fagulha de medo vagou por sua mente, mas ele a afastou.
— Eu posso fazer isso — disse para ninguém. — Eu conheço a mim mesmo.
— Posso sobreviver a isto — disse, mais alto.
— Eu sou Gameknight999, o USUÁRIO-QUE-NÃO-É-UM-USUÁRIO.
E então a escuridão o envolveu.
Gameknight sentiu frio. Seu braço estava ligeiramente entorpecido, os nervos formigaram quando o fluxo sanguíneo retornou gradualmente a seu corpo. Sentou-se ereto e alongou as costas doloridas de ter ficado debruçado por tanto tempo. Seu rosto estava quente e meio dormente, como costumava ficar quan-

do ele caía no sono em cima de sua carteira na aula de história. Ele estendeu os braços e, em seguida, esfregou a bochecha, sentindo aos poucos as sensações retornarem à lateral do rosto.

Estava escuro e frio. Gameknight teve a impressão de que estava em algum lugar subterrâneo, e uma sensação de umidade e frio o fez gelar até os ossos. Esticou a mão direita, sem saber bem por que, e sua mão esbarrou em algo duro, as bordas afiadas arranharam as pontas de seus dedos. Esticou a mão em direção ao interruptor que já havia acendido umas mil vezes antes, e acendeu o abajur que ficava sobre a mesa. A luz inundou o lugar. Gameknight999 olhou para o abajur e reparou que fora feito de peças antigas de turbinas de avião, soldadas num formato espiralado complexo que mais parecia um tornado mecânico; era uma criação de seu pai que ele batizou de abajur CFM56... Gameknight ainda não fazia a menor ideia do que isso significava.

O abajur... o abajur da mesa do seu pai... ele tinha voltado para casa!

Gameknight levantou-se e afastou-se da mesa. Virou-se e olhou desconfiado para o digitalizador. Todas as luzes estavam apagadas. Não havia mais aquele zumbido irritado de vespas, e o aparelho parecia desligado.

Boa!

E então os sons de alguns personagens bobos de desenho animado cantando uma canção infantil irritante chegaram até o porão; Gameknight sorriu. Ele estava em casa... estava realmente em casa.

— Mãe, pai, irmãzinha... Estou em casa!

Olhando ao redor do porão, ele viu o canto onde se escondera de Érebo durante aquele sonho terrível, o velho espelho quebrado ainda encostado junto à parede... ele estremeceu, mas depois sorriu.

Estava em casa, tinha saído de Minecraft, finalmente.

Deu dois passos em direção à escada, parou e virou-se para olhar o computador. Viu uma imagem de Minecraft na tela, seu personagem imóvel, mas surpreendentemente também pôde ver imagens de seus amigos. Artífice estava ao lado do personagem dele, sua pequena mão sobre o ombro de Gameknight. Ao seu lado estava Pastor, o garoto franzino dando-lhe um enorme sorriso, com um dos braços levantado. Do outro lado de Artífice estavam as duas irmãs, Caçadora e Costureira. Apesar do cabelo ruivo intenso de ambas não terem o mesmo tipo de cachos, os cachos de ambas caíam sobre sua skin de Minecraft ainda com um brilho carmesim intenso, e os sorrisos das duas aqueceram o coração de Gameknight.

Aqueles eram seus amigos, seus amigos mais próximos. E ele tinha feito essas amizades não por ser um troll, nem tentando ser um cara durão, nem assediando moralmente outra pessoa, mas sendo apenas ele mesmo. Gameknight sorriu e sentiu uma lágrima rolar pelo rosto.

— Meus amigos — disse em voz alta para o porão vazio, e sorriu novamente. — Vou voltar para visitá-los em breve, prometo.

Foi até a mesa e esticou o braço para tocar o monitor do computador. Tocou de leve cada um dos rostos com seus dedos agora arredondados, enquanto mais lágrimas escorriam pelo rosto oval, e sorriu novamente. Em seguida, virou as costas e começou a subir a escada.

— Irmãzinha, preciso lhe contar uma coisa! — gritou ele, subindo os degraus de dois em dois.

O que Gameknight não notou na tela foi um vulto distante, um vulto amedrontador e sombrio escondido atrás de um carvalho. As árvores de carvalho se transformaram em cinzas e caíram no chão em pequenos montinhos. O vulto estava sorria de forma maligna, como uma serpente prestes a dar o bote na próxima vítima. Mas o pior de tudo eram seus olhos... emitiam um brilho branco intenso que iluminava o rosto malévolo, enchendo-o de um ódio que parecia concentrado diretamente para o centro da tela, para Gameknight999.

E então ele se afastou, e um som saiu das caixas de som do computador.

— Estarei à sua espera, Gameknight999, bem aqui em Minecraft. E, quando nos encontramos de novo, terei minha vingança e finalmente escaparei desta prisão. — Em seguida ele deu uma risada maníaca que teria feito o mundo inteiro tremer de medo e, depois, desapareceu de vista, deixando para trás apenas a árvore desfolhada como um sinal agourento.

NOTA DO AUTOR

A Série Gameknight999 obviamente é sobre algo que meu filho vivenciou em Minecraft, mas também é sobre uma coisa que tive a infelicidade de vivenciar durante todo o período da escola primária: bullying. Sofri com isso quando criança, e, para mim, a coisa em geral se dava no ponto de ônibus. Os garotos maiores achavam que era divertido me colocar dentro de grandes latas de lixo, ou tirar meu boné e brincarem de bobinho comigo enquanto eu tentava apanhá-lo, ou jogá-lo em cima de uma árvore, ou...

Eu odiava voltar no ônibus da escola!

Mas então conheci meu amigo Dave, que morava na mesma rua. Começamos a voltar a pé da escola, em vez de pegar o ônibus, e isso resolveu o problema... ou pelo menos foi o que pensei. Os agressores continuaram na escola procurando alguém para importunar, especialmente na hora do recreio. Às vezes eu lia um livro no recreio, sentado debaixo de uma árvore, mas ficar sozinho no pátio ou no parquinho em geral apenas atraía um dos agressores.

Ficar sozinho não resolve nada! Aprendi isso do jeito mais difícil. Faça alguns amigos e fique ao lado deles. Isso pode ser difícil para algumas pessoas, porque fazer amigos pode parecer assustador. Bem, então este é o primeiro dragão que você deve enfrentar. Seja corajoso, concentre-se no *agora* e pergunte o que *eles* gostam de fazer. Você ficará surpreso com o quanto as pessoas gostam de falar de si, e isso talvez o ajude a encontrar interesses comuns entre vocês, como Gameknight fez com Shawny. Rapidinho você vai fazer amigos e terá companhia.

Meus pais nunca souberam que eu sofria de bullying quando eu era pequeno, porque eu guardava aquilo só para mim mesmo. Não queria que eles se envolvessem, mas isso é errado. Sofrer em silêncio não me ajudou a resolver o problema. Na verdade, só fez com que ele durasse mais tempo e o fez parecer muito mais terrível. Sabe de uma coisa? Quando você sabe que está sofrendo, mas fica sozinho, tudo o que você arruma como companhia são seus próprios pensamentos.

E a preocupação tem um jeito de se alimentar de si mesma e ficar cada vez maior.

Se você estiver sofrendo bullying, ficar quieto é a coisa mais errada a se fazer. Conte tudo a alguém de confiança, um amigo, um professor, um pastor... qualquer pessoa. E, se você não puder fazer isso, então pegue papel e caneta como eu fiz e escreva sobre o assunto. Coloque seus sentimentos no papel. É surpreendente o quanto isso ajuda. Escreva sua própria história de Minecraft sobre bullying, ou sobre distúrbios alimentares, ou sobre não se encaixar... ou seja lá o que esteja incomodando você.

Ficar quieto não ajuda em nada! Você precisa enfrentar seu próprio dragão para se libertar, mas sem usar de violência contra outra pessoa, e, principalmente, sem ser violento consigo mesmo. Machucar ou ferir os outros não serve de nada; só faz ainda mais pessoas sofrerem. Você precisa perceber que muitas pessoas sofrem bullying, ou se sentem inadequadas, ou fora de lugar — mas, quando você fica em silêncio, isso gera a impressão de que você é a única pessoa que está lidando com esses desafios, o que não é verdade. Tem gente à sua volta que está passando pelos mesmos problemas.

Você não está sozinho!

Conhece teu inimigo e conhecerás a ti mesmo... se você ficar em silêncio, vai continuar sendo a mesma pessoa que sempre foi.

Seja forte, fale o que pensa, não fique sozinho, e esteja sempre de olho nos creepers.

Mark Cheverton

Este livro foi composto na tipologia ITC Bookman Std,
em corpo 11/15,5, e impresso em papel off-white,
no Sistema Cameron da Divisão Gráfica
da Distribuidora Record.